改訂版

サメに襲われたら鼻の頭を叩け

最悪の状況を乗り切る100の解決策

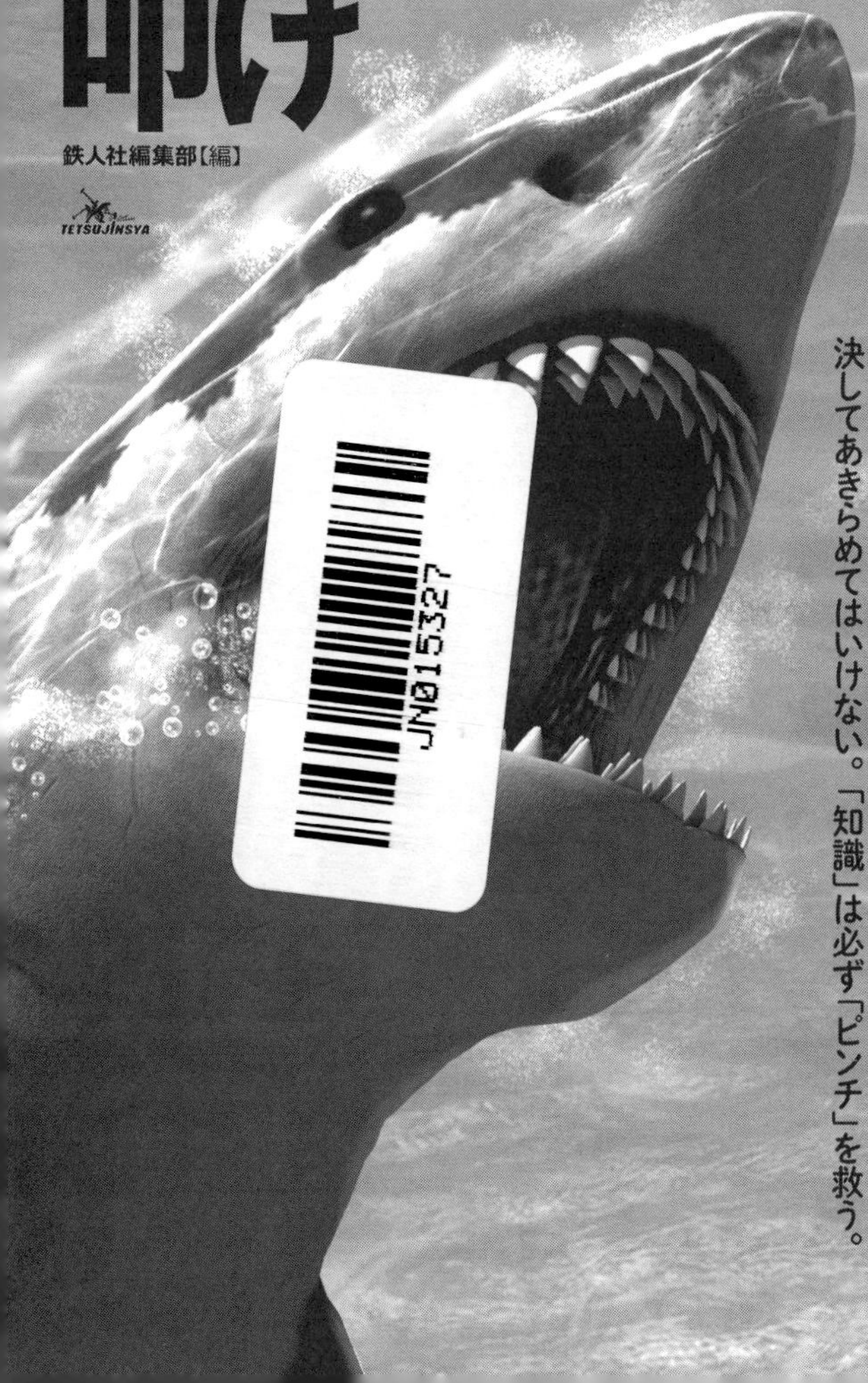

SNSで一方的に誹謗中傷された。走行中、急に車のブレーキが効かなくなった。
クレジットカードが不正に使われた。目の前で人が心肺停止に陥った。
乗った飛行機が今にも墜落しそうだ――
人間生きていると、様々な危機に遭遇する。予期せぬトラブルに襲われたとき、
果たしてどう対応するのが正解なのだろう。本書は、我々が直面してもおかしくない
100のシチュエーションとそこを乗り切るための術とヒントを解説した1冊である。
決してあきらめてはいけない。「知識」は必ず「ピンチ」を救う。

鉄人社編集部【編】

TETSUJINSYA

第1章 ごくごく身近な「ヤバい」

第5章
その応急処置が命を救う

第6章

絶体絶命！でもあきらめるな

巨大地震に襲われたら

★本書は「サメに襲われたら鼻の頭を叩け　最悪の状況を乗り切る100の解決策」（2019年2月弊社刊）を加筆・修正し1冊にしたものです。
★本書掲載の情報は2021年7月時点のものです。

第１章

ごくごく身近な「ヤバい」

寝坊したときの、使える「遅刻の言い訳」

2回目、3回目ならまだセーフ

最悪の状況を
乗り切る
100の解決策

いつも午前7時に起き8時に家を出て始業時間の9時前には会社着。昨今は新型コロナ感染予防のためリモートワーク（在宅勤務）が推奨されているが、まだまだ従業員に定時の出社を義務づけている会社は多い。当然、遅刻は許されない。が、スマホのアラームをかけ忘れた、深夜までユーチューブを見ていたなど何らかの理由で、目覚めたらすでに8時30分を過ぎていたなんてこともあるだろう。もはや、出社時間にはとうてい間に合わない。さて、どうする？

これが1回目の遅刻なら、正直に伝えるべきだ。

「自分のミスで寝坊しました。大変申し訳ありません。すぐに出社します」

メールやラインではなく直接電話をかけて、殊勝に謝る。上司からは、自己管理のできない人間とみなされるかもしれないが、すぐに報告したことで叱責程度で許してもらえるだろう。しかし、これが2回目、3回目だと同じ言い訳は通用しない。始末書の提出や減給、あまりにも程度がひどい場合には、出勤停止や解雇といった懲戒処分が下されることもあり得る。

またも寝坊しました、とは口が裂けても言えない。でも休むわけにはいかない。こんな状況になったとき、ピンチを乗り切れそうな言い訳を紹介しよう。

▼体調が悪くなった

「朝起きたら頭痛と吐き気がひどく連絡が遅れました。病院に寄ってから出社します」

「下痢が止まらず、トイレにこもらざるを得ませんでした」

「朝起きたら耳鳴りがして耳鼻科に行ったのですが、予想以上に混んでいて連絡が遅れてしまいました」

体調・通院パターンは、寝坊に限らず、遅刻で使える言い訳の鉄板。最も自然で、信じてもらえる確率も高い。ただ、その日1日は体調が悪いふりをし続けなければいけないという点がやっかい。

▼電車の「遅延証明証」をもらう

「忘れ物をして一度家に取りに帰っていました」

「電車が遅延しています」

1時間以内の遅刻なら、まだ通用しそうな言い訳。この中では電車の遅れが最も説得力がある。「遅延証明書」の提出を求められたら、駅員から入手すべし。電車が遅れていないのに証明書が発行されるはずもないと考えがちだが、さにあらず。JR、私鉄ともに遅延証明書は常に用意されており、乗客が有無を言わせぬ態度で求めたら、すんなり発行してくれるはずだ。

▼やむを得ないトラブルに遭遇した

「上の階からの水漏れで、朝起きたら部屋がびしょびしょで、対応に追われてました」

「火災報知器の定期巡回で業者の人に捕まっちゃって連絡が遅れました」

「誤ってメガネのレンズを壊してしまいました。メガネ屋に寄ってから出社します」

このパターンは、本当に予期せぬ災難に見舞われて自分ではどうしようもなかったという状況が伝わるように話すのがポイント。表情や声色などの演技力に自信があれば通用する可能性は大きいが、逆に怪しまれてウソが判明した場合は命取りになるので十分な注意が必要だろう。

集合住宅なら管理会社に仲介を頼み、解決しない場合は引っ越しを

近隣住人の騒音が我慢できない。殺意を抱く前に取るべき行動は？

いわゆる「ご近所トラブル」で最も多いのが、話し声、洗濯機を使う音、大音量の音楽など騒音をめぐる揉め事だ。特に多くの人が一つの建物で暮らす共同住宅では、当事者間で取り返しのつかない大問題に発展する危険性も高い。

２０２１年４月28日の午前７時頃、大阪府大東市の５階建てマンション（築26年、鉄骨造）で、21歳の女子大生の殺害遺体が発見された。「女性の叫び声がする」と通報を受けて警察が駆けつけると、３階にある自室で全身血まみれの状態で倒れていたそうだ。犯人は彼女の部屋の真下に住む48歳の男性会社員で、縄

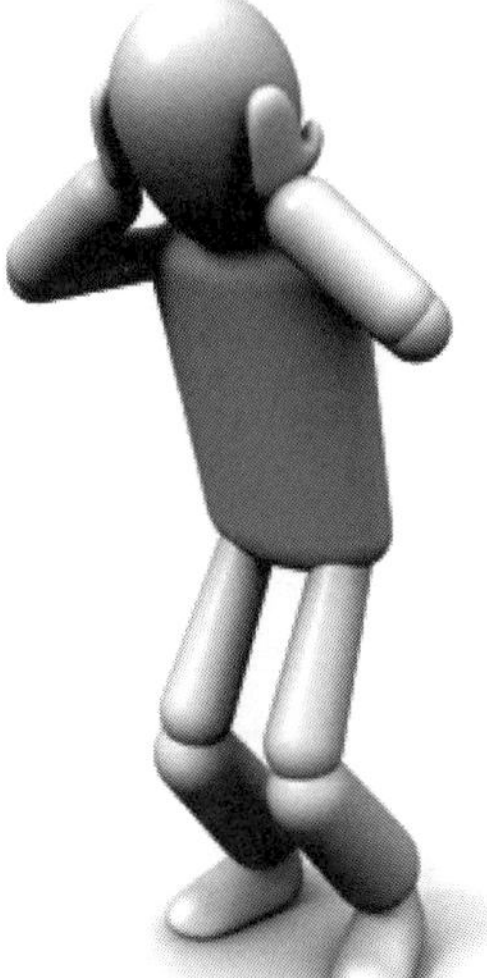

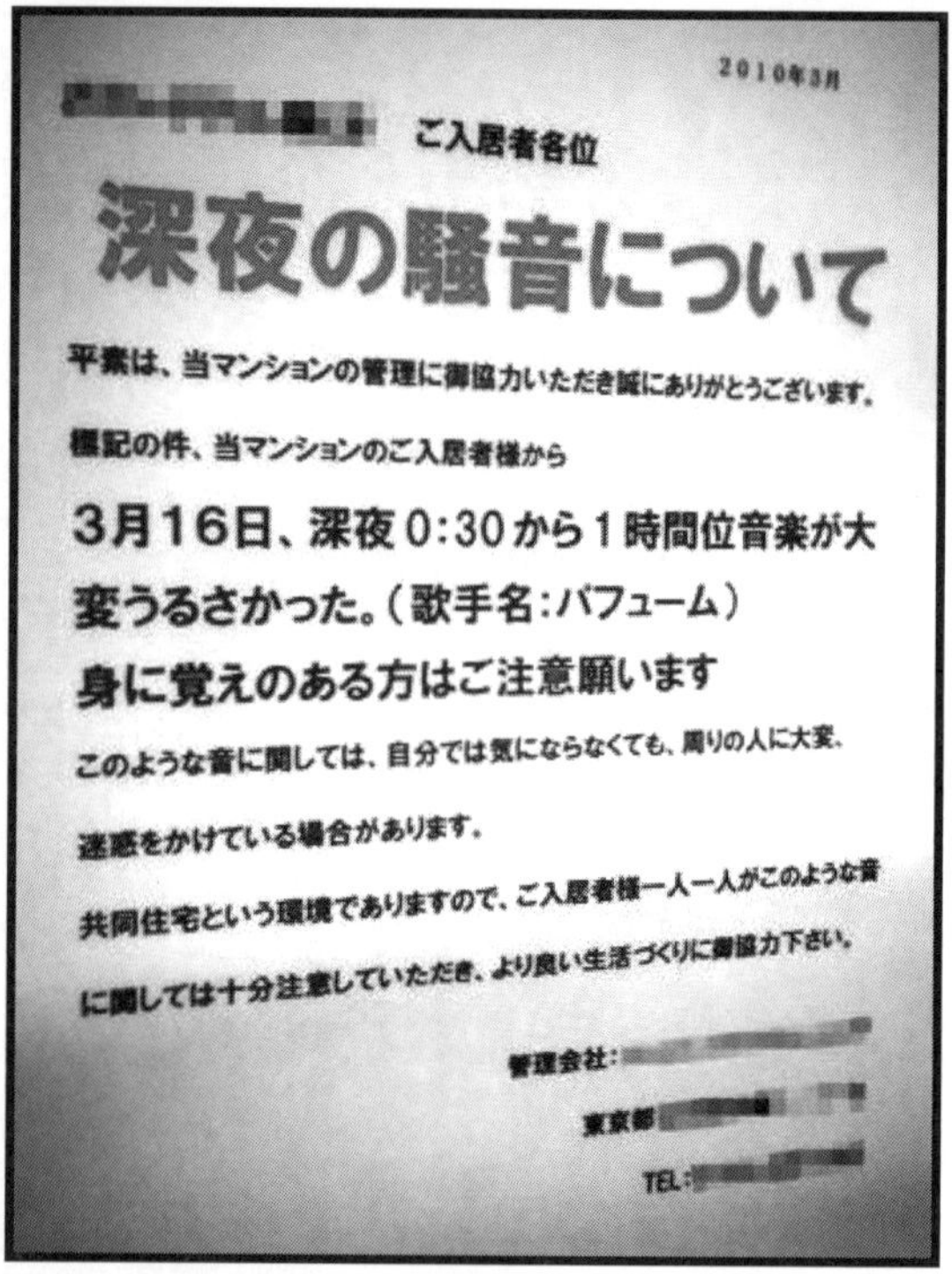
2010年3月
ご入居者各位
深夜の騒音について
平素は、当マンションの管理に御協力いただき誠にありがとうございます。
標記の件、当マンションのご入居者様から
3月16日、深夜0:30から1時間位音楽が大
変うるさかった。（歌手名:パフューム）
身に覚えのある方はご注意願います
このような音に関しては、自分では気にならなくても、周りの人に大変、
迷惑をかけている場合があります。
共同住宅という環境でありますので、ご入居者様一人一人がこのような音
に関しては十分注意していただき、より良い生活づくりに御協力下さい。
管理会社:
東京都
TEL:

音の発生源が特定できない場合は、
騒音の具体的な状況を注意書きに記すべし

はしごを使って被害者宅に侵入。バール状の凶器で殴り殺した後、自宅に戻り部屋に火をつけ一酸化炭素中毒で自殺した。なぜ、このような惨劇が起きたのか。容疑者死亡のため正確な動機は不明だが、報道によれば、男性会社員は普段から生活音に過敏で、たびたび壁を叩くなど同じマンションの住人複数とトラブルを起こしていたという。男性の真上で暮らす女子大生も騒音が原因で被害に遭った可能性は高いだろう。

生活音は、当事者に激しい憎悪を抱かせるまでに及ぶ。深刻な問題で、いつ自分が被害者に、あるいは加害者になってもおかしくない。殺意を覚えるほどエスカレートする前に取るべき行動は何なのか。

まずは、音の発生源の特定だ。２階建ての木造住宅なら、騒音がどこから聞こえているか比較的わか

りやすい。が、マンションのような集合住宅の場合、上下左右だけでなくその斜め上下の住戸とも木材や建材で繋がっているため勘違いが起きがち。この勘違いが住人同士のトラブルに発展するケースも大いにあるので、注意深い確認が必要だ。

騒音の発生源がわかる、わからないにかかわらず、実際にトラブルに巻き込まれてしまった際は、相手に直接文句を言うのは御法度（壁ドンなども厳禁）。警察に連絡するのもＮＧだ。恨みを買ったり、自分の怒りがエスカレートし、前記のような惨事に巻き込まれかねない。連絡すべきは、大家もしくは管理会社だ。マンションの場合、管理会社には、住民間で発生するトラブルに対して適切に対応する義務がある。担当者に事情を話し、騒音源の住人に直接注意してもらうか、エントラスなどに貼り紙を出してくれるよう促す。ただし、事態を悪化させないよう、苦情を申し立てた当人が何号室の住人かわからないようにしておかなければならない。

それでも騒音が収まらなければ、選択肢は二つ。賃貸物件なら、「転居」を考えよう。なぜ被害者の自分が越さなければ？　と思われるかもしれないが、そこに住み続けるストレスと、最悪の事態を想定した場合、早々に決断するのが賢明だ。また、簡単に越せない分譲物件の場合は、損害賠償請求の裁判を起こすのも手だ。定期的な騒音によって精神的かつ肉体的な損害を被っていると法的に認められれば、騒音発生の禁止や慰謝料を相手方に突き付けることができる。が、そこまでたどりつくには膨大な時間と裁判費用がかかることは必須。家を購入する際は、建物の防音能力に細心の注意が必要だろう。

最悪の状況を乗り切る100の解決策

指輪がどうしても抜けなくなった

対処法の基本は、指のむくみ解消

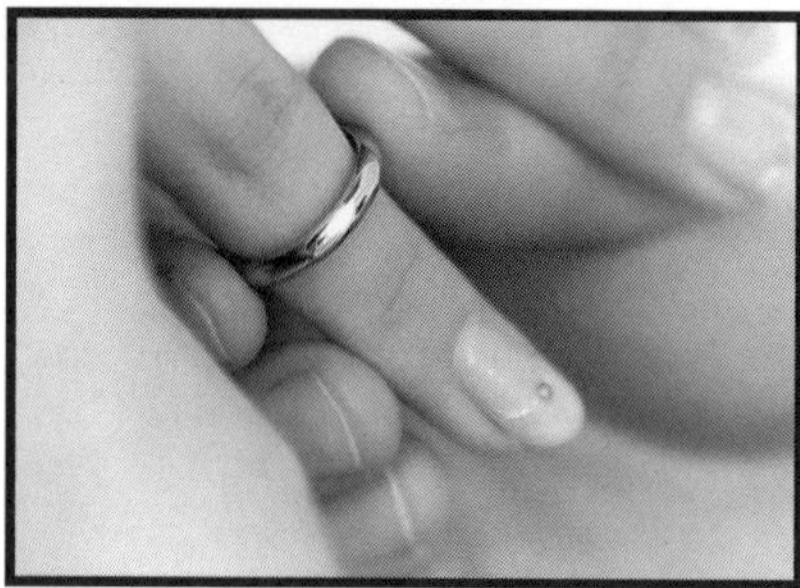

指は体の先端にあり〝冷えによる血行不良〟が起こりやすいため、足と同じくらいむくみやすい部位。こんなとき、隙間がないくらいピッタリと指輪がハマり、抜けなくなることが多い。どうすればいい？

対処法でよく知られているのは、ハンドクリームや洗剤をリングの周りに軽くなじませ、ゆっくり回転させながら抜いていくやり方だが、これでダメなら指のむくみを取ることに専念しよう。一つは、両手を前に真っ直ぐ前に伸ばし、手の平を下に向けた状態で「グー」「パー」を15回ほど繰り返す。また、洗面器などに40度ほどのお湯を張り、そのまま5〜10分ほど付けたままにすれば血流が良くなりスルリと抜ける場合もある。この他、「合谷《ごうこく》」と呼ばれる手のツボを押す方法も試す価値がある。ここは頭痛や疲れ目、肩こりなど様々な症状に効果があるといわれるポイントで、やり方は、指輪をはめていない手の親指をツボを3秒ほど強く押し当てた後、3秒ほど離す。これを1

～2分繰り返すと、指のむくみが改善されやすい。
これらの方法で抜けない場合は、最終手段として指を糸でグルグル巻きにしてみよう。まず、リングをはめている指の第2関節周辺（むくんでいる部分）をキツめに巻き付ける。この際、糸の巻き始めと指輪の間が開くと逆に指が膨らんでしまうので要注意だ。巻いたまましばし放置すると、指から血の気が引いてくるが、このときがチャンス。糸で巻く前より指が細くなっており、スーっと指輪が抜けるはずだ。

「合谷」と呼ばれるツボを強く押すのも一つの手

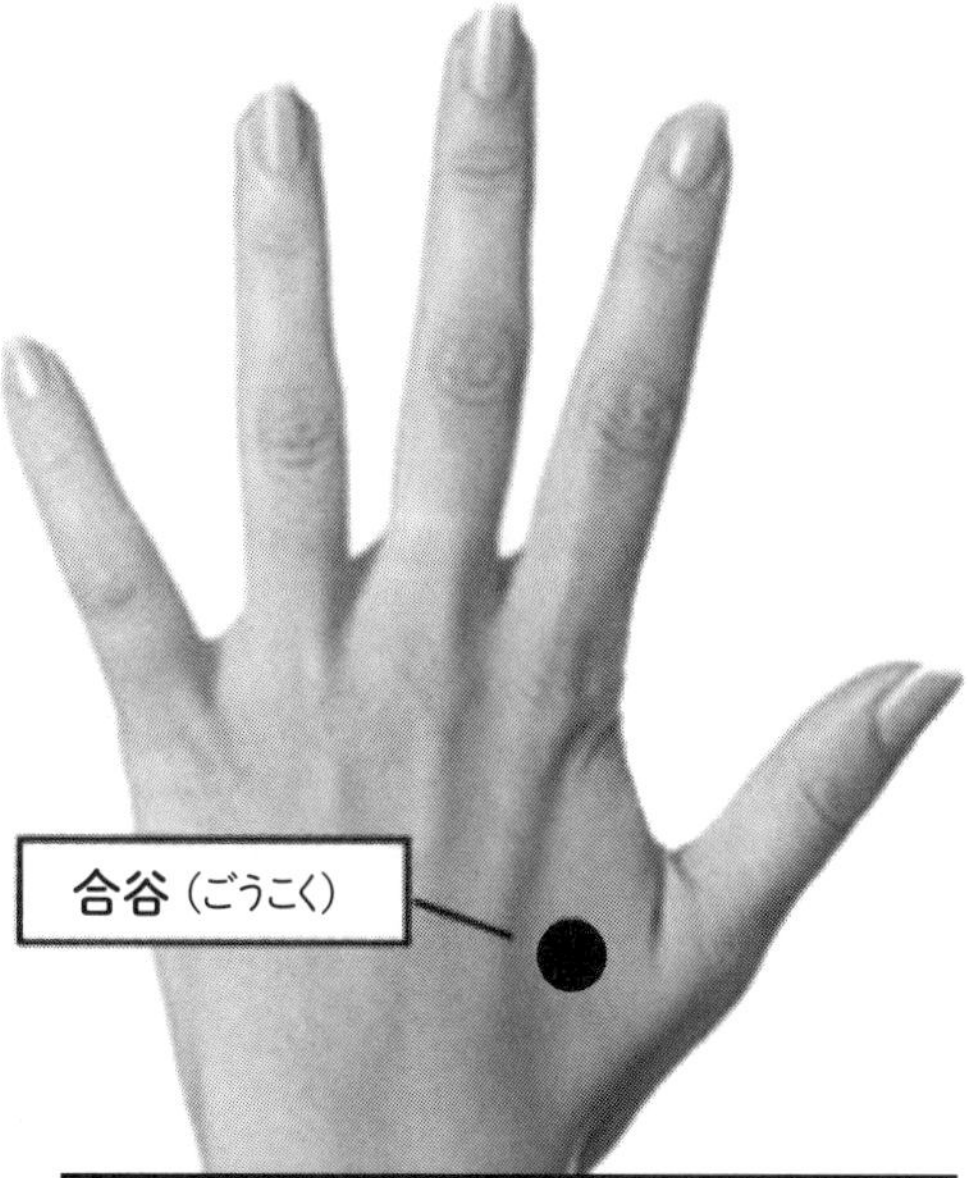

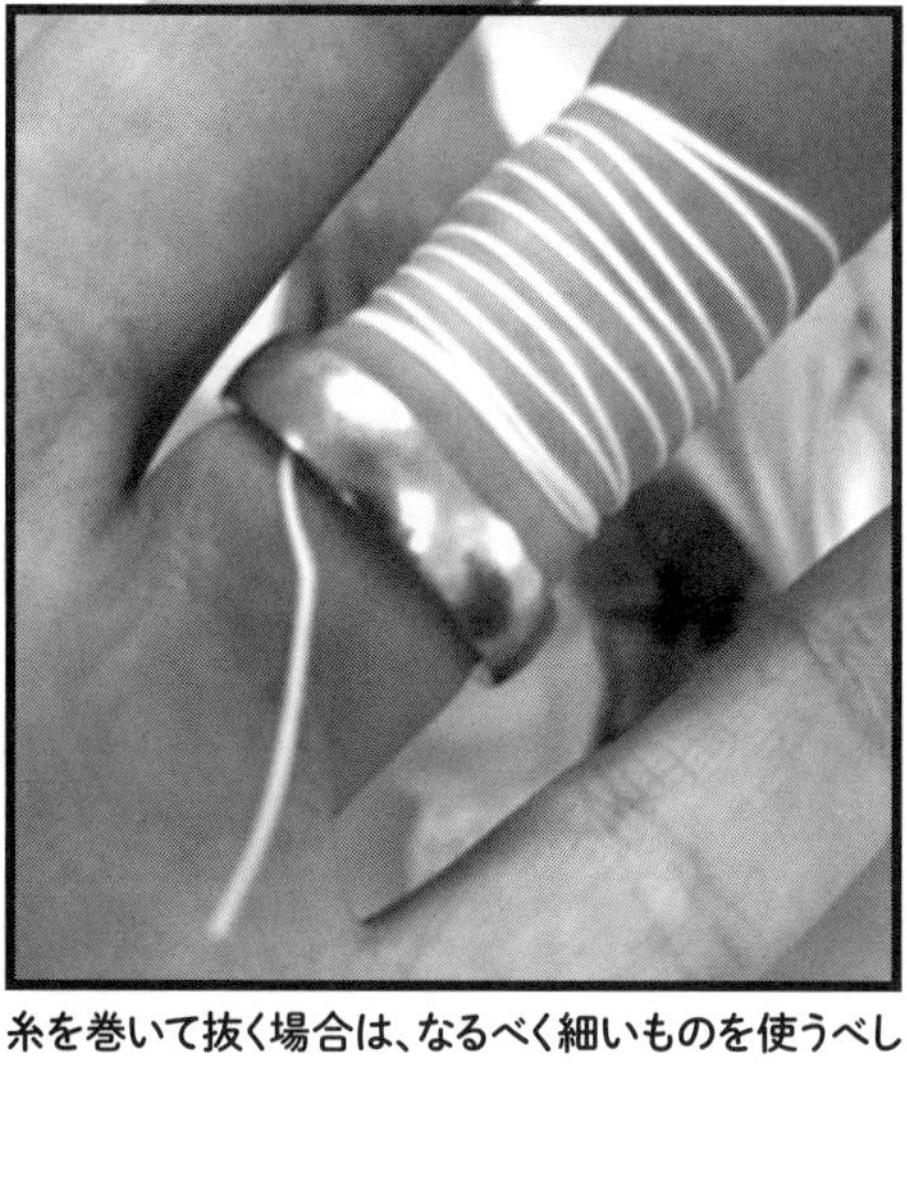
糸を巻いて抜く場合は、なるべく細いものを使うべし

バス酔いで吐き気を催したら

最も即効性があるのはツボ療法

最悪の状況を乗り切る100の解決策

帰省や旅行で長距離バスを利用する人は多い。また、時には仲間と観光バスに乗る機会もあるだろう。こんなとき、突然襲ってくるのが乗り物酔いによる吐き気だ。医学的には、揺れが原因で三半規管に異常が起き、嫌なむかつきの症状が現れるのだが、そのまま我慢していても吐き気はひどくなるばかり。これを解消するには、乗り物を降りて新鮮な空気を吸い、しばらく時間を置くよりない。しかし、気持ちが悪くなったからといって、自分の都合でバスを止めて、下車するわけにもいかない。ならば、思い切って吐くのか？　いや、それもためらいがある。何とかやり過ごす手段はないものか。

●飴やガム、梅干しなどを摂る。
●頭を冷やして、動かさないようにする。
●ストレッチなどをして緊張をほぐす。
●色の濃いサングラスをかけて視覚情報を減らす。
●ベルトを緩めて体をリラックスさせる。

●座席を倒してラクに座る。
●窓を開けて、冷たい風を入れる。

一般的な対処法はこんなところだろうが、最も即効性があるのがツボ療法だ。両手首の内側から指3本分肘《ひじ》の方へ移動した場所に「内関《ないかん》」という乗り物酔いに効くツボがある。このツボを、反対側の手の親指でグイグイと30回ほど押す。続いて、逆の手も同じように指圧。と、しだいに吐き気が治まっていく。体質的に乗り物酔いしがちな人は、乗車する30分ほど前に内関を刺激しておくのが良いだろう（内関の上に米粒を絆創膏で貼り付け、常に刺激を与えるのも効果あり）。

この他、アイスクリームやかき氷を口にするのも有効な手段だ。口に冷たい刺激を与えることで自立神経のバランスが取れ、不快感の解消につながる。氷があれば、口に含むだけで十分だ。

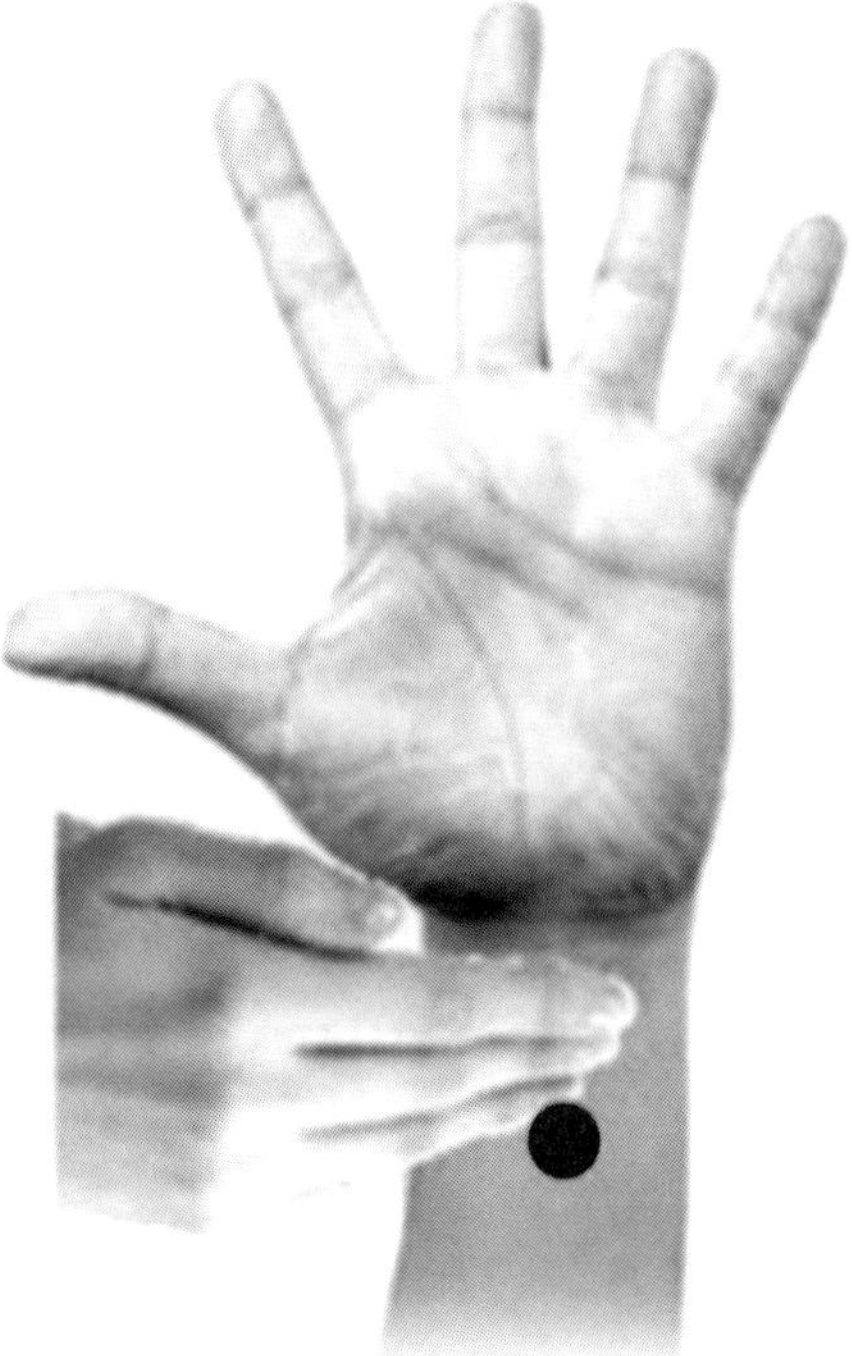

内関の位置は手首のいちばん太いシワから、肘に向けて指3本分が目安。肘側から、すじの間に指先をぐっと押し込むように押すのがコツ

電車に乗っていたら強烈な便意が襲来

括約筋を締めて、下痢点を押せ

尿意は予測できても便意は突如やってくる

電車に乗っているとき、突然の便意に襲われた経験は誰にでもあるだろう。我慢できるなら問題ない。が、時に便意は猛烈に高まり、脂汗が流れる緊急事態にもなりかねない。時間に余裕があれば途中で下車し、いち早く駅の公衆トイレに駆け込むまでだ（そんなときに限って全て埋まっていたりするのだが）。しかし、どうしても時間を遅らせられない用事があるときや、電車が特急などで途中の駅で止まらない場合は、我慢するしかない。絶対に漏らすわけにはいかないのだ。

こんな最悪の状況で取るべき行動は、なんとか便意を抑えるしかない。まずは気を逸らす方法。例えば何とか席を確保して座る。これだけで精神的に優位に立てる。また、妄想を膨らませるのも一つの手。リゾート地で優雅に過ごす自分を想像したり、好きな異性とのセックスを頭に浮かべたり。中には、頭で「お猿のかごや」を歌うと便意が遠のく、という説を提唱している人もいるそうだ。こんなことで生理現象が治まるわけがないように思えるが、なるべく便やトイレのことを考えないようにするのは決して無駄ではない。

便意を抑える直接的な行動としては、反時計回りにお腹を5分ほど撫でる（腸の動きを抑制でき、腹痛が和らぐ可能性あり）などの方法があるが、最も効果的なのは尻の括約筋を締めることだ。ずっと力を入れるのではなく、便意の波が来た、ここぞというときに集中的に力を込める。治まれば緩める。これを繰り返せば、しばらくは持つ。

漢方医学の観点から言えば、「下痢点」と呼ばれるツボを押さえるのも効果的だ。場所は腹部や足にもあるが、電車が混んでおり自由に身動きできない際は手の甲にあるツボが良い。ポイントは中指と薬指の骨が合流する甲の中央あたり。普段下痢気味の人は、この部分が見てわかるほどに腫れており、押せば痛みを感じるのですぐにわかるはずだ。このツボを痛みの程度に合わせてグリグリと押す。また、尾骨から腰へ向かって背骨の上をリズミカルにトントントンと叩き上げるのも即効性がある。これを10回以上くらい素早く繰り返すと、便意が一時的に治まるらしい。

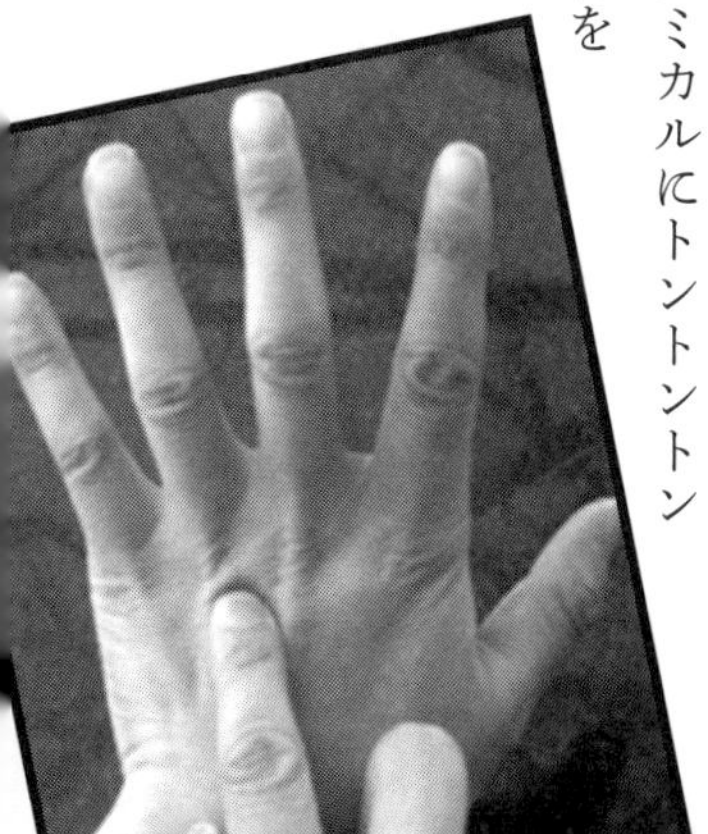

便意の抑えに効くツボ「下痢点」は手の甲の中心部から少し薬指よりにある

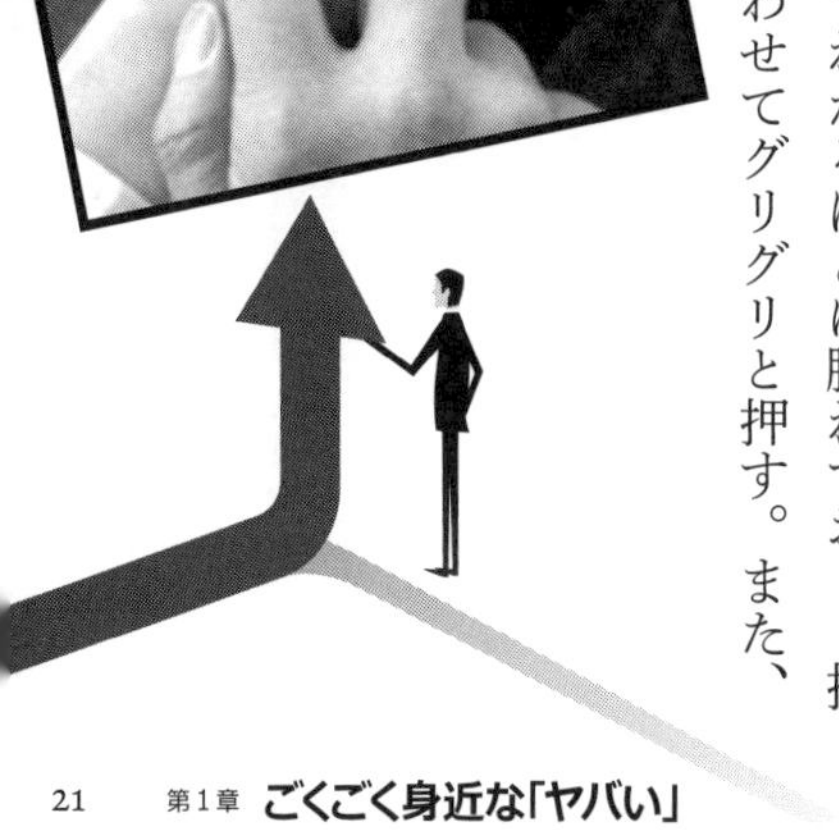

最悪の状況を乗り切る
100の解決策

公衆トイレで便をしたらペーパーがない

靴下やブリーフで代用、最悪の場合は紙幣を破れ

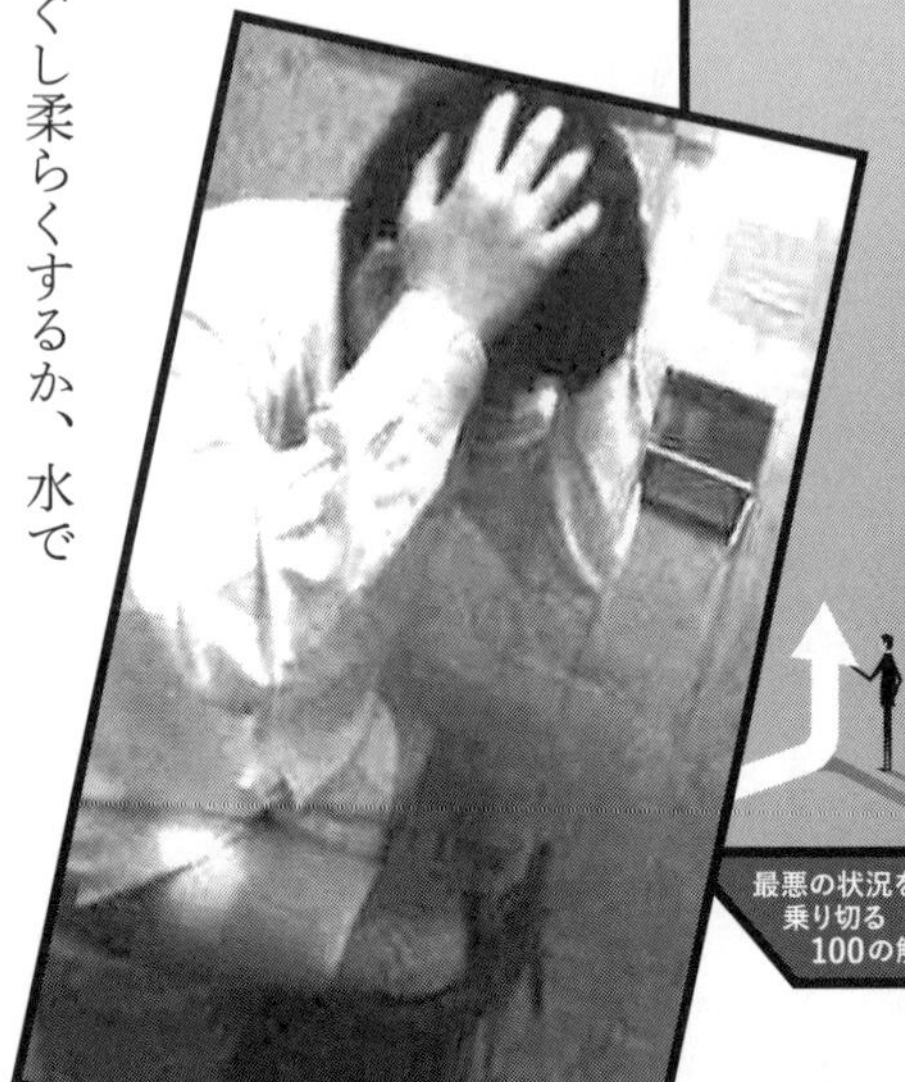

突如、襲ってきた地獄の腹痛。やっとの思いで見つけた公衆トイレに駆け込み、思いっきりブツを排出する。ブリブリブリ。ふうぅ。何とも言えない幸福感に満たされつつ、改めて周囲を見渡した途端、一気に背筋が凍りつく。無い、トイレットペーパーがどこにもないじゃないか！

ここで、誰もが考えるのがペーパーの芯で代用することだろう。もちろん、そのままでは使えないので、割いてからほぐし柔らくするか、水で濡らせば何とかピンチはしのげる。が、最近は芯なしのトイレットペーパーも少なくない。絶体絶命か？　いや、手はある。靴下やブリーフやランニングシャツを紙の代用品にするのだ。言うまでもなく、靴下は肛門に優しい布製。面積もそこそこあるので十分に目的は果たせる。ブリーフやシャツも同様だ。

その際、代用品の衣類は使用前に水で湿らせておくといいだろう。洗浄力がアップするだけでなく、

あくまで最終手段だが…

芯が残っていれば、ほぐして使うべし

肛門をリズミカルに押し拭くと、肛門に当たるヒンヤリとした感覚が実に気持ちいい。当然ながら使用した衣類は捨てるしかないが、最悪の事態は避けられたのだから、数百円の損失など安いものだろう。

　衣類を使えない事情があった場合は、財布の中を確認してみよう。レシート、名刺などなど、代わりになりそうなものがあるはずだ。

　究極は千円札、5千円札、1万円札などの紙幣を使う方法だ。そんなもったいないことできないと思うのは早計。紙幣を丸ごとではなく、一部を破るのだ。ちぎれた札は全体の3分の2以上が残っていれば、銀行で満額交換してもらえる（残りが5分の2以上で半額交換、残りが5分の2未満ではまったく交換できない）。ちなみに、千円札の3分の1は縦7・5センチ、横5センチと大きさ的にばっちり。足りなければ、また新たな紙幣を破って使うまでだ。

心配性の人は「声出し、指差し確認」を

鍵を閉め忘れた「かも」のときは大抵閉めている

玄関の鍵かけたっけ？　ストーブのスイッチを切ったっけ？　窓閉めたっけ？　エアコン切ったっけ？

家を出た後、いつもは欠かさない行動を怠ったかもしれない、忘れたかもしれないと不安になることがある。気になって仕方なく、家に戻り確認したことのある人もいるだろう。が、そこで実際に「し忘れていた」ことはあるだろうか。鍵は閉まっているし、電気やエアコンのスイッチもちゃんと切られているのではなかろうか。

人間の心理は不思議なもので、「かもしれない」と感じたときは、大抵間違っている。本当に忘れた場合は「かも」とは思わず、明確に「し忘れた」ことが脳裏に刻まれる。逆に、完全に忘れていたときには「かも」などと思うことすらなく、帰ってから初めて気づくのがパターンだ。極端なケースで言えば、1週間ほど旅行で家を留守にして戻ってみたら、ストーブが付けっぱなしだったということもある。これを旅行中に仮に思い出したら居てもたってもいられない

が、人間は〝都合良く〟思い出さない。

よって、「かもしれない」と不安に思っても、その不安が曖昧なら安心してOK。もしくは、潔くあきらめるのが賢明。起こったら起こったで仕方ないと割り切るべきだ。

しかし、世の中には、「かもしれない」と一度気になったら不安が治まらないという人もいる。その顕著な例が「強迫性障害」だ。これは、自分の意思に反して、不合理な考えやイメージが頭に何度も浮かんできて、それを振り払おうと同じ行動を繰り返してしまう精神疾患で、例えば、戸締りをして家を出たのに、鍵がかかっていないのではという不安に襲われ、何回何十回と確認してしまう。それが無駄な行動と理解していても「やりすぎ」が止められないのだ。

日本ではこの「強迫性障害」に悩まされる人が100人に2人程度いるらしいが、ここまで深刻な状態でなくとも、心配性を自認する方は少なくないだろう。そんな人に有効なのが「声出し、指差し確認」だ。電車や建築関係などの現場でも使われているが、日常生活でも「窓締めた。ガス止めた。エアコン止めた。ヨシッ!」と、指差しながら声に出すのは、不安を払拭するのに持って来いの方法だ。それでも心配なら、毎回、鍵をかけるときに携帯電話で画像や映像を撮ってみるのも手。後で画像を見て確認、安心できるだろう。

施錠を怠った不安に襲われると
仕事が手につかないという人も

最悪の状況を乗り切る100の解決策

自動ドアをすんなり開けてしまう裏ワザが

部屋に鍵を置いたままゴミ出しに。オートロックだから入れない

深夜、マンションの外へゴミ出しに行ったはいいが、うっかり部屋に鍵を置いてきたのでオートロックが開けられない。１人暮らしなら、よくある光景だ。

　こうした場合、まず考えるのは、他の住人が帰ってきたとき一緒に入れてもらう方法だろう。玄関前で待機しており、声をかけて事情を話す。多少不審がられるかもしれないが、「あー私もよくやるんですよ」とすんなり応じてもらえるだろう。が、時間帯や部屋数によっては待てど暮らせど住人が全く戻ってこないこともある。さらに、時期が真冬なら長時間はとても耐えられない。

　このとき、もしスマホを持っていたら、管理会社に電話しよう。部屋番号、名前、事情を話した後、可能な限り困った口調でこう切

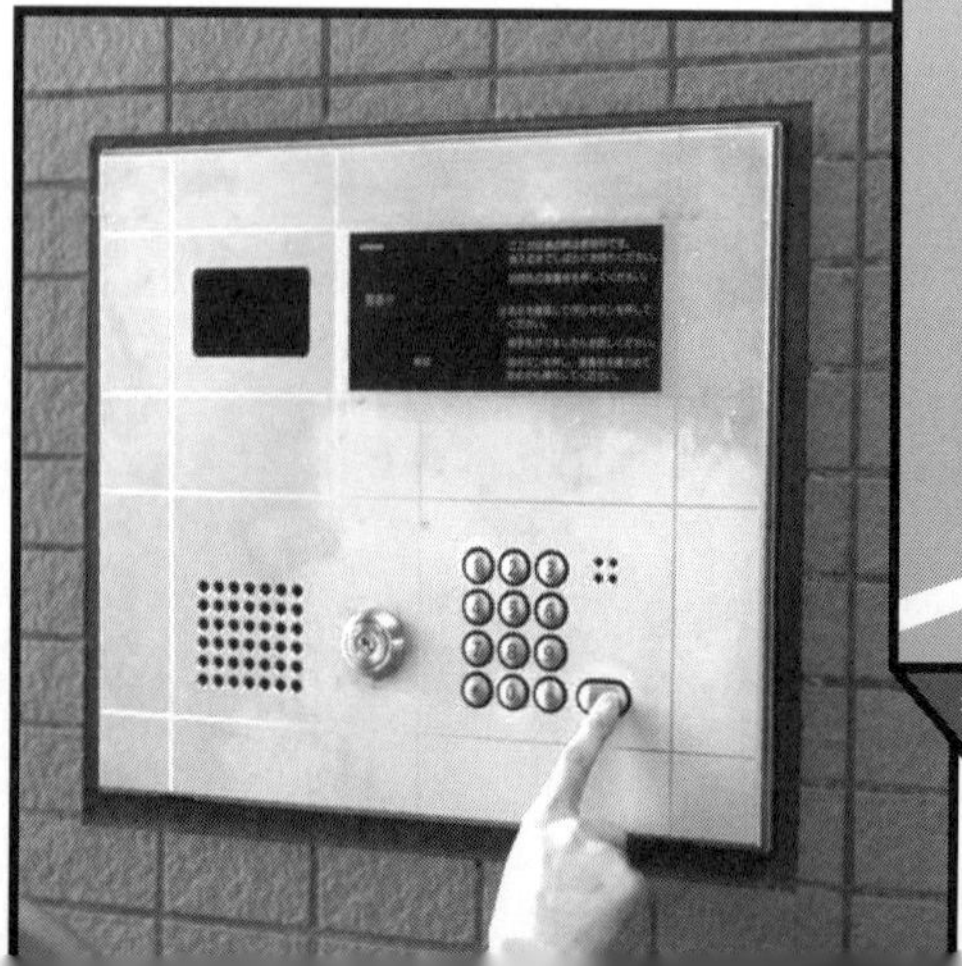

オートロックのマンションには、鍵なしでもドアが開く暗証番号が用意されている

り出す。
「申し訳ないんですが、オートロックを解除する番号を教えてもらえないでしょうか」

お金に余裕があれば専門業者に頼るのも手

オートロック機能が付いたマンションには、たいてい鍵がなくてもドアが開く暗証番号が用意されている（引っ越し作業の搬出入などのため）。番号は「呼」＋数字4桁か、その逆。もちろん、ここでも相当怪しまれるが、トイレが我慢できないなど逼迫《ひっぱく》した状況を話せば、担当者によってはこっそり教えてくれるケースもある。

それでもダメなら、次の裏ワザを。Ａ4ノートでも、仕事で使う書類でもいい。とにかく薄い紙切れを閉まったドアの隙間に差し込み、上下に動かす。と、ドアの内側にあるセンサーが作動し、スイーっと開く場合がある。

もう一つは、自動ドアの電源を切るという大胆な方法だ。ご存じない方もいるかもしれないが、オフ状態になった自動ドアは、扉を開閉するモーターが作動しなくなるので手動で簡単に開けられるのだ。ちなみに、電源スイッチのある場所はマンションによって微妙に異なるが、大半は玄関の外側。自動ドアに向かって左側の上部に目立たないよう取り付けられている。そこから電気コードが伸びていればビンゴだ。

この方法はあくまで、いざというときのため。悪用は厳禁である。

最悪の状況を乗り切る100の解決策

申し込みメールを送っても返信がなければ契約は不成立

宿側のミスで部屋の予約が取れていなかった

写真はイメージ。本文とは直接関係ありません

温泉旅行や観光地巡りなどで宿を取る場合、最近はじゃらん、楽天トラベルなど旅行サイトで予約するのが一般的だ。が、間違いなく予約したのに、当日宿に出向いたところ、満室だと断られた。さて、どうする?

この場合、責任の所在がどこにあるかが問題となる。単なる仲介業者である旅行サイトに文句を言うのはお門違いで、追及すべきは予約を受けつけた宿だ。もし、宿側が何組かキャンセルがあると見込んで実際の客室数よりも多く予約を受けつけていたら(いわゆるオーバーブッキング)、完全に先方の責任。この場合は、近隣のホテルの同レベルの部屋を紹介してくれるよう要求すべし。客室に備えてあるホテルの宿泊約款の中に、万が一ホテル側の都合で部屋が用意できなかった際は、この責務を果たす旨が記されているので、堂々と主張すればいい。繁忙期で、どの宿の部屋も空いていなければ、違約金の支払いを求めるしかない。もし事前に代金を支払っている場合は客室代金相当額は当然で、プラス宿側の誠意だろう。ここは宿によって対応は異なるが、次回宿泊する際の代金を無償にするといった提案が出たら良しとすべし。怒りに任せて損害賠償を請求しても、金（弁護士費用など）と時間がかかるばかりで結局、赤字となるのがオチだ。

気をつけなければならないのは、予約成立の有無だ。ネットで予約する場合、決められたフォームに必要事項を記入し送信、宿側が確認し、受付完了の返信メールが届いたり、直接電話がかかってきて初めて予約完了となる。では、仮に宿側の確認ミスで何も連絡がなかった場合はどうか。メールを送ったことは間違いないので、契約の申し込みをしたのは事実。しかし、契約は互いの意思表示の合致がないと成立しない。この場合、宿側より連絡がなかった＝意思表示がなかったとみなされ、予約という契約が成立していなかったということになる。すなわち、宿側には法的な責任はないのだ。ただ、現実に非があるのは先方。相応の対応を求めてしかるべきだろう。

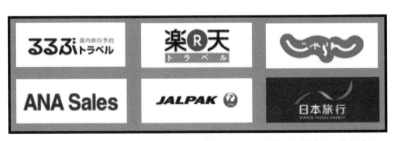

旅行サイトで予約した場合は、受付完了の
返信メールが届いているかどうか確認すべし

便器や換気口に向かい大声で叫べ。水を飲めば2、3週間は生きられる

窓のないトイレに閉じ込められた。誰か助けてくれ～！

最悪の状況を乗り切る100の解決策

２０１０年11月、東京都港区で、63歳の女性が自宅トイレに9日間閉じ込められるという事件が発生した。女性は同年6月に会社を辞め、97歳の母親と2人で暮らしていたが、母親が10月初旬から入院。当時は一人暮らしだった。

深夜1時、就寝前にトイレに入った瞬間、「バタン」という大きな音とともにドアが閉まってしまった。開けようとしたが、びくともしない。後で判明したところによれば、トイレの前の廊下に立てかけてあったコタツ一式が入った段ボールが倒れて、つっかえ棒のようになり、ドアが開かなくなってしまったらしい。トイレには窓も時計もない。時間を知る方法は、翌日になってわかった。換気扇を通して入ってくる朝8時30分に始まり、昼1時間の休憩を挟んで夕方6時に終わる工事現場の音だった。

以降、彼女はトイレでの生活を余儀なくされる。２日目に目を覚ますと口の中がカラカラで、唇はひび割れ、歯茎は真っ白。このままでは脱水症状になると思い、トイレの手洗い水を口にする。絶望的な気分のなか、気を紛らわすため、トイレの隅々を掃除し時間をやり過ごす。泣きたいと思っても涙も出

この空間が地獄に変わることも

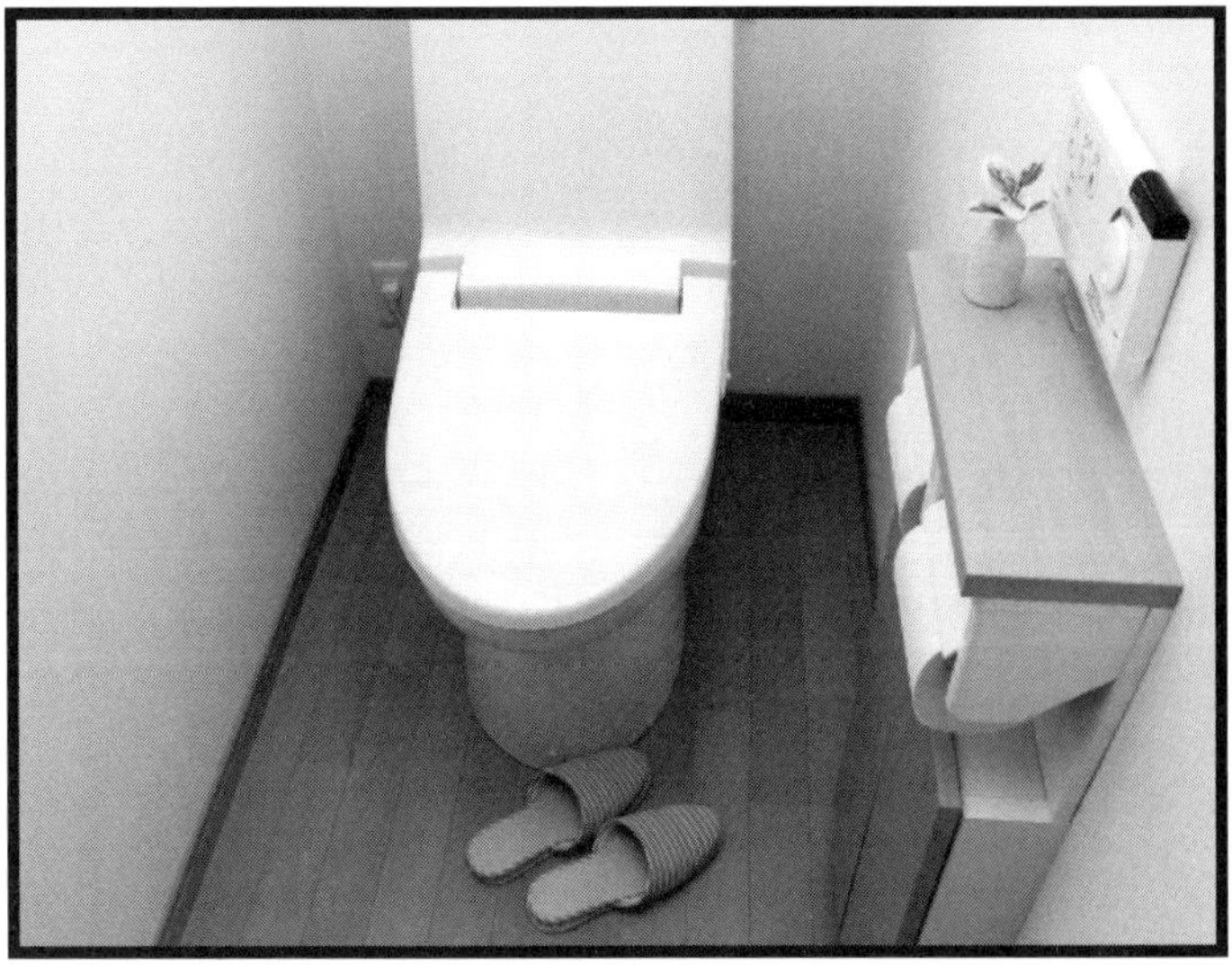

ない。完全な脱水状態だった。

絶対絶命の彼女を救ったのは入院中の母親だった。閉じこめられて7日目に母親が看護師に「娘が見舞いに来ない。連絡してほしい」と訴えた。病院は何度も自宅に電話をしたが応答がない。そこで9日目の朝、警察に通報。救助とあいなった。

トイレに閉じ込められ出られなくなる。通常は考えもしないが、ドアノブが壊れたり、前記のようにモノが挟まったりで、突如、非常事態に陥るケースは決して珍しくない。同居する家族などがいれば救出は時間の問題だが、一人暮らしならまず気づかれず、やがてそれは、時間が経つにつれ命にかかわる重大時につながっていく。

やれることは何か。ドアを蹴破れたら問題ない。運良くスマホを持っていたら助けの電話をかければOK。裏ワザとしてはトイレットペーパーの芯を広げてドアの隙間に差し込みドアを開かせるという方法もあるが、前出の事故のようにトイレの前に置かれたモノが開閉を邪魔しているケースではそれも叶わない。

自力での脱出が不可能と判明した場合は、とにかく音を出し己の存在を気づかせることだ。トイレに窓があるなら思い切り叫ぼう。窓がない場合もあきらめず、換気口、あるいは便器に向かって大声を出そう。集合住宅の場合は、配管によって声が反響し、意外な場所まで届くこともある。上下の階からわずかでもトイレの水を流す音が聞こえてくるようなら望みは小さくない。

会社勤めやアルバイト、あるいは何かしらでも人と接点があれば、いつか必ず、連絡が取れないあなたに気づく。トイレの水を飲み続ければ2〜3週間は生き続けられる。決して希望を捨てず、助けを待とう。

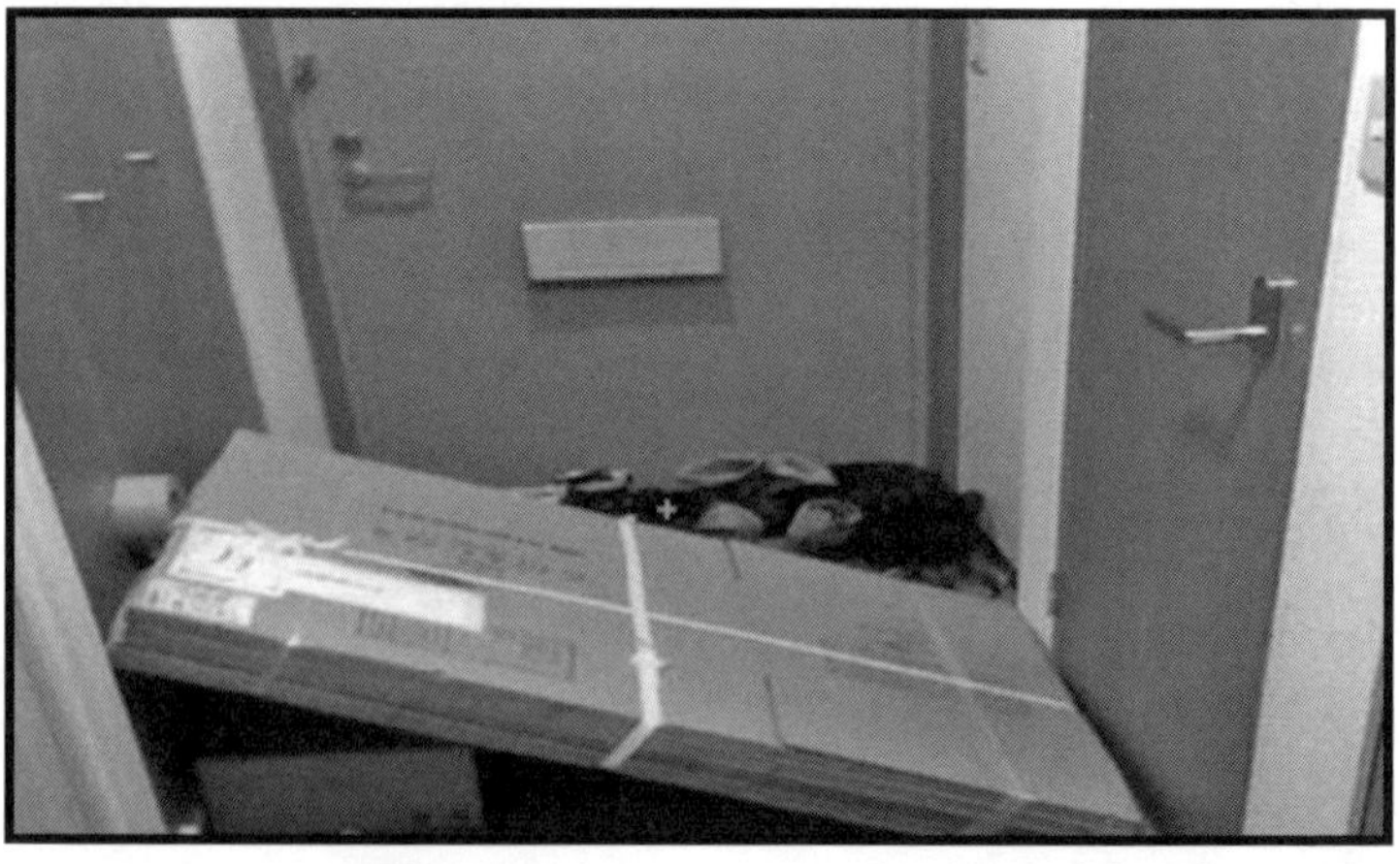

こんな状態になれば、段ボールでもドアは開かない。トイレの前にモノを置くのは危険

挑発に乗るな。冷静に道を譲り、危険な場合は110番通報を

高速道路で悪質な〝あおり運転〟の被害に遭ったら？

2017年6月5日、東名高速道路の中井パーキングエリア（神奈川県中井町）で、45歳の男性Aさんが所定の駐車場所以外に車を停めていた25歳の男性Bに注意を促した。と、Bはこれに逆上、その後、本線を走行し始めたAさんが運転するワゴン車（妻と娘2人が同乗）の前に割り込んで急減速したり、衝突を回避すべく車線変更したワゴン車の進路を妨害するためその直前に車線変更するなど、約700メートルにわたり妨害行為を計4回繰り返した。やがてBの車が前を塞ぐ形でAさんのワゴン車を〝追い越し車線〟に停車させ、Bは「高速道路に投げ入れるぞ」「殺されたいか」とAさんを恫喝。B

写真はイメージ。本文とは直接関係ありません

の車に同乗してた交際相手の女性が諌めたことでいったん事は収まったが、Aさんが自車に戻ったところ、そこに大型トラックが突っ込み、Aさん夫婦は命を落とす（娘2人は負傷）。神奈川県警は、Bの運転妨害を受け追い越し車線に車を停めていたことが事故につながったとして、Bを過失運転致死傷などの疑いで逮捕、横浜地方裁判所は懲役18年の判決を下した。

この悲惨な事故により、世間の関心が一気に高まった「あおり運転」。具体的には、前方の車に対し「進路を譲るよう強要する」「車間距離を狭め、異常接近する」「クラクション、パッシングを繰り返す」「無理な割り込み後の急ブレーキ」「幅寄せまたは罵声を浴びせるなどによって相手を威嚇する」などを指す行為だ。警察庁の発表では、2019年の1年間で道交法の車間距離保持義務違反で摘発した件数は1万5千65件（前年比2千40件増）。2020年6月、あおり運転を厳罰化するため「妨害運転罪」を新設した改正道交法が施行されたことにより同年6月～12月までの取締件数は、前年同期に比べ1千656件減り6千536件で、その9割以上が高速道路上で発生したそうだ。

チューリッヒ保険が実施した「2020年 あおり運転実態調査」によれば、ドライバーの7割強があおり運転の被害に遭ったことがあるという。大事に至らぬよう、施すべき対処法は何か。まずは、絶対に挑発に乗らないことだ。後ろの車が距離を詰めてきたことに腹を立て意図的にブレーキを踏んだり、追い抜いた車をさらに追い抜くなどもっての他。「やられたらやり返す」は、事態を重大化させるだけだ。

被害に遭った場合は努めて冷静になり、無視するか、道を譲るのが最も賢明。それ以外の危険行為が生じた際は、路肩やサービスエリアなど安全な場所で停車し、場合によっては１１０番通報すべし。その間、相手のドライバーに危害を与えられないよう、ドアをロックして窓を閉め、警察官が到着するまで車外に出ないことだ。

一方で、あおられは加害者被害者が表裏一体で、自分が無意識に車間距離を詰めたり無理な進路変更や追い越しをしたため、相手の怒りを誘い危険行為に及んだというケースも少なくない。そうならないためには、前提として安全運転を心がけ、さらに車にドライブレコーダーを搭載するのが重要だ。ドライブレコーダーは走行中の様子を映像に記録しているため、万が一被害に遭ったときの証拠になり、また、あおり運転の抑止にも大きな効果を発揮する。なお、国土交通省は、２０２２年５月以降に販売される新車にドライブレコーダーのうちのバックカメラを装着することを車メーカーに義務づけている。

ドライブレコーダーを搭載せずとも、
こんなステッカーを貼っているだけで抑止効果あり

「再発行」は認められないが「発券証明の発行許可」を主催者に求めよ

楽しみにしていたコンサートのチケットを紛失してしまった

人気ミュージシャンのライブや、大好きな俳優が出る芝居。発売開始と同時に「チケットぴあ」や「ローソンチケット」で申し込み見事に抽選をくぐり抜け座席をゲットした。が、コンビニで発券したチケットをもし紛失してしまったら…。

ローソンチケットの販売規約の第6条にはこう記されている。

「お客様が購入されたチケットについて、いかなる場合（紛失・盗難・破損等）においても再発行致しません」

この条文どおり、チケット会社に連絡し事情を説明しても、まず取り合ってもらえない。では、泣く泣くあきらめるしかないのか。いや、まだ手はある。コンサートやイベントなら運営会社、芝居なら劇団など、その公演の主催元に直接コンタクトを取るのだ（主催者はチケットの販売ページに必ず記載されている）。

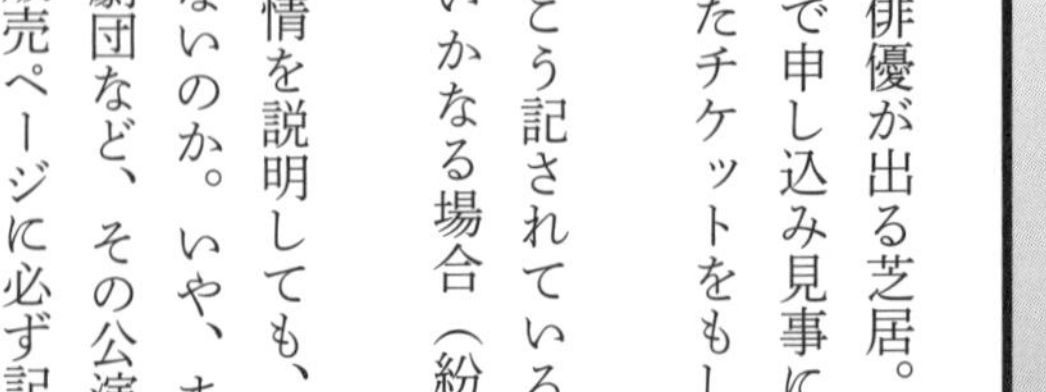

必死の思いで入手した公演のチケットがなくなったら一大事

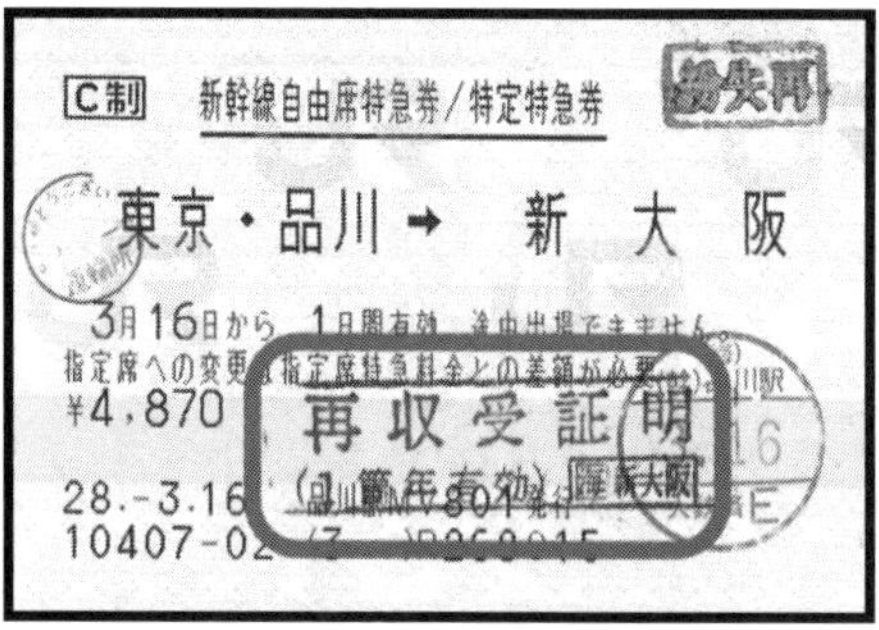

新幹線の切符はカードで買えば払い戻しOK。再発行した切符には「紛失再」と表示される

伝えるべきことは「何月何日何時の公演を、どこのチケットサイトでいつ購入したが、紛失してしまったので〝発券証明の発行許可〟が欲しい」という内容。ここで問答無用に断られた場合はあきらめるよりほかないが、許可が下りれば、その旨をチケット会社に連絡、発券証明が発行できるネットプリントの番号を教えてもらい、有効期限内にコンビニで発券証明を印刷し、当日会場の受付に提出する。これで該当の席が空いていれば入場が可能になるが、万が一、(偶然チケットを拾ったような)人が座っていたらアウト。また、入場可能となっても、同額のチケット代を再請求されるケースもあるので要注意だ。

では、同じチケットでも新幹線の切符を紛失した場合はどうか。こちらも、原則いかなる事情があろうとも入場は認められず、同じ区間・列車・設備の切符を再購入しなければならない。ただし、1年以内に紛失した切符が見つかった場合は、再購入切符の代金が払い戻される。

この払い戻しには特例がある。利用者が、東海道・山陽新幹線(東京〜博多間)発着の指定席(グリーン席を含む)をJR駅窓口でクレジットカードで購入し、列車内や改札内で紛失した場合は、切符を再購入するのは同じだが、紛失した切符が見つからなかったとしても、JR東海・西日本でその切符が他で利用されていないことが確認できれば、払い戻しが受けられる。万が一に備え、新幹線の切符は現金ではなくカードで購入するのが賢明だろう。

免許センター近くの「サ〇〇〇」で試験問題を学べ

運転免許の学科試験を何度受けても合格できない

最悪の状況を乗り切る100の解決策

車の運転免許を取得するには、実技試験と学科試験両方に合格しなければならない。学科試験には仮免許と本免許があり、どちらも○×で答える正誤問題の形式だ。仮免許は制限時間が30分で問題数は50問。１問が１点配分で50点満点中45点以上で合格となる。一方、本免許の学科試験は、制限時間が50分で問題数は95問（このうちイラスト付の危険予測問題が5問）。仮免許同様1問1点（イラスト問題は1問2点）で、１００点満点中、90点以上で合格だ。本免許の試験は、全ての学科項目から出題されるので、難易度は仮免許よりも高くなり、合格率は受験者の6〜7割。つまり3〜4割が不合格となってしまう。

免許の学科試験に落ちた、とは恥ずかしくてなかなか人に言えないものだが、実は3回目、4回目でようやく合格した人は珍しくないし、いま現在も落ち続けている人もいるだろう。そんな人に参考書などでよく勉強しましょう、などと言うのは

できるなら一発で合格したい

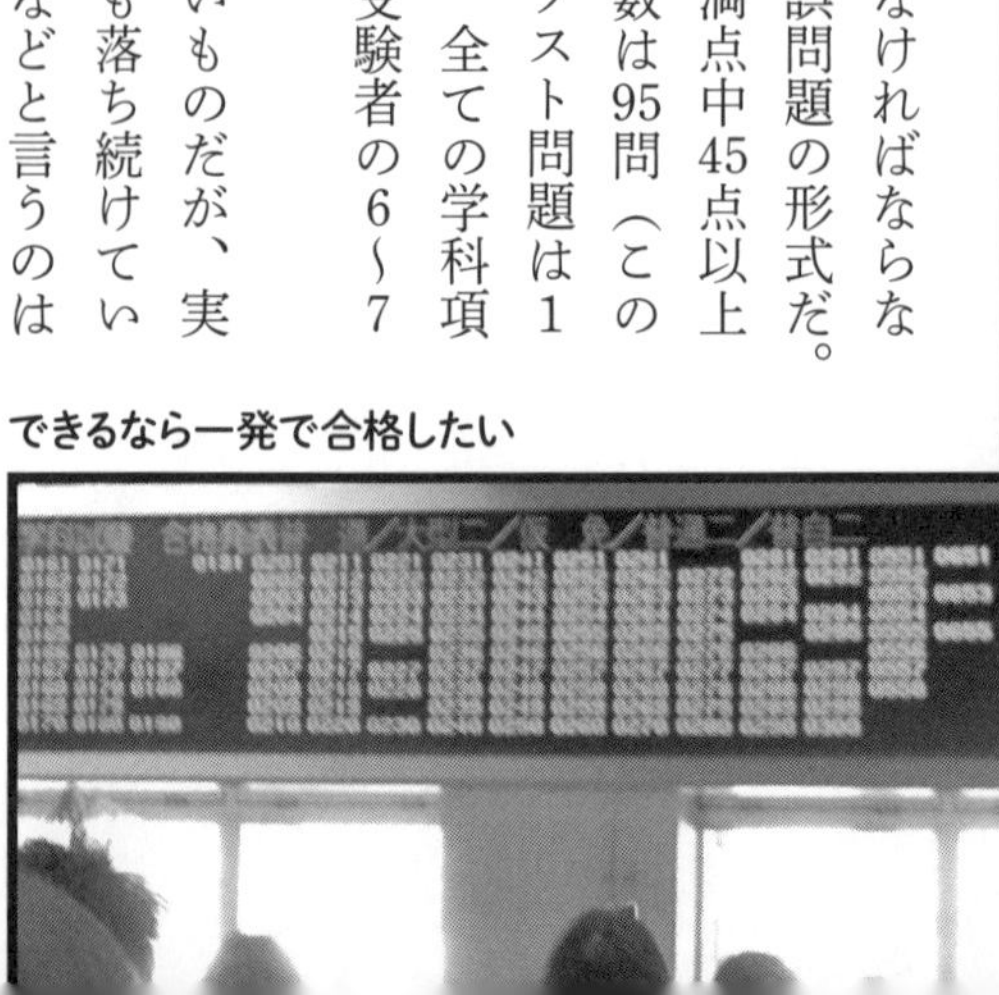

簡単な話。今度こそはと改めて受験料を払い試験に臨み、それでも合格しなければ泣くに泣けない。

筆記試験にどうしても通らない、あるいは一発で合格したいという方にオススメの裏ワザがある。学科試験当日の朝、予測問題を教えてくれる通称「裏校」を受講するのだ。

運転免許センターに一度でも行ったことのある人なら、「うちで勉強していきませんか」と勧誘を受けたことがあるに違いない。彼らこそが「裏校」の人間だが、大半は予測するだけで数問が的中する程度。しかし、「免許ゼミナール　サ○○○」の名前で全国の免許センター付近で展開する学校は精度が抜群。何でも、学科試験は週に3パターンほどをローテーションで回しており、「サ○○○」は、なぜかそれを見事に的中させるのだ。

出題される問題をずばり的中させると評判の高い「サ○○○」。目印はこの看板

免許センターの午前中の試験は朝8時から。それに間に合わせるため「サ○○○」は午前5時30分から営業開始。2時間ほどの講習で料金は約5千円。ここで、予測問題と答えを頭に叩き込めば、合格率は約9割以上に達する。その自信の表れか、同校では初回に限り、不合格になった人に受講料を全額返金している。時間と金を考えれば、利用しない手はない。ちなみに、ここで受講し試験に臨むことは違法ではないのでご安心を。

警官に横柄な職務質問を受けた。納得できん！

公衆の面前で「バンザイ」するのが効果的

最悪の状況を
乗り切る
100の解決策

２０１７年５月24日、人気アイドルグループ「ＫＡＴ－ＴＵＮ」の元メンバー田中聖容疑者が、大麻を所持していたとして東京・渋谷区で現行犯逮捕された。警視庁の発表によると、パトロール中の警察官が田中容疑者の運転する黒のワンボックスカーとすれ違った際、車が急に速度を上げたため停止するよう指示、路上で職務質問を行ったうえ車内を点検すると、乾燥大麻が発見されたのだという。

不審な行動を見逃さなかった警官のお手柄だが、こうした職質によって逮捕につながるケースは極めて稀。少々古いデータながら２０１６年に警察庁が発表した『警察庁　平成27年の犯罪』によれば、全国の地域警察官（いわゆる交番のお巡りさん）13万9千人に対し、職質による検挙件数は３万１千３３４件。１人の地域警察官が年間通じて職質で犯罪を検挙するのは１件にも満たない。逆に言えば、何の罪もない多くの国民が、ただ怪しいというだけで職質に遭っているのだ。

地域警察官には、所属する警察署ごとに職質のノルマが課せられている。不審者を見つけ声をかける。それが逮捕につながらなくとも、職質の数をこなすことが警官としての評価となる。ただし、職質はあ

写真はイメージ。本文とは直接関係ありません

くまで任意。声をかけられた側に協力する意志がなければ断ってもいいはずだ。が、それはあくまで建前。警官は必ずこう言ってくる。

「なんで断るの？　怪しいことがなければ協力してくださいよ。そんなに拒まれたら、疑われても仕方ないじゃないの」

ここで断固拒否したら、ますます怪しまれ、応援の警官を呼ばれたうえ、やれカバンの中を見せろ、ポケットを確認させてくれだの言われるのがオチ。抵抗して、警官の体に触れようものなら、場合によっては公務執行妨害で逮捕されてしまう。

警官の職質に抵抗するのは無駄である。が、その横柄な態度はとても納得できない。そこでこちらが取るべき行動は、まず「これは職務質問ですか？　任意ですね？」と確認すること。警官は自ら「任意」とは決して口にしないので、それを言わせることで抑制するのだ。そして、警察手帳の提示を求め、警察官の所属・階級・氏名を確認、合わせて職質の理由も明確に聞き出すことだ。さらには、できれば一連のやり取りをスマホで撮影するか録音しておきたい。

ここまで冷静な対応はとても無理という方は、とっておきの方法がある。警官に声をかけられたら「はい、どうぞ」とバンザイするのだ。身の潔白を主張するだけでなく、善良な市民が警官に威圧されていることを周囲にアピールすれば、彼らは意外にあっさり引き下がる。

逮捕されることはまずないが「ファイル共有ソフト」には要注意

映画や音楽を違法にダウンロードしまくってるんだが大丈夫？

最悪の状況を乗り切る100の解決策

映画館で「ノーモア映画泥棒」なるマナーＣＭが流れるようになって久しい。劇場内での映画の撮影・録音は、法律によって10年以下の懲役、もしくは１千万円以下の罰金、またはその両方が科せられると警告。さらに、違法ダウンロードについても、２年以下の懲役もしくは２００万円以下の罰金、あるいはその両方が科せられると続く。

普段、ネットにアップされた音楽や動画を勝手にダウンロードしてスマホやパソコンで楽しんでいる人は青ざめるだろう。もしかして、自分も逮捕されてしまうのではないか？

警察がその気になれば、サーバーやプロバイダーに残っている通信記録から「ＩＰアドレス」なるインターネット上の住所のようなものを探し出し個人を特定、逮捕することは可能だ。が、違法ダウンロードはあくまで親告罪。よほど大きな損害が出る悪質な事案で著作権者から申し立てがなければ警察がわざわざ動くことはなく、実際のところ、これまで違法ダウンロードでの検挙者はいない。

しかし、これが違法アップロードとなれば話は別だ。２０１６年８月、京都府警察本部サイバー犯罪

JBA 日本民間放送連盟
テレビ番組の アップロード
それ、違法です。
※番組を動画サイト等に許諾なくアップロードして公開することは違法です。

逮捕されることはまずないが、「ファイル共有ソフト」には要注意

対策課と伏見警察署は、米国映画協会に加盟する大手映画会社の映画字幕を違法に作成し、アップロードしたとする著作権法違反容疑で、静岡市の男性を逮捕。また、2019年11月には熊本県警サイバー犯罪対策課と芦北署が、ユーチューブに『進撃の巨人』『ワンピース』などの人気漫画作品を無断でアップしたとして北海道札幌市の30代男性を著作権法違反の疑いで熊本地検に送致した。メディアで報じられることは少ないが、こうした違法アップロードによる摘発は全国で年間数百件にのぼるという。

注意すべきはダウンロードと同時にアップロードされる種類の「ファイル共有ソフト」だ。自分はダウンロードしただけと思っていても、ファイル共有ソフトは勝手にアップロードを実行、大勢のユーザーに動画や音声データを配信してしまう。警察は明らかな「著作権侵害」の違法アップロードについては日常的に捜査を実施しているので、くれぐれも手を出さないように。

あがり症なのに突然人前でスピーチを頼まれた

「あがらないこと」に意識を集中させない

高校時代の同窓会。懐かしい顔が揃い昔話に花を咲かせていたとき、急に進行役からスピーチを頼まれた。会場には100人以上の列席者。みんなが拍手で自分を壇上に送り出す。こんな状況で緊張しない人はまずいない。大勢の前で話すプレッシャー。恥をかきたくないという外聞。ましてや、あがり症なら緊張で手や背中が汗ばみ、手足が震えることもあるだろう。どう乗り切る？

まず、注意すべきは、「あがらないこと」に意識を集中させないこと。「あがり」の諸症状は、一度あがってしまうと、それをきっかけに加速度的に激しくなるという特徴をもっている。スピーチなどで、途中までは上手くいっていたのに、ほんのちょっと言葉に詰まったり間違えたりしただけで、以後しどろもどろにな

るのもよくあるパターンだ。そんな失態を恐れて、事前に「口べたなものですからうまく話ができるかどうか自信がありません」などと言い訳をするのはかえって逆効果。聞いてる側は「話べたの人の話は、つまらないに違いない」と最初から関心を持たれない。それが話す側にも伝わり、かえってドツボにはまりがちだ。

重要なのは、緊張をいかにほぐすか。以下、具体的な対応策を紹介しよう。

①軽いストレッチ

あがり症の人の大半は、上半身に力が入り、手足も硬直し震えてくる。事前に首や肩を回すなどの簡単なストレッチで筋肉を弛緩させるべし。

②腹式呼吸

心拍数は呼吸によって変化する。深くゆっくり呼吸すれば、心臓のドキドキを緩め、気持ちを落ち着かせることが可能。そこで腹式呼吸を行う。方法は、口からゆっくり息を吐き、吐きながら腹を引っ込める。吐き切ったら、今度は腹をふくらませながら鼻から息を吸う。不安な気持ちを全部吐き出すようなつもりで、できるだけ長く息を吐くのがコツだ。

③首を冷やす

冷たいタオルやおしぼりなどで首の後ろを冷やすと、気分がさっぱりする。これはその刺激が交感神経（緊張する神経）を和らげて副交感神経（リラックスする神経）を呼び覚ます証拠。緊張しそうなときは、前もってトイレなどでハンカチをぬらし、首に当てると全身の硬さが取れてくる。

④緊張を和らげるツボを押す

人間の手や腕には緊張緩和に効くツボがある。人前で話さなければならなくなったとき、ここを押すのも手だ。おすすめは「合谷」「神門」「内関」の3ヶ所で、これを順に痛みを感じるくらいに押せば、硬くなった体と心が自然と和らいでくる。また、緊張をほぐすため「手の平に〝人〟という字を3回書いて飲み込む」というおまじないもバカにしてはいけない。東洋医学の見地からすると、手の平には「労宮」と呼ばれる緊張緩和に効くツボがあり、〝人〟の字を書くことで、自然とここを刺激することになるのだ。

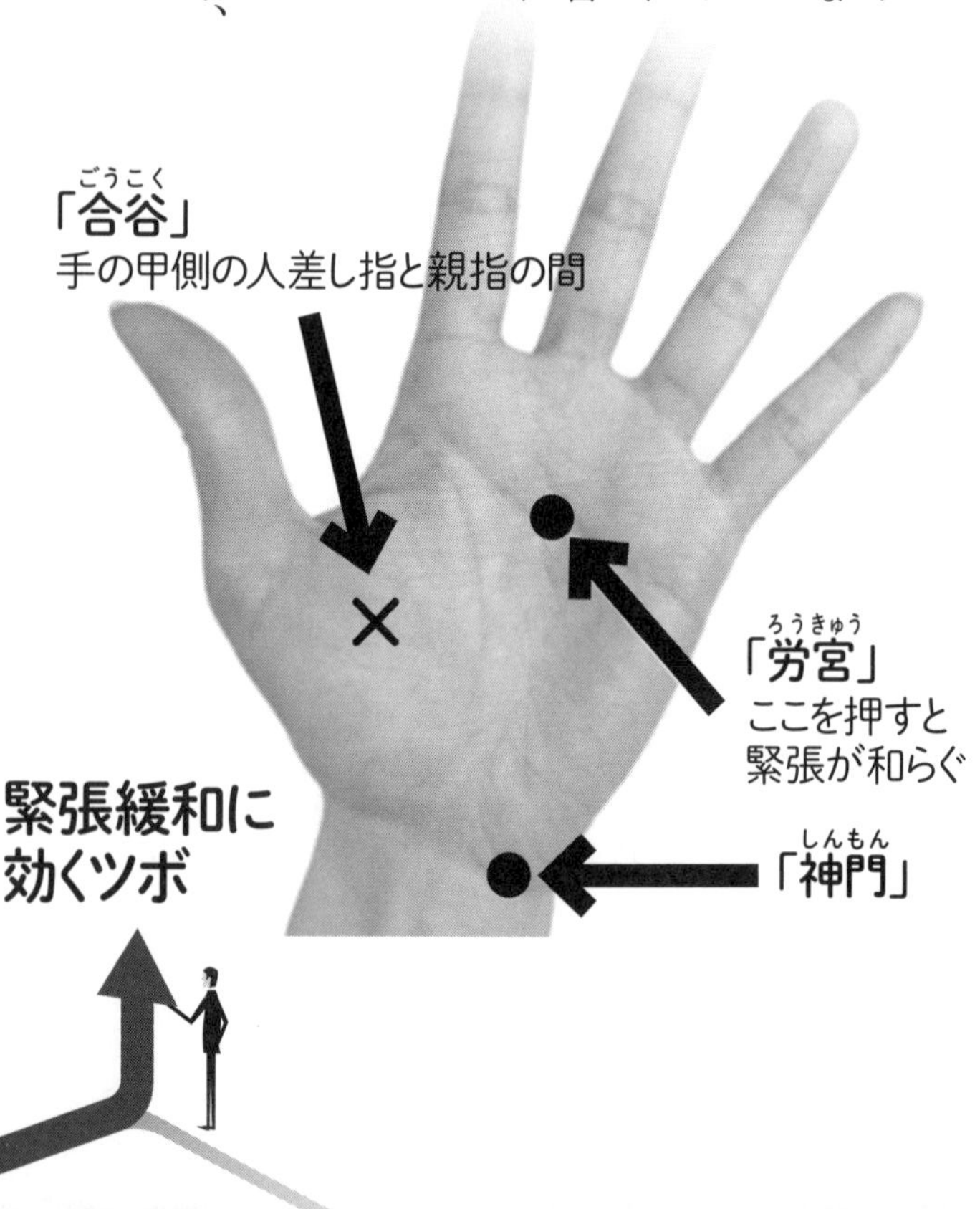

ラバーカップがあれば簡単に解決していた…

「トイレ詰まり」で業者を呼んで目が飛び出るような作業代を請求された件

最悪の状況を乗り切る100の解決策

以下は本書編集スタッフの実体験である。

某日深夜、便意を催し自宅マンションのトイレで用を足したところ、なぜか洗浄用の水が流れない。暮らし始めて10数年で初の体験である。当初は軽く考えていた。時間を置いても試せば洗浄されるに違いない。１時間ほど待って確認すると、水位が少し下がっている。もちろん、便は浮いたままだ。改めてレバーを引く。ジュボジュボ。便器が鈍い音を立て水が出てくる。が、流れる気配ゼロ。どころか水位が上がり、今にも床にこぼれ落ち

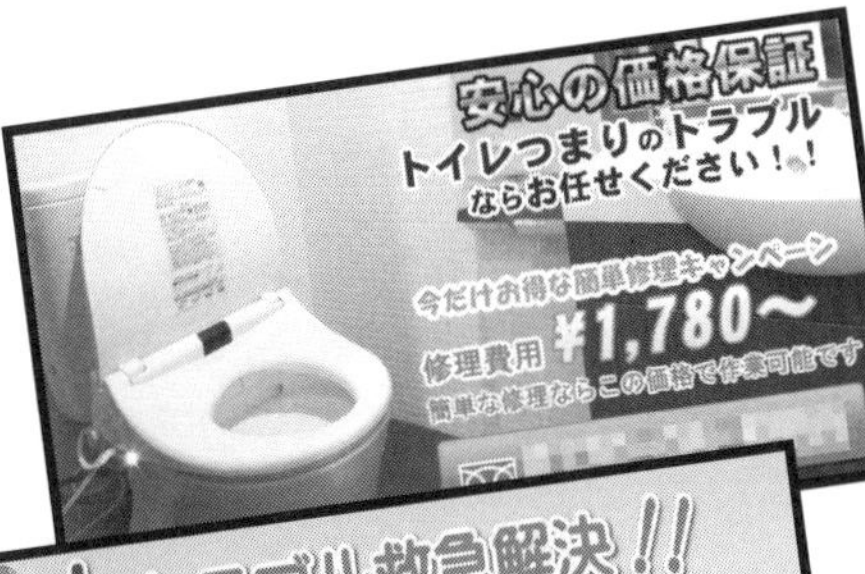

写真はイメージ。本文とは直接関係ありません

そうだ。ヤバい…。

まず、浮かんだのは「すっぽん」＝ラバーカップだ。あれを使えば、すぐに問題は解決するはず。しかし、トイレが詰まった経験が一度もないから、すっぽんを用意しておくという発想自体がない。だからといって、こんな深夜に該当の品を購入できそうな店が開いてるわけもない。もはや選択肢は一つ。業者を呼ぼう。

「トイレ詰まり　24時間」で検索すると、数件の業者がヒットした。片っ端から電話をかける。どこも丁寧な対応だが、肝心の作業料金には明確な答えが返ってこない。

「実際に確認しないとわかりませんが、簡単に済めば基本料金と合わせ1万円程度です」

4件目に問い合わせた業者がこう答えた。30分程度で作業員を派遣できるという。1万円が高いか安いか判断しかねるが、感覚としては許容範囲だ。すぐに来てくれるよう仕事を依頼し待つこと40分。中年の男性作業員が仕事道具一式を手に部屋を訪れた。さっそく中を確認してもらうと、作業員は冷静に言った。

「薬品を使って直った場合は基本料金5千円と作業代8千円で1万3千円ですが、直らなくてもこの代金は頂くことになりますが、よろしいですか」

嫌な予感を覚えつつも「お願いします」と言うしかなかった。そして、その嫌な予感は的中、15分ほど薬を使っても事態は改善せず、作業員から非情な言葉が発せられる。

「次に吸引で試すやり方がありますが、こちらは3万円。それでも直らない場合は便器自体を取り替えますが代金は5万円ちょいかかります。作業を続けるかどうかはお客さんの判断にお任せします。どうされます？」

完全に足下を見られていた。深夜に緊急事態。客は無知。しかも、すでに1万3千円の支払いは必須。観念するように、作業続行を告げ、結果、吸引で詰まりは解消したものの、代金は4万3千200円。絶望的な気分に襲われつつ、業者にクレジットカードを差し出した。

アマゾンで買った2千円のラバーカップが届いたのは、それから数日後のこと。無知ほど怖いものはない。

業者が残していった作業費明細。ぼったくりと言っていいでしょう

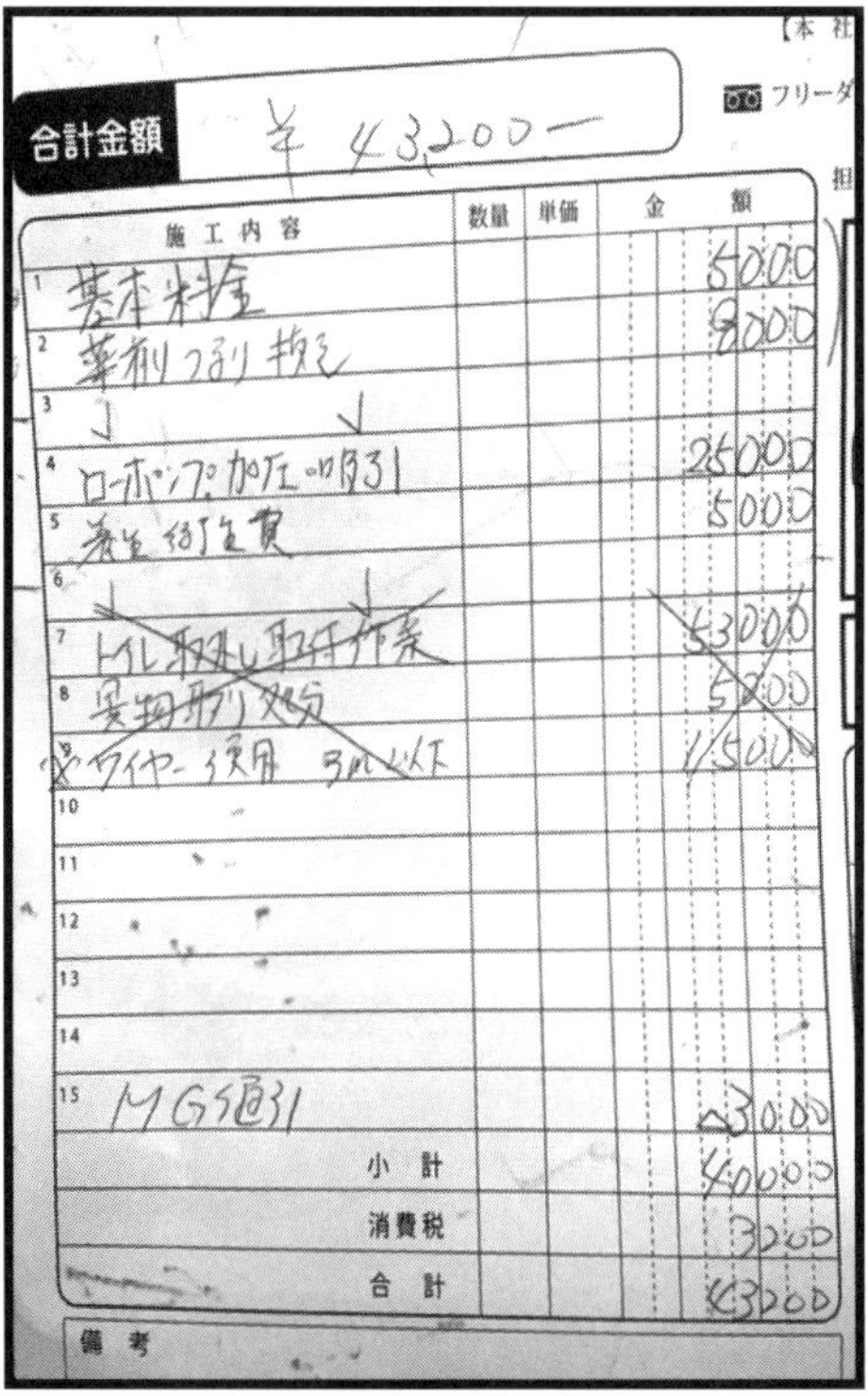

第2章

お金まわりの「困った」

相手が嫌がりそうな職場や実家にしつこく連絡せよ

知り合いに貸した3万円が返ってこない

友人や知り合いに「どうしても」と頼まれて、2、3万円貸した。が、待てど暮らせど一向に返ってくる気配がない。「今はお金がない」「もう少し待って」と言われてズルズル。さて、どうする？

相手との関係性にもよるが、取るべき手段は2つ。きっぱりあきらめて関係を断つか、何としても返してもらうか。後者であれば、まずは、督促し続けることが基本だ。しつこいヤツだと思われたくないなどという遠慮は、相手になめられるだけ。連絡手段は何でもいい。とにかく「返してほしい」という意志を発信し続けること。相手の携帯に電話をかけてもメールを送っても返信がなければ、職場や実家に連絡すべし。会社に電話をかけて他人が出た場合は「○○さんにお金を貸しているんですが、全く返ってきません。携帯にかけても出てもらえません。お仕事中申し訳ありませんが、取り次いでいただけませんか」などと言えばいい。それが相手の上司ならより効果的。要は相手にプレッシャーを与え追い込むこと。これは消費者金融などの督促でも使われる常套手段。ただし、「どこかから借りてこい」などと口にすると強迫になりかねないので注意だ。

写真はイメージ。本文とは直接関係ありません

第二段階は、内容証明の送付だ。弁護士に頼むと3万円ほどかかるので、これは自分で行おう。内容は簡単。以下の3つでいい。

「いついつ貸したお金を返してくれ」「○日までに支払ってくれ」「支払いについて連絡をしてくれ」

要は、あなたが返金請求をしたという証拠を残すことができればいい。あとは、内容証明の書き方に従って作成し郵便局で出すのみ。このとき、内容証明で出したものと同じ内容の文章を、普通郵便（手紙）としても出しておくこと。その郵送先は、電話での督促と同様、相手が嫌がりそうな職場や実家とする。精神的な圧力をかけるのだ。

ちなみに、友人や知り合いに数万円を貸す場合、たいてい口約束で借用書など交わしていない。が、口約束でも民法上、賃借契約は成立している。もし、「借りた覚えがない」などと開き直られた際はラインやメールなどで「いついつ貸した金はいつ返してもらえる？」と聞けばいい。これに相手が何らかの反応を示せば、借金を認めたことになる。

それでもダメなら「支払督促」「少額訴訟」「通常訴訟」など法的手段に訴えるしかないが、これは手続きが面倒なことを知っておくべし。

最後に。借金には時効がある。個人間での貸し借りの場合は、10年督促がなければチャラ。あきらめたらおしまいだ。

最悪の状況を乗り切る100の解決策

「連帯保証人になってくれ」と泣きつかれた

「ブラックリストに載ってるから無理」と断れ

連帯保証人。字面だけでも恐ろしいが、もし友人や知人に「一生のお願いだから」と頭を下げられたらどうするか。正解は断固拒否。生半可な知識で引き受けたら、あなたは破滅の道へ進むことになるかもしれない。

断り方の前に、連帯保証人がいかに怖いかおさらいしておこう。連帯保証人は借り手（債務者）と連帯して債務を負担することを約束する保証人のこと。要するに、実際にお金を借りた人と全く同じ立場になるということだ。

ここで、覚えておかねばならないのは、保証し義務がある債務は借りた際の金ではないということ。例えば、１００万円の借金の連帯保証人となった場合、その借金の元本はもちろん、その利息についても保証しなければならない。

また、知らないうちに借金が増えている場合もある。「根保証」というものがあり、これは借金契約において「極度額」を定めておき、その金額までは保証人が保証し、報告も必要がないという制度だ。

署名・捺印したら終わり

例えば、友人から50万円の借金の保証人（連帯保証人）になってくれと頼まれ、50万円ならと軽い気持ちで引き受けた。が、その保証は５００万円の極度額が定められた「根保証」であり、最終的に５００万円の返済を求められたというケースもあるのだ。

さらには、債務者が返済できず、自己破産して借金から解放されても、連帯保証人の責任は免責されない。返済義務は保証人に引き継がれ、それが不可能となれば、自分もまた破産の道を歩むしかないのである。

げに恐ろしき連帯保証人。もし「なってくれ」と頼まれたら、縁を切る覚悟できっぱり断ろう。言いにくい相手なら、「親の遺言で」「家族が許さないから」などと言うのも良いが、一番効果的なのは「ブラックリスト」という言葉を利用することだ。

「実は、俺、前にサラ金から金を借りて、長期間滞納したことがあったんだ。ブラックリストに載ってるみたいで、自分自身が借金できないんだよね。お役に立てずすまない」

「カードの返済を2回遅らせたことがあって、連帯保証人の審査に落ちたらブラックに名前が載ると思うんだ。そうなったら二度と借金できなくなるから勘弁してほしい」

こう言えば、相手もあきらめざるをえないだろう。

意外に知られていない公的貸付福祉サービス

金に困ったら消費者金融ではなく、まずは役所の福祉課へGO！

金がない。友人や知り合いには借りられないし、親にも援助してもらえそうにない。こんなとき、たいていの人は、サラ金での融資やクレジットカードでのキャッシングを考える。しかし、新型コロナウィルスの影響を受け職を失ったり病気で働けない場合は、金融機関からも借金できない。どうすればいいのか。

皆さんは、区役所や市役所、町役場でお金を借りられる「生活福祉資金貸付制度」をご存じだろうか。これは、住んでいる市町村の社会福祉協議会が相談窓口となり、金に困窮する人をサポートしてくれる実にありがたいサービスで、金利も消費者金融が３％から18％に設定されているの対し、こちらは０・15（保証人がいれば無利子）。ただし、福祉を目的としているため、対象は次の３つに絞られる。

▼**低所得世帯**／貸付制度を受けたことで独立自活ができるだろうと判断されたり、金融業者からなどの融資が難しいと判断された住民税非課税世帯。具体的な目安は単身者で年収１００万円以下、夫婦で年収１５６万円以下、夫婦と子供１人で年収２０５万円以下。

▼**高齢者世帯**／65歳以上の単身者、及び65歳以上の人を含む世帯。
▼**障害者世帯**／身体障害者手帳、精神障害者保健福祉手帳、療育手帳の交付を受けている人がいる世帯。

肝心の貸付金の種類と金額（上限）は以下のとおりだ。

●**総合支援資金**

・生活支援費／生活立て直しのために必要な生活費用。単身者で月15万円、2人以上で月20万円。

・住宅入居費／賃貸契約を結ぶための敷金・礼金などの費用。40万円。

・一時生活再建費／滞納中の水道・電気代などの立替費、無職者が就職するための技能習得費。60万円。

●**福祉資金**／低所得の高齢者（65歳以上）や障害者のいる世帯が対象。生活費だけではなく、廊下や階段に手すりを取り付けるといった住宅のリフォーム、介護施設やデイサービス施設に通うためのお金なども使用用途に含まれる。580万円。

●**教育支援資金**／低所得世帯の人が高校、大学

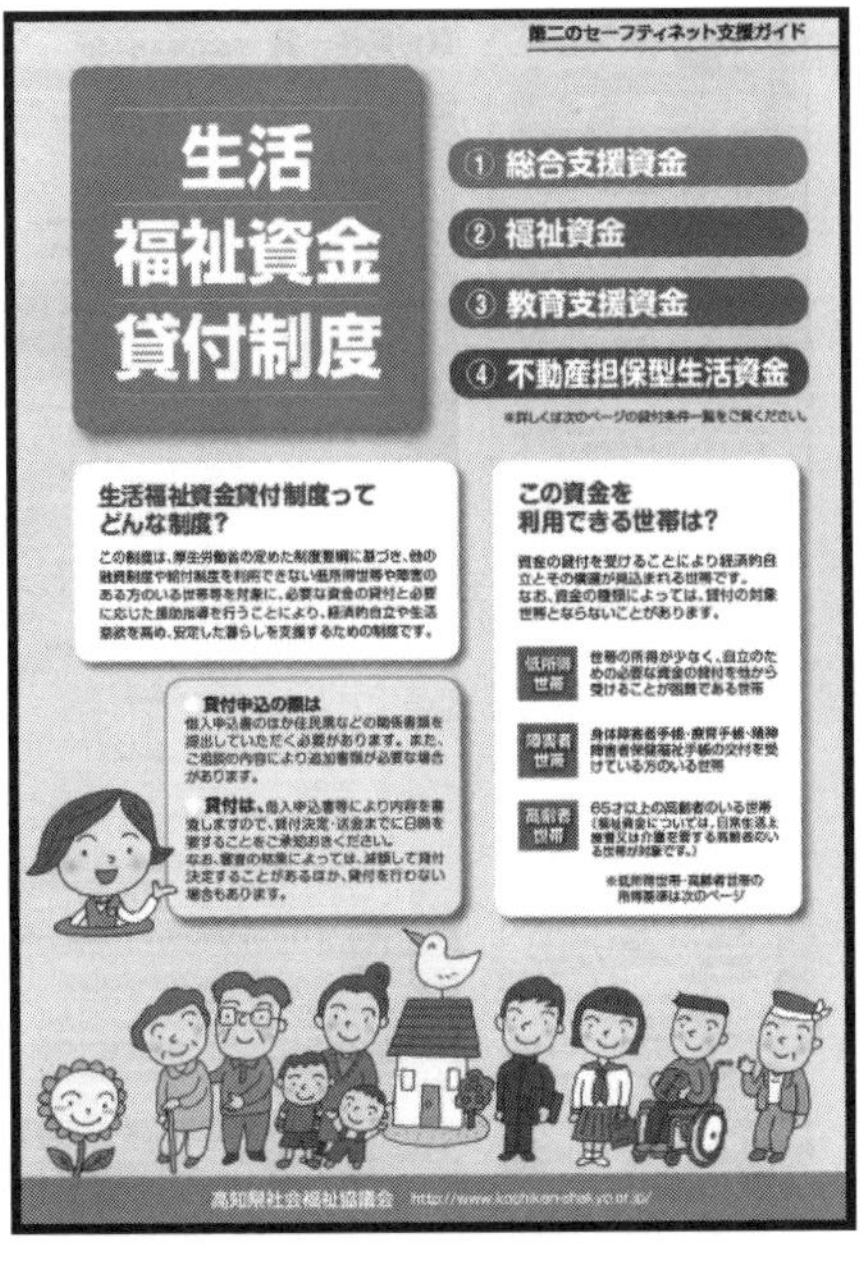

各役所には詳細を記したパンフレットが置かれている

などへ入学、就学するために必要な費用。50万円。

●**不動産担保型生活資金**／低所得の高齢者が対象で、所有する物件を担保にして生活費用を貸付。月30万円以内（土地の評価額の70％ほど）。

●**緊急小口資金**／緊急かつ一時的に生活の維持が困難な場合に少額の費用を貸付。10万円。

この中で注目すべきは、総合支援資金と休業者向けの緊急小口資金だ。現在（2021年7月時点）で新型コロナウイルスの影響により失業や休業で収入が大幅に減少した人に対し、通常では制度を受けられない低所得世帯以外にもお金を借りられるよう、条件が緩和されているのだ。

総合支援資金は、新型コロナウイルス感染症の影響を受け収入の減少や失業などにより生活に困窮し、日常生活の維持が困難となっている世帯も対象に含まれ、据置期間（返済が発生しない期間）は6ヶ月から1年に延長、利子も保証人がいなくともゼロだ（返済期間10年、貸付上限額は通常どおり）。つまり、コロナウイルスの影響で失業した人は、保証人なしで最大11年間お金を借りられるのだ。

一方、緊急小口資金も総合支援資金と同じ条件で対象者が拡大され、措置期間が2ヶ月から1年、返済期間が1年以内から2年以内にそれぞれ延長された（貸付額は通常どおり）。

現在無職でも無利子で借金できるこのサービス、条件が合えば利用しない手はないが、手続きは煩雑で実際に融資されるまでに最低でも5日、長ければ1ヶ月を要する。今すぐにでも金が必要な人には不向きかもしれない。

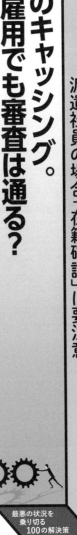

初めてのキャッシング。非正規雇用でも審査は通る？

派遣社員の場合「在籍確認」に要注意

即日融資が希望なら
銀行カードローンではなく消費者金融へ

どうしても今日明日のうちに、まとまった金が要る。こんなときは消費者金融や銀行のカードローンを頼るのが手っ取り早い。が、正社員ではなく、派遣、パート、アルバイトなど非正規雇用でも借金できるのだろうか。結論から言えば答えはイエス。「満20歳以上」「原則安定・継続した収入がある」の2条件が揃っていれば、正規雇用でなくとも学生や主婦でも利用可能。いくら収入が低くとも、たいていの金融機関は無担保、保証人なしで50万円（年収の3分の1が目安）は融資してくれるだろう。

ただし、即日融資が可能なのは消費者金融のみ。銀行のカードローンは利用者の審査をするときに警察庁のデータベースへ情報照会をする義務があり、その結果が出るまで数日かかってしまう場合が多い。

また、派遣社員の場合、派遣会社に登録した段階ではまだ無職とみなされ、最低3ヶ月の実働実績がないと「安定・継続している」とはみなされない。さらに、派遣社員は申込条件を満たしていても、在籍確認によって審査に落ちてしまうことがあることも知っておくべきだ。アルバイトやパートの場合は就業先に確認の電話がいくが（通常、金融機関名は名乗らない）、派遣社員は派遣先ではなく所属しているのは派遣元企業に確認が行われる。ここで、電話に出た者、あるいは担当者が在籍の証明をしてくれれば問題はないが、派遣会社の中には「登録している社員を全て把握するのが難しい」「個人情報保護の観点から、登録社員の在籍情報をむやみに教えられない」などの理由から、在籍確認に応じてくれないところもある。よって、融資の申し込みをした際は事前に「クレジットカードの新規契約の在籍確認があります」と派遣元に申し出ておくのが良いだろう。どうしても派遣元への電話を避けたい人は、申し込み時に派遣元ではなく派遣先に連絡してくれるよう頼めば応じてくれるところも少なくない。

在籍確認自体が困るとなった場合は消費者金融の「ＳＭＢＣモビット」を利用すべし。「三井住友銀行、三菱ＵＦＪ銀行、みずほ銀行、ゆうちょ銀行のいずれかの口座を持っている」「健康保険証（社会保険証）と給与明細書を提出できる」「運転免許証・パスポートのコピーを提出できる」「収入証明書類を提出できる」の4条件をクリアしたうえで〝ウェブ完結申込〟なら派遣元への在籍確認は行われない。また「セブン銀行」も借入限度額は50万円までと制限されるが、原則として在籍確認はない。ただし銀行カードローンという特性上、消費者金融よりも審査が厳しく、正社員に匹敵するくらいの年収や勤続

SMBCモビットは、条件が揃えば
在籍確認を行っていない

年数が必要。働き始めや年収が低い場合は審査落ちとなる可能性が高い。

最後に。借金に利子は付きものだが、初めての場合は1ヶ月無利子の機関を利用しよう。プロミス、アコム、アイフル、ジャパンネット銀行などの場合は30日以内に全額返済すれば、利子は1円も発生しない。が、それを過ぎれば下限3％、上限18％の利子がかかってくることもお忘れなく。

「相談無料」「着手金ゼロ」と宣伝しているが…

「過払い金請求」を弁護士に頼んで信用できるのか？

ここ数年、よく耳にする「過払い金請求」。弁護士事務所がテレビなどで大々的に流しているCMを見れば、よほど美味しい商売のように思える。たいていの事務所は相談料、着手金ともにゼロを謳い、報酬の相場は15〜20%としている。が、これを鵜呑みにしていいのだろうか。

過払い金をプロに頼んでトラブルになったという例は少なくない。例えば、相談は無料だからと事務所に電話をかけたり、直接訪問したものの、法律のプロではない事務所スタッフが依頼を受け付けようとするケース。また、着手金はゼロでも、報酬額を曖昧にして想定以上の費用を請求する事務所。さらには、「成功報酬は●%のみ」だが、「その他手数料はかからない」とは言っていないとして〝交渉期間延長料〟や〝特殊事務手数料〟をぼったくる業者。もちろん、良心的な事務所も数多く存在するが、顧客獲得競争が激しいだけに、美味しい文句を並べているところは注意が必要だろう。

改めて説明しておくと、かつてサラ金やカード会社は28%ほどの利子で金を貸し付けていた。しかし、法律上定められた利子は上限で年18%。つまり、余分に取っていた10%が過払い金で、これを該当者に

弁護士、司法書士にとって「過払い金返還」手続きは実に儲かる仕事

過払い金返還請求
払いすぎた利息を
取り戻します。
万一、過払い金が発生して
いなければ費用はかかりません。
相談無料・初期費用無料です。
お電話ください。
過払い金無料相談センター
「損をしない
過払い金請求」をモットーに無料相談実績
8000名以上
過払い金がない場合費用はかかりません
着手金や初期費用は全て0の安心設定
家族に秘密の方も安心のメール手続き
払い過ぎた利息は
取り戻すことが出来ます！
報酬は過払い金の中
から精算出来ます！
安心の請求実績！ご相談件数1万件突破！
これまでに減額した
借金の総額
12億7332万円
過払金回収実績
20億0842万円
過払金には時効があります。お早めにご相談下さい！
写真はイメージ。
本文とは直接関係ありません

返還するよう国が金融機関に義務づけたのだ。例えば１００万円を借りたら払い過ぎは年間10万円。10年間取引していれば単純計算１００万円とバカにならない金額であるが、前記のような悪徳事務所が存在するのも事実。依頼の際はなるべく情報を集めるのが必須だろう。

　ちなみに、現在返済中の借金のある貸金業者へ過払い金返還請求を行った場合、業者によっては「任意整理」として扱い、信用情報に事故情報を登録する場合もある（完済すれば対象外）。事故情報、いわゆるブラックリストに名前が載れば、新規の借入やカード作成が困難になることも知っておくべきだ。

ギャンブルや浪費が原因で借金地獄に陥っても「自己破産」できる

鍵を握るのは裁判所に提出する「反省文」

自己破産。消費者金融などの借金が膨らみ返済不可能となった場合、裁判所に破産を申し立て、認められれば全ての債務が免責（返済義務の免除）となる制度だ。

破産の年間件数は２００３年の約25万件をピークに以降減少し２０１６年時点で約６万５千件。減少の主因は前項で記した「過払い金の返還」と言われているが、２０１７年以降３年連続で増加し、まだ統計結果は出ていないものの、２０２０年以降は新型コロナウィルスの影響で莫大な数になるものと予測される。

やむを得ない事情で多重債務に陥り、もはや返済の目処が立たないとなれば破産の道を選ぶよりない。クレジットカードが一定期間作れなくなるなどの制約はあるが、督促から解放され借金がチャラになることを考えれば何でもないだろう。ただし、破産を申し立てても、許可されないケースがある。いわゆる「免責不許可事由」と呼ばれるもので、該当項目は次の６つだ。

①破産手続や免責手続において虚偽があったり調査に協力しない。

②浪費やギャンブル、射幸的な投資行為（株やＦＸ、先物取引など）が原因。
③クレジット契約などに違反する悪質な行為（商品の現金化など）を働いている。
④支払能力などについて債権者を欺いた。
⑤財産隠しが発覚した。
⑥過去７年以内に免責を受けている。

注目すべきは②である。多重債務に陥るケースでは、収入がないのに異常な金額の買い物をしたり、競馬・パチンコなどにハマったことが原因の場合が少なくない。己の欲を満たすための行為ゆえ、免責不可となるのも納得のいくところだ。が、これはあくまで原則。実際は浪費やギャンブルが原因でも、免責が認められるケースは少なくない（投資関連は不許可となることが多い）。

申請件数に対し、不許可となる確率は２％程度と言われる。重要なのは破産申し立て人の態度で、裁判官が「反省の意志あり」と判断すれば、免責はクリアできる。そこで、鍵となるのが破産手続きの際に提出する「反省文」だ。自分の問題行為を自覚して反省している、今後は絶対に繰り返さないという強い決意を持っている、過ちを繰り返さないためにこんなことを心がけたり実践している等々、真摯な文章をしたためれば、借金地獄から解放される確率はかなり高くなるだろう。

当面は今の賃料を。拒否されたら「弁済供託」制度を利用せよ

大家が、次回の更新から家賃を値上げしたいと言ってきた

最悪の状況を乗り切る100の解決策

最寄り駅まで徒歩5分、会社まで電車で30分。生活環境も良く、これで家賃8万円なら好条件と5年前に入居した分譲賃貸マンション。ところが、部屋のオーナーが不動産屋を介して3回目の更新時以降、家賃を9万円に値上げしたいと言ってきた。理由は経済的な事情としか聞かされていないが、昨今は空き屋率も上昇しており、とても納得できない。自分としてはこのまま同じ部屋に居続けたい。果たして、値上げに応じる必要があるのか。要求を飲まなければ部屋を出ていかなければならないのか。

借地借家法によれば、「租税負担の増減や経済事情の変動、近隣の家賃と比べて不相当な場合に賃料の増額や減額の請求ができる」とされている。つまり、しかるべき事情があれば、大家には値上げ、借り主には値下げを要求する権利があるのだ。

ただ、大家が「賃料を増額する」と連絡してきたからと言って、一方的に変えられるものではない。まずは当事者間での協議だ。この場合、借り主は不動産屋の担当者と話し合うことになる。

ここで、大家なりオーナーが借り主の言い分を飲んでくれれば良いが、どうしても相手側が折れず、

こちらも値上げに応じる気がない場合は調停や裁判で争わなければならない。

　結論が出るまで、借り主には「相当と認める額」の金額、現実的には従来どおりの家賃を支払えば住み続ける権利が与えられている（借地借家法32条2項）。しかし、もし大家が家賃を受け取らなければどうするか。分譲賃貸の場合、家賃は通常、口座からの引き落としが一般的だが、振込先は不動産屋や管理会社だ。部屋のオーナーが受け取りを拒否すれば支払ったことにならず、最悪、家賃の不払いによる契約解除という事態にも発展しかねない。この場合は「弁済供託」という制度を利用すべきだ。これは本来支払うべき家賃を国に預ける方法で、具体的には法務局に家賃を委託することになる。

　もっとも、ここまでこじれたら裁判は必至。ちなみに、敗訴すれば、賃料増額の請求を受けたときまでさかのぼって不足分の家賃（上記のケースでは1万円）と1割の利子を支払わなければならない。今の家賃が妥当か否か、法廷で争う前によく見極めておく必要があるだろう。

交通事故の加害者が保険に入っていなかったら？

4台に1台は自賠責のみ

横断歩道を青信号で歩いているとき、右折してきた車に轢かれた。バンパーが大腿部に接触し、骨折。原因は脇見運転で、過失は完全にドライバーにある。こんな災難に遭った場合、相手が加入している任意保険会社に治療費用を負担してもらい、交渉のうえ示談金を受け取るのが一般的だ。

自動車保険には自賠責保険と任意保険がある。自賠責保険とは、自賠責法という法律に基づき運転手に加入を義務づけられている保険で、交通事故被害者の最低限度の補償を目的としている。一方、任意保険の加入は任意で、自賠責保険では不十分な賠償金支払いが必要になったときに備え各ドライバーが自己判断で加入するものだ。

万が一、自分の過失で人身事故を起こしたときの責任は非情に大きい。被害の程度にもよるが、仮に相手が長期入院のすえ半身不随にでもなれば、少なく見積もっても3千万円以上の補償責任が生じる。普通の会社員にはとても支払える金額では無いし、一生を棒に振ることになる。そのため、通常は月々数千円がかかっても任意保険に入る。

しかし、現実に任意保険に加入している割合は対人、対物合わせて全国平均で74%(損害保険料率算出機構の「2017年度自動車保険の概況」より)。つまり4台に1台以上が無保険なのだ。

事故に遭い、相手が保険未加入の場合は自賠責での補償に頼るしかない。ただし、前記のとおり〝最低限の補償〟のため、傷害の場合の上限は120万円。手術代、入院費、交通費、その他必要経費を合わせたら足が出る場合も少なくなく、不足分は加害者に(損害賠償訴訟なども含め)直接請求するよりない。が、任意保険にも加入していない人間が、納得のいく金を払うとは考えにくい。

さらに最悪なのは、加害者が自賠責保険にすら入っていないケースだ。前記のとおり自賠責は強制で加入を怠ると刑事罰に処される。が、現実にはこの義務を果たしていないドライバーもおり、こうした悪質な相手が加害者だと、自賠責の最低補償すら受けられない。が、こうした場合は「政府保障事業」を利用すべし。事故の相手が自賠責に加入していないとき、国から同等の補償を受けられる制度で、最寄りの損保会社に問い合わせれば手続きを教えてくれるはずだ。

いずれにせよ、相手が任意保険に未加入の場合、十分な補償は受けられない。これを回避するには、自ら「人身傷害保険」や「無保険車傷害保険」に加入しておくことが一番だ。

クレジットカードが不正に使用された

「盗難保険」が適用されないケースに要注意

最悪の状況を乗り切る100の解決策

毎月、書類、あるいはネットで確認できるクレジットカードの支払い明細。この中に、購入した覚えのない項目があったら不正使用を疑ってもよい。カード入りの財布を落として第三者が利用した場合はもちろん、最近では金融機関やカード会社などを装い、「カードの有効期限が近づいています」「カードが無効の状態です」「キャンペーンに当選しました！」といった件名のメールを送信、偽サイトに誘導しカード情報を盗まれてしまう「フィッシング詐欺」、カード情報を読み取る「スキマー」と呼ばれる装置でカードの磁気データを読み取り、偽造カードにコピーする「スキミング」、カード決済をしても商品が届かずカード情報だけが流出するオンラインショッピング詐欺など、手口は種々様々に進化している。

が、慌てる必要はない。全てのカードには盗難保険が付帯されており、その損害は保険会社が負担してくれることになっている。カード所有者に金銭的な実害はない。ただし、これはあくまで自分に非がない場合。過失があった際には〝自業自得〟とみなされ、保険の適用外となる可能性があるのだ。具体

的に注意すべき例を紹介しよう。

①カードの裏面にサインがない

サインは「このクレジットカードは自分のもので間違いない」ということを証明する、大切な証拠。記入が無ければ重大な過失と判断され、補償を受けられない恐れあり。

②簡単な暗証番号が設定されている

カード決済では暗証番号の入力が必須。第三者でも正しい4桁の数字を打ち込んだらショッピングが可能だ。ただ、パスワードは本人しか知り得ないもの。これを仮に他人にでもすぐバレるような番号に設定していたらマズい。例えば、誕生日や携帯番号の末尾4桁など。落とした財布にカードと一緒に免許証や名刺などが入っていれば、盗用される危険性は大で、自己責任にみなされる。

③補償期間が過ぎている

カード会社の規定によっても異なるが、盗難保険が適用されるのは、盗難・紛失事故が発生した日から60日から90日。この期間を過ぎてから届け出ても、損害は自己負担となる。

④家族が利用した

身近な人間がカードを使った場合自己責任とみなされる。これは家族に限らず同居人や交際相手が無断で利用した場合も管理不足と判断され、補償は受けられない。

盗難保険の適用は、あくまで自分に非がないケースが対象。甘く考えていると、全額負担もあり得るので厳重に注意すべし。

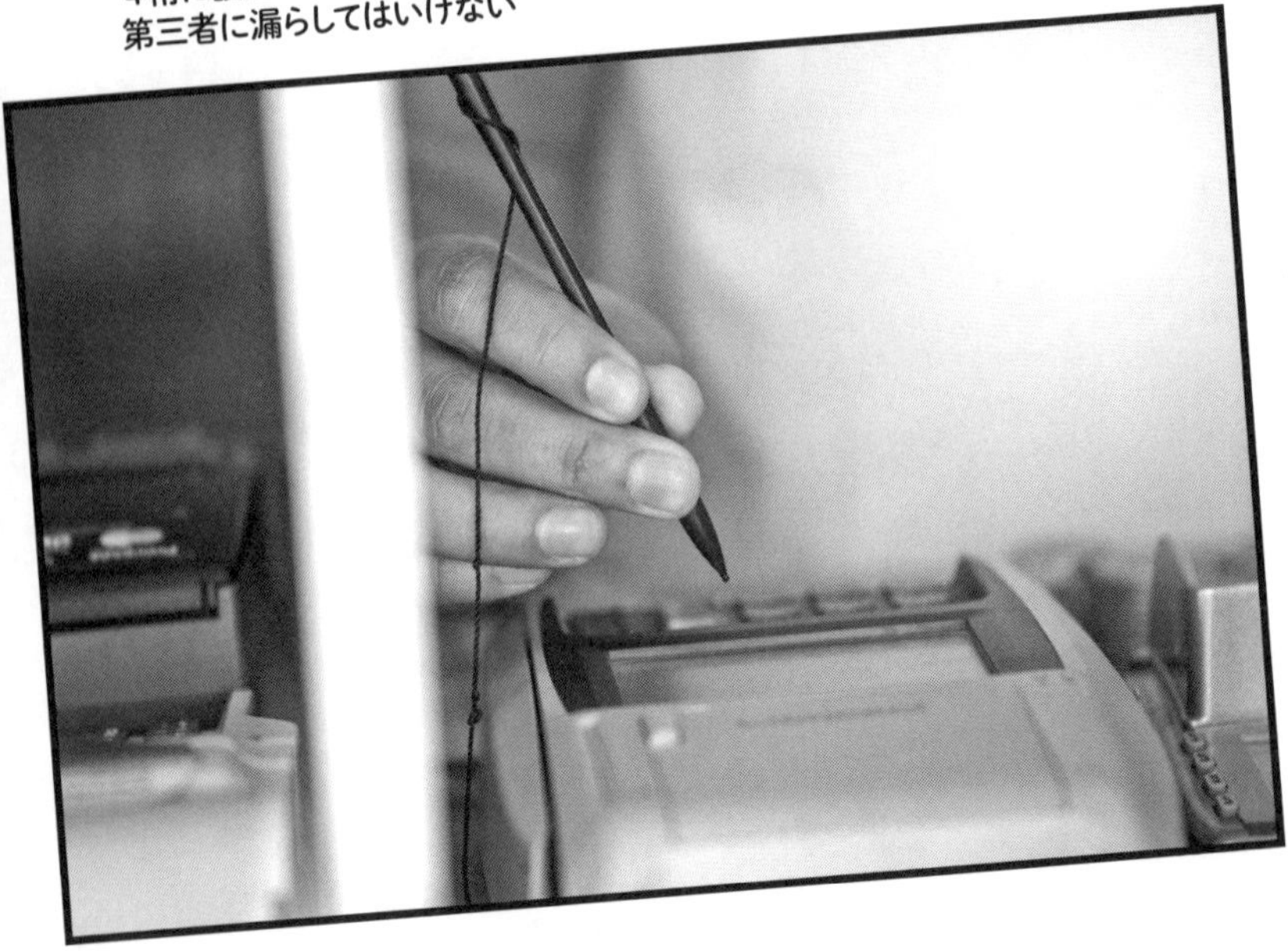

暗証番号は自分しかわからない
4桁に設定し、間違っても
第三者に漏らしてはいけない

最悪の状況を乗り切る100の解決策

役所の「水際作戦」に負けるな

「生活保護」の条件を満たしているのに、申請すら受理されない

２０２１年２月、新型コロナウイルス感染拡大の影響で生活に困窮する人たちへの支援を巡り、菅義偉首相が「最終的には生活保護がある」と述べたことに対し、ツイッターなどＳＮＳには「生活保護に陥らせないためにするのが政治の仕事」「生活保護受給者になるにはさまざまな制約があるし受給するには時間がかかる」など多くの非難が寄せられた。

「資産や能力等すべてを活用してもなお生活に困窮する方に対し、困窮の程度に応じ必要な保護を行い、健康で文化的な最低限度の生活を保障し、その自立を助長する制度です」

厚生労働省のＨＰには、「生活保護」についてこう説明されている。具体的には、病気などで働けない、年金が少なく生活費が足りない、失業し蓄えがなく生活できない、医療費が払えず医者にかかれない、援助してくれる親族や身内がいない等の条件を満たせば、国から生活に必要な金が支給されるというもの。金額は自治体によって異なるが、単身者の場合、月額で12万円程度だ。

しかし、現実には、前記の事由に該当していても生活保護が認められないケースが少なくない。審査

の結果、正当な理由で不許可となるなら納得もできよう。が、実際は申請すら認められないケースが多いのだ。その背景には、生活保護費負担の問題がある。２０２０年6月、厚生労働省が発表した『統計調査報告』によれば、同年3月時点での全国の受給者数は約２０７万人。２００６年度は約１５１万人だったから、この14年で約56万人、４割弱増えたことになる。これが自治体の財政を圧迫しているのだ（負担割合は国が4分の3、市町村が4分の1）。

自治体としては少しでも出費を抑えたい。すなわち受給者を減らしたい。そのため「水際作戦」と呼ばれる、相談窓口であの手この手の理由を付け申請希望者を追い返す方法を駆使している。書類のちょっとした間違いを指摘し申請書を受け付けず何度も通わせるよう仕向ける、生活保護制度の説明に長時間かける、「仕事を選ばなければ見つかる」「甘えは良くない」といった無用な根性論を説く等々。当然ながら、こうした行為は違法である。

では、ここをいかに突破し、生活保護を受けるにはどうしたら良いのか。取るべき行動は次の3つだ。

①申請の際は複数で出向く

1人だと説き伏せられる可能性大。誰かに付き添ってもらえば、役所が水際作戦を行った際に、それを証明できる。費用はかかるが、最も有効なのは弁護士で、法律のプロの前では彼らも違法行為を働けない。

②申請の意志を明確に伝える

基本的な事項だが「私は生活保護の申請に来た」と伝えることが意外に重要。でなければ、単なる相談として処理される可能性大。

③申請書を事前に用意して持っていく

役所は、受給者を少しでも減らしたいため、生活保護の申請書を簡単に発行しない。が、申請書に決まった書式はない。自作でも良し、インターネットで申請書を公開している役所のものを印刷するも良し。ちなみに、一般社団法人「つくろい東京ファンド」は2020年12月、生活保護申請を支援するウェブサービス「フミダン」の運用を開始した。規定のフォームに自身の基本情報、世帯の状況、収入の状況（就労収入を含む）、資産状況などの事項を入力すると、申請する福祉事務所長宛の「生活保護申請書」「資産申告書」「収入・無収入申告書」がＰＤＦで作成されるので、それを印刷し、当該福祉事務所に持参・郵送・ファックスなどで送付すれば、申請手続きは完了となる。なお、行政法は、申請書が出されたら受理し速やかに処理を行う義務があると規定しており、それを怠ると違法となる。

繰り返しになるが、国民には生活保護の申請を行う権利が与えられており、役所は届け出があれば受理・審査の義務がある。条件を満たしている人は、断固たる態度で臨むべし。

注文した直後なら銀行に連絡し「口座凍結」を依頼せよ

詐欺通販サイトに金を振り込んでしまった

金を振り込んだが注文した商品が届かない。品は届いたものの中身が粗悪な偽物。コロナ禍で自宅にいる時間が多くなったことにより、ネット通販のトラブルが急増している。国民生活センターによると、２０２０年４〜６月にかけて全国消費生活情報ネットワークシステムに寄せられたネット通販における相談件数は７万３千２３０件で、前年同期に比べ２万件以上の増加となったという。

そもそも詐欺だとわかっていれば、金を振り込むこともない。では、どうやって見分ければ良いだろう。正確な答えはないが、怪しむべきは、

●他と比べ値段が極端に安い。
●品切れ。入手困難の商品を販売している。
●会社概要、会社案内などにフリーアドレスが記載されている。
●振り込み先が個人名。
●サイトに特商法の記載がない。

◉住所、電話番号が記載されていない。

その他、少しでも不審な点を感じたら、注文しないに限る。が、うっかり金を振り込んでしまった場合、どうすれば良いのか。商品が届かないとわかった段階になったらもう遅いが、振り込んだ直後なら、まだ手は残されている。相手の銀行口座を凍結するのだ。

バイクショップ「はとや」を装ったサイト。
どちらが本物か見た目では判断できない

そのためには、まずは最寄りの警察署、もしくは都道府県別のサイバー犯罪対策窓口へのへの届け出が必要だ。詐欺サイトの情報（サイトのＵＲＬ、振り込み口座の情報）、取引の証拠（サイトの決済の画面の印刷、振り込み証書、メールのやりとりの記録）などを印刷し、それらを持参のうえで被害届けを提出。事件として扱われることで「振り込め詐欺救済法」の対象となり、被害額を戻してもらえる可能性へつながる。

次は振り込み先の銀行に事情を説明し、該当の口座を凍結してもらう。この際、警察への被害届けが受理されていることが重要で、銀行側が犯罪を認識すれば、「振り込め詐欺救済法」に基づき口座が凍結され金が戻ってくる。その他、「組戻し」という方法もある。振込手続き完了後に、ご依頼内容に誤りがある、振込を取り消したいなど、依頼人の都合でその資金を返金依頼する手続きで、15時以降に振込手続きをして、まだ相手口座に振込まれていない状態のときなどに有効だ。

注文の際に記した住所、電話番号などの個人情報の漏洩はあきらめよう。犯人逮捕も警察に任せればいい。重要なのは金銭の回収。とにかく一刻を争う。相手が金を引き出した後では間に合わないのだ。

引き出されたらアウト

基本は徹底無視。ただし、裁判所から書類が届いたら出廷すべし

パソコン、スマホに突然アダルトサイトの請求画面が現れた

最悪の状況を乗り切る100の解決策

アダルトサイトを覗いていて何気にクリックしたら、いきなり「登録完了」の文字とともに数十万円を限定期日内に振り込むよう請求する画面が現れた。スマホに有料動画の未納料金があるというメッセージが届き、問合せ先に電話をしたら高額の利用料金を請求された――。このようなワンクリック詐欺に代表される「架空請求」の被害額は2020年の1年間で79億6千万円。情報に長けている人は、一発で詐欺と見破れるだろうが、最近は女性や高齢者の被

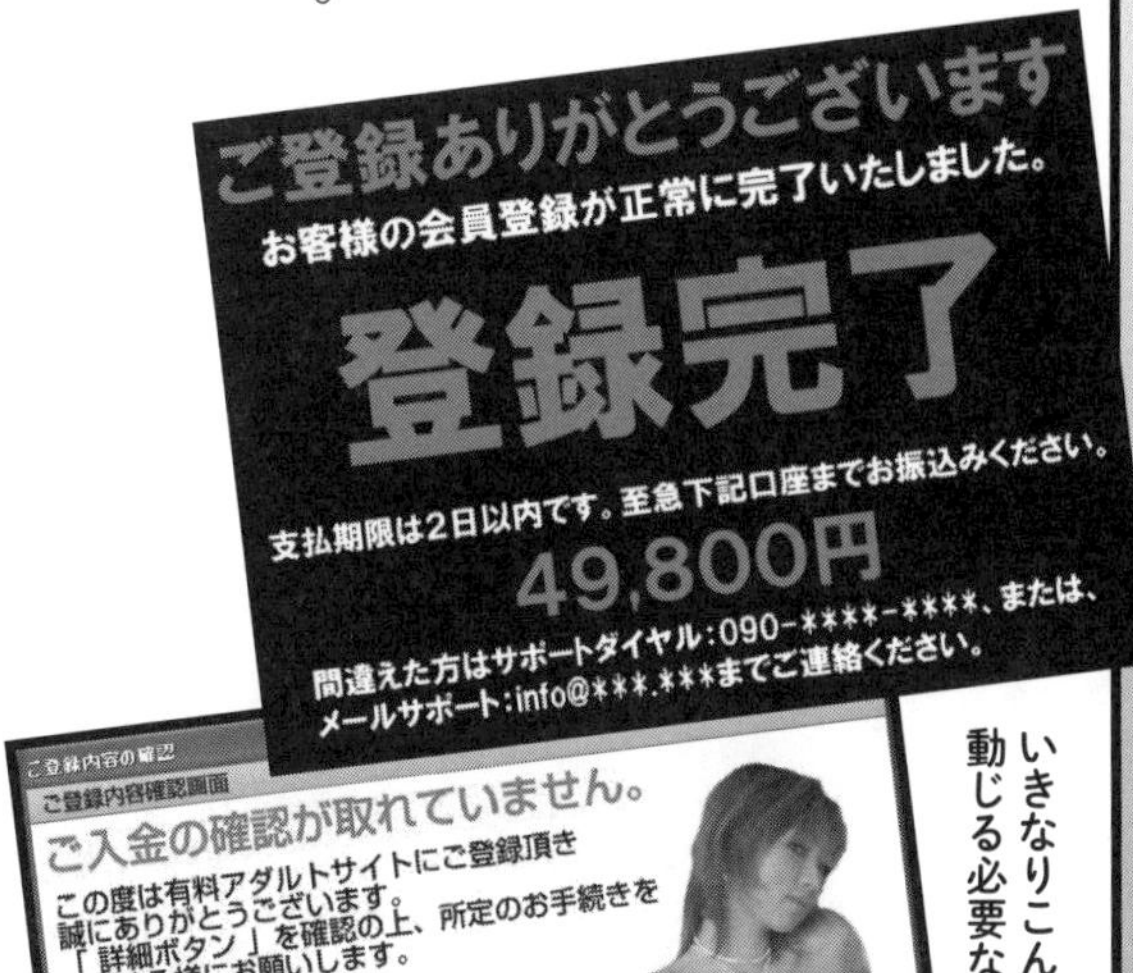
ご登録ありがとうございます
ご登録ありがとうございます
お客様の会員登録が正常に完了いたしました。
登録完了
支払期限は2日以内です。至急下記口座までお振込みください。
49,800円
間違えた方はサポートダイヤル：090-****-****、または、
メールサポート：info@***.***までご連絡ください。
ご登録内容の確認
ご登録内容確認画面
ご入金の確認が取れていません。
この度は有料アダルトサイトにご登録頂き
誠にありがとうございます。
「詳細ボタン」を確認の上、所定のお手続きを
完了する様にお願いします。
登録完了までの手順
① 年齢確認 → ② トップページ → ③ 利用規約にご同意の意思確認
→ ④ 錯誤防止の為、再確認 → ⑤ コンテンツのご利用
お客様のご登録情報
登録日時：2009年04月25日
振込み期限まで：46時間01分26秒04
お客様のユーザID：[redacted]
詳細情報
※この画面はご入金確認後、削除されます。
※お問い合わせ先は「詳細ボタン」よりご確認下さい。
確認
PASS:

いきなりこんな画面が現れても動じる必要なし

害者が増えており、知識がないばかりに金を騙し取られるケースも少なくない。

架空請求の料金名は「コンテンツ料金未納分」「有料コンテンツ利用料」「出会い系サイト登録料」など請求の内容に具体性がないのが特徴。ターゲットが「もしかしてあのサイトのことか…」などと想像して不安になるように、どうとでも受け取れる名称が付けられている。また、難しい法律用語のような言い回しや、実在する公的機関を思わせる名称が使われているのも常套手段。身に覚えがなければ「徹底無視」しかない。「法的手段に訴える」「規定の期日までに支払わないと延滞料金が発生する」「記載の電話番号に連絡すれば減額に応じる」などといった文言が並んでいても、一切気にする必要なし。誤解を解こうと相手に電話をするなどもってのほか。とにかく無視を決め込めば、金が取れない相手と判断し、無益な追及はしてこない。万が一、仮に電話番号やメールアドレス、LINEなどがバレてしつこく連絡が来る場合は着信拒否や受信拒否、ブロックなどで対応するまでだ。ちなみに、業者名や電話番号が記載されている場合はネット検索してみればいい。同じ被害に遭った人が「架空請求業者」として情報を挙げているかもしれない。

注意すべきは、架空請求業者が裁判所経由で請求書を自宅に送りつけてきたケースだ。裁判所は、訴状などに当事者と請求内容が記入され印紙が貼ってあれば、書類を受け付けるのが義務。たとえ、それが怪しい内容でも拒否はできない。そこで、詐欺業者によっては住所がわかっている〝カモ〟に損害賠償の訴状を送ってくる。それが本物かどうかの見分け方は「差出人が裁判所になっている」「封筒の表面に『特別送達』と書いてある」「必ず書留で送られてきてポストに投函されることはない」の3点。

これに該当する文書が届いた際は、絶対に無視してはいけない。詐欺業者との裁判などに出向く必要なしと考えがちだが、もし記載の日時に出廷しなければ、争う意志がなし＝相手方の言い分を認めたとみなされ、詐欺業者の請求どおりの金を支払う義務が生じるのだ。裁判に臨めば、勝利することは間違いない。面倒でも呼び出しに応じ、堂々と身の潔白を晴らそう。

　もう一点、パソコンなどがワンクリックウェア（ウイルス）に感染すると、架空請求のページが何度も表示され、放置すると、パソコンやスマホの動作が遅くなったり、個人情報を外部に送信される危険性がある。対処法は簡単、セキュリティソフトを導入すれば良い。

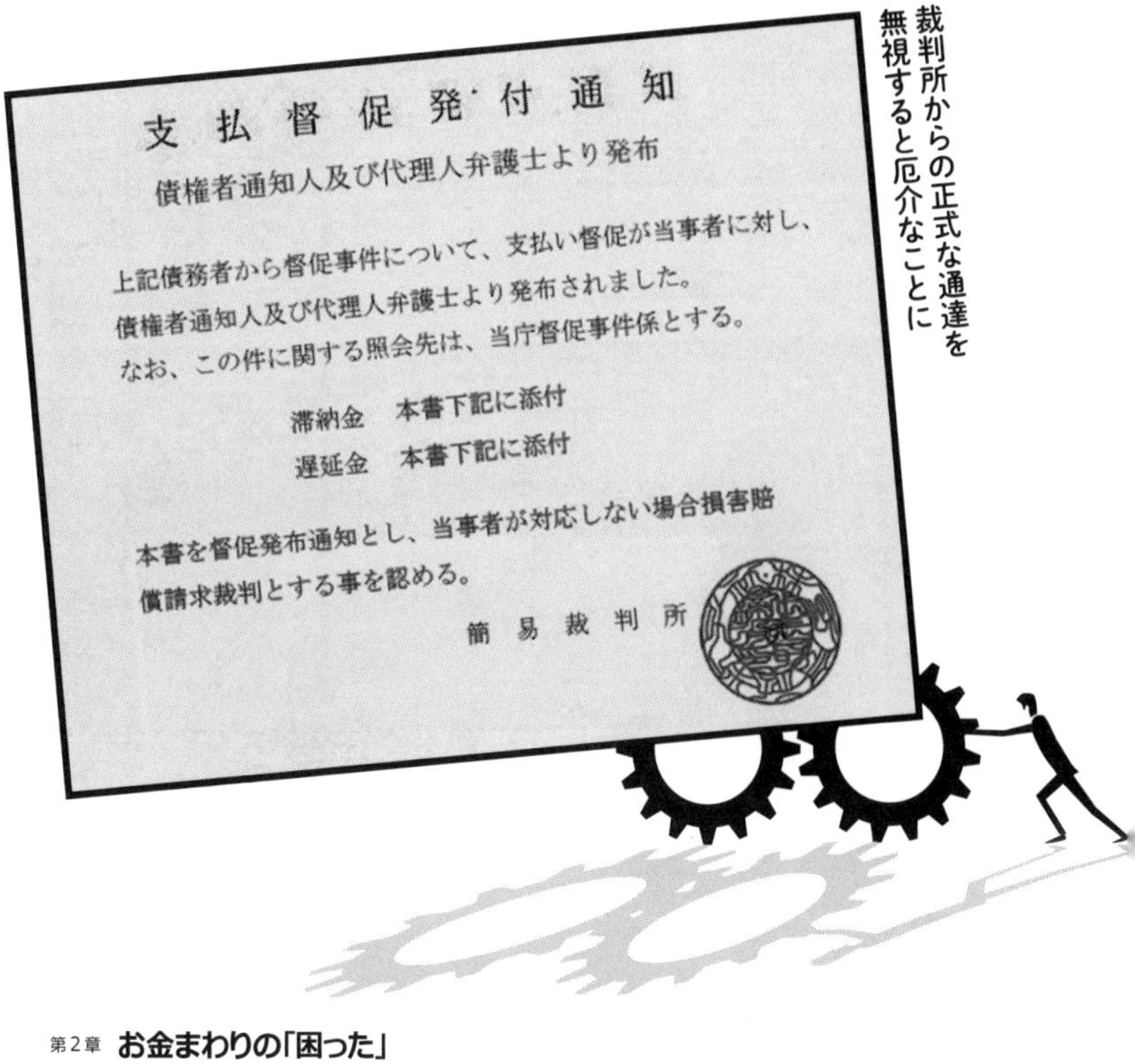

支払督促発付通知

債権者通知人及び代理人弁護士より発布

上記債務者から督促事件について、支払い督促が当事者に対し、
債権者通知人及び代理人弁護士より発布されました。
なお、この件に関する照会先は、当庁督促事件係とする。

滞納金　本書下記に添付

遅延金　本書下記に添付

本書を督促発布通知とし、当事者が対応しない場合損害賠償請求裁判とする事を認める。

簡易裁判所

裁判所からの正式な通達を無視すると厄介なことに

駐車違反の取り締まりに遭ったら警察に出頭せず反則金だけ払え

金の支払いを済ませば減点なし

最悪の状況を乗り切る100の解決策

２００６年６月１日、駐車違反取り締まりが民間に委託され、制服を着た駐車監視員が取り締まりを行うようになった。従来は、15分とか20分程度の猶予を与えて取り締まっていたが、新制度では、車内に運転者がいないことを確認したら直ちに取り締まりを開始する。迷惑がかからない場所に駐車して公衆トイレや、タバコを買いにコンビニに行き、数分して戻ったら車両のフロントガラスにステッカーが貼られているケースも少なくない。

いくら納得できなくとも、言い逃れは不可能だ。が、重要なのはここから。違法駐車したのだから、当然反則金が発生する。これは警察署に出向いて支払ってもいいし、自宅に納付書が届いた後で振り込んでもいい。

が、間違っても選択してはいけないのが前者。人によってはステッカーが貼られたその足で該当の警察署に出向き事情を説明するかもしれない。が、そんな言い訳が聞き入れてもらえるはずもなく、問答無用で違反切符を切られる。そして、放置違反金（車両の持ち主に対するペナルティ）ではなく反則金

ステッカーには、警察に出頭せよとは一切書かれていない

（違反者に対するペナルティ）の納付書が渡される。金額は同じだが、駐停車禁止場所なら3点、駐車禁止場所で2点、時間制限駐車区間で時間超過した場合は1点だ。

片や後者は反則金だけで違反点数が引かれることはない。ゴールド免許のドライバーが次の更新まで違反しなければブルーになることもない。法律の抜け穴とでも言う仕組みだが、正直者ほどバカを見るのが現実。駐禁の取り締まりに遭っても、ゆめゆめ警察に出頭してはいけない。

歌舞伎町のぼったくりキャバクラに入ってしまったら

警察に通報するのは手を出された後

日本最大の歓楽街、新宿歌舞伎町。客引きに誘われるままオネーチャンがいる店に入ったは良いが、目の玉が飛び出るような料金を請求され、拒んだら、怖いおにーさんに囲まれ脅された。ご存じ、キャバクラにおける「ぼったくり」である。

警視庁によれば、ぼったくりの被害件数は昨今減少傾向にあるらしい。歌舞伎町を歩けば「客引きは100%ぼったくり」の看板が並び、街頭スピーカーからは注意を促すアナウンスが繰り返し流されている。が、いま現在もぼったくりキャバクラは確実に存在している。もし、その手の店に入り高額な金を払うよう脅されたら、どう対処すれば良いのだろうか。

まずは、明細を見せるよう要求すべし。この手の店では最終的な金額だけを書いた紙を示されることが多い。不当に高い金額を要求された際は支払う前に必ず明細を出すように要求し、結果、路上で声をかけてきたキャッチから事前に受けていた説明よりも高い請求額が書かれていれば、説明を求めよう。とはいえ、店側はキャッチと店とは無関係と突っぱねるのが常。そこで「客引きの人から全て込みで5

千円と言われたので」と5千円だけ置いて帰ろうとする。払う意思はあるが、事前に聞かされた以上の金額を払うつもりはないと態度を明確にするのだ。

もちろん、これですんなり帰してくれる店はない。小便が漏れそうなほど脅されるに違いない。両サイドに屈強な男に座られるかもしれない。ここで恐怖のあまり、110番に電話をかけ助けを求めても何の解決にもならない。警察には民事不介入の原則があり、お金に関するトラブルにはタッチできないのだ。これは仮に交番に店の人間と行っても同じ。お巡りさんは驚くほど冷たく「当事者でよく話しあってよ」と言うのが関の山だ。

そこで、店内においては、勇気を持って強引に帰ろうとする。それを遮るように腕を引っ張られたり、手を出されたら、こちらの思うツボ。暴行罪が成立するからだ。ここで初めて、警察に通報だ。監禁・脅迫・暴行など事件性の高い内容を伝えたら警察は動かないわけにはいかない。場所を交番に移動しても、料金トラブルの話には極力触れず、頭を押された、蹴りを入れられたなど具体的な被害状況を伝える。これで間違いなく解放されるが、怒りが収まらなければ、首が痛いと医者にかかり診断書を手に被害届けを出すのも良いだろう。場合によっては、示談金をせしめることも可能だ。

とにかく、連中は客が動揺すれば動揺するほど強気になる。逆に自信満々に、鼻で笑ったような態度をとると動揺しがちだ。決して脅しに屈してはいけない。

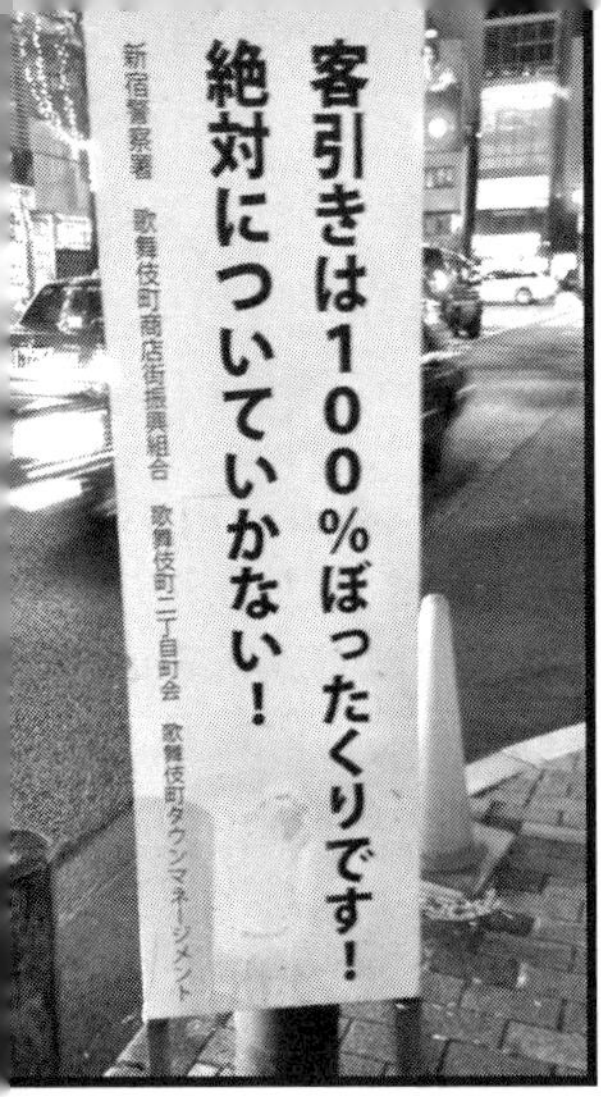
客引きは100%ぼったくりです！
絶対についていかない！
新宿警察署　歌舞伎町商店街振興組合　歌舞伎町二丁目町会　歌舞伎町タウンマネージメント
この一文は真実だ

第3章

男と女の一大事

最悪の状況を乗り切る100の解決策

彼女が俺のスマホを勝手にチェックしてるっぽい

証拠をつかみたい場合は「盗み見トラップ」を活用せよ

彼女（または彼氏）と部屋で過ごしているとき、相手がトイレに立った。用を足し戻ってくると、なぜかスマホの置き場所が変わっている。もしや、彼女がやましいところがないか、チェックしたのではないか——。こんな経験は誰にでもあるだろう。

ただ、いまどき他人のスマホを盗み見るなど可能なのか。大半の人はアクセスの際、6桁のパスワードを設定しており、速ければ30秒で自動ロックがかかる（アイフォンの場合）。この間にバレずに盗み見るのは至難の

盗み見した人間を自動的に撮影するアプリ「スマホ勝手に見たやつを撮影！盗み見トラップ」。インストールは無料

恋人からスマホを守る
入手
7044
好きなアイコンに偽装できます。
この罠アイコンをホーム画面の
目立つところに仕掛けましょう
罠アイコンの作り方
① ホーム画面に戻り、
罠にしたいアプリを
ホームの左上に置いて
スクリーンショットを撮ります
（サイドボタン+音量上げボタン同時押し）
② このアプリの「設定」から
「罠アイコンを作成」を選択、

撮ったスクリーンショットを指定します。

業だし、指の動きで暗証番号を特定するのも不可能に近い。

注意すべきは、パスワードを設定してないのは論外として、「指紋認証」を使っているケースだ。言うまでもなく指紋は人や指ごとに紋様が全て異なる終生不変のもの。所有者本人が指紋をホームボタンに押さない限りスマホが開くことはないが、心配性の相手だったり、あなたに不審なところがあれば、熟睡している間にパートナーが指をスマホに押し当てロックを解除する可能性もないとはいえない。

また、子持ちの妻帯者の場合も思わぬ危険が潜んでいる。例えば、あなたがリビングのソファでくつろぎながら浮気相手とLINEを交換しているとき、子供が「パパー」と後ろから抱きついてきた。妻はキッチンで洗い物中だからと、あなたは油断してやり取りを続ける。が、実は、妻が子供に言いくるめて夫のスマホを見るように指示、後でその内容を告げ口するよう図っているケースもあるのだ。

パスワードを設定し、時々番号を変更していればまず覗き見されることはないだろう。それでも心配だ、もしくは勝手にスマホを触ってる証拠をつかみたいという人におすすめなのが「スマホ勝手に見たやつを撮影！盗み見トラップ」なる無料アプリだ。これは、その名のとおり勝手にスマホを見た人間の顔を撮影、日時と写真を記録してくれる優れもの。具体的にはアプリをインストールした後、いかにも見られそうな「LINE」や「Eメール」などのアイコンに変更。まんまと罠に引っかかり偽アイコンを開こうとしたら、パスコード入力画面が現れ、その時点で撮影は完了している。もっとも、問題はその後。犯人に証拠を見せつければ逆ギレされる可能性も大いにありうる。相手との関係性にもよりけりだが、そうした場合は「仕事関連の情報漏洩を防止するため」とでも言っておくのが賢明だろう。

「婚約」が成立していたら慰謝料を請求せよ

結婚を前提に付き合っていた相手から一方的に別れを告げられた

5年間付き合ってきた彼女がいる。性格は穏やかで料理も上手。週末には欠かさず一緒の時を過ごし、来年には結婚しようと約束も交わしている。が、ある日、突然、別れを告げられた。聞けば、他に好きな人ができたようで、いくら説得しても聞く耳を持ってくれない。俺、終わった……。

将来まで約束した相手を失うことは並大抵のダメージではない。が、もはや修復不可能となれば、あきらめて新たな道を歩むよりない。ただ、どうしても納得できない。自分では彼女を婚約相手だと思い、休みの日は一緒に新居まで探していたのに、他に好きな男ができたとは何事だ。このまますんなり引き下がってはとても腹の虫が収まらない。せめて慰謝料を取ることはできないものか。愛はすぐに憎しみに変わる。

喪失感が金で埋まるかどうかはともかく、男女の別れで慰謝料が請求できるのは、「婚約」が一方的に破棄されたケースに限られる。では、婚約とは何か。前記のように「結婚しよう」と互いに意志を伝え合っていれば、婚約となるのか。これは仮に相手方に「そんな覚えはない」と言われたら効力は相当弱まる。口約束ではなく、証となるものが必要なのだ。具体的には結婚指輪を贈った、結婚式の予約をした、結納を済ませたなどの事実があれば決定的。この他、予約をしていなくても結婚式場やウェディングドレスを2人で見に行ったり、結婚する予定を第三者や両親に報告していた場合も婚約として扱われる確率は高まる。

婚約が成立していたとして、慰謝料を要求できうる婚約破棄の理由としては、前述の「他に好きな人ができた」は当然として、他に「マリッジブルー」「食べ方が生理的に無理」「親や親族とソリが合わない」「価値観が違う」なども該当するだろう。ただし、以下のようなケースは慰謝料を減額されたり、最悪ゼロ、場合によっては逆に賠償金を求められる場合もある。

●浮気などの不貞を働いていた。

●相手にDVを働いたり、パワハラ、モラハラなど

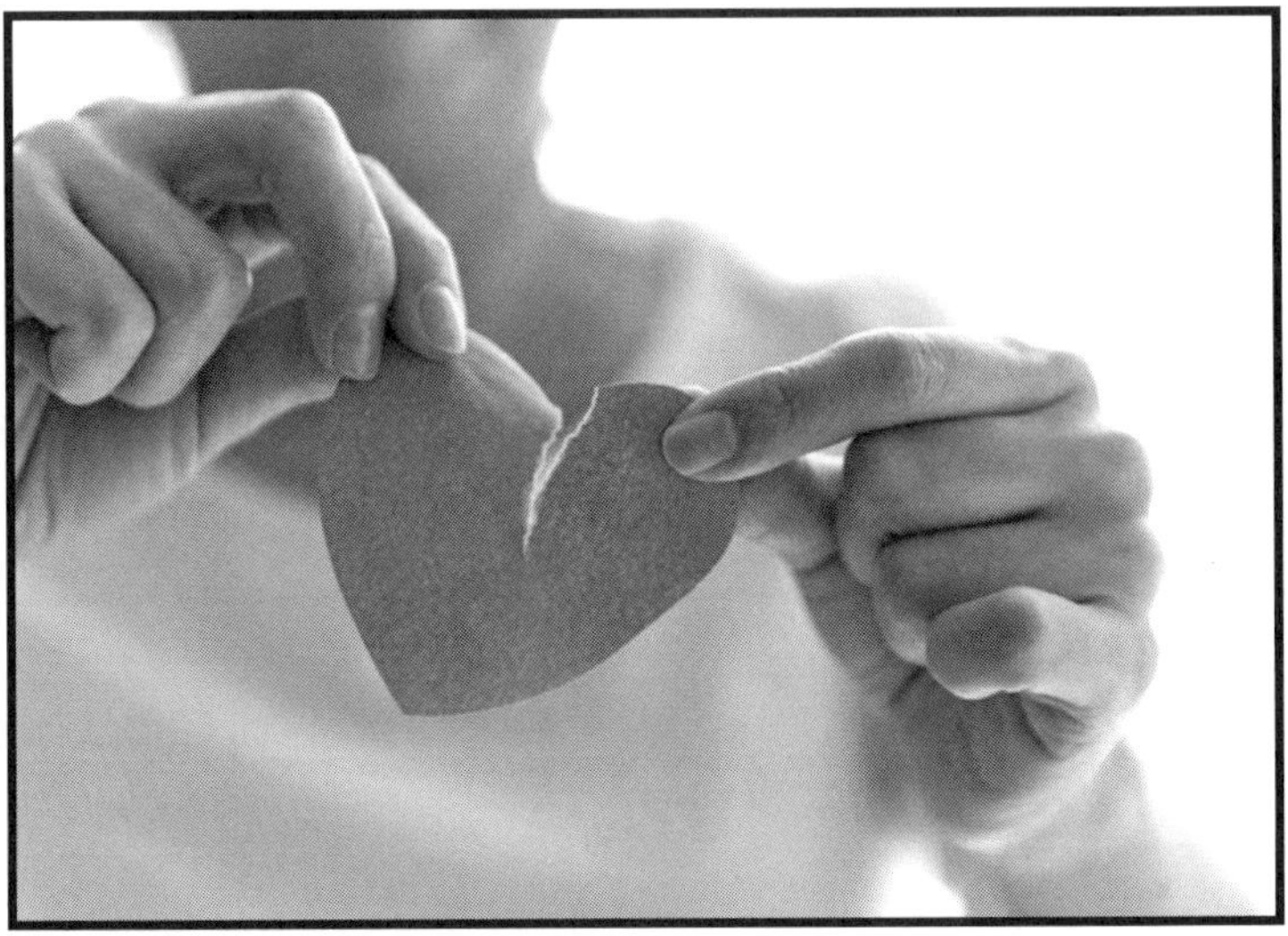

の重大な侮辱がある。
●精神障害を発症した場合。
●事故などで身体障害になってしまった。
●性的不能。
●失業などによる極度の経済力の低下。
●悪質な前科前歴が発覚した。
ちなみに、慰謝料の相場は50万～200万だ。

指輪を送っていれば「婚約」の間違いない証となる

人の気持ちは金で買える。興信所が仕組む恐怖の恋愛工作

どうしても意中の相手と付き合いたい

職場なり趣味の場で、好きな女性ができた。気立てが良く顔も可愛らしい。思い切って自分の気持ちを伝え、交際を申し出る。答えがイエスなら望みは叶うし、ノーならあきらめる。それが常識だ。

しかし、世の中にはどんな手段を使っても意中の相手を自分のものにしたいと考える人間もいる。自分に自信がなく、恋愛に関する努力も苦手だが、どうにかして相手をその気にさせたい。普通、そんな身勝手が通用するはずもないのだが、実は方法がある。

「恋愛工作」という言葉を耳にしたことはあるだろうか。客から依頼を受けた興信所が、ターゲットにワナを仕掛け目的を遂

行する驚愕のビジネスだ。色恋にハマった人間は時に見境をなくし、金に糸目を付けない。そして、人の気持ちは現実に金で買えてしまうのだ。

本書編集スタッフは、数年前〝お付き合い工作〟に力を入れる群馬県の興信所を取材した。話によれば、1年間に15人から依頼があり、その全てを成功させているという。一例を紹介しよう。

35歳の男性自営業者が、20代半ばのスーパーのレジ係の女性に一目惚れした。男性はお世辞にも魅力的な外見とは言えず、性格も引っ込み思案。自分で声をかける勇気はとてもないので、出会いのきっかけを作り、交際できるようにして欲しいという。そこでその興信所は工作を図り、見事に依頼人の望みを叶えた。詳細は省くが、大まかな流れは、次のとおりだ。

女性工作員Aがターゲットに道を聞くなどして知り合う→偶然を装いその後何度か接触し距離を縮める→ターゲットが既婚であることが発覚→女性工作員B（かなりの美人）がターゲットの夫を尾行し、コンビニから出てきたところで道を尋ねる→数日後偶然を装い同じコンビニで接触。この前の御礼がしたいと食事に誘う→何度かデートを重ね肉体関係を持つ。その間、Aもターゲットと連絡を途絶えないようにしておく→Bの夫役の男性工作員を登場させ、ターゲットに連絡。「最近、妻の様子がおかしいので興信所に調査させたところ、おたくの旦那さんと浮気していることがわかった。うちは話し合いの結果、離婚することになったが、あなた方もケジメを付けてほしい」と迫る→まもなくターゲットと夫が離婚→以前から相談を受けていたAがターゲットを誘い食事に。そこに偶然を装い依頼人が登場。工作員と依頼人は会社の同僚という設定→何度か3人で会い、そのたび工作員が依頼人の人柄を絶賛→や

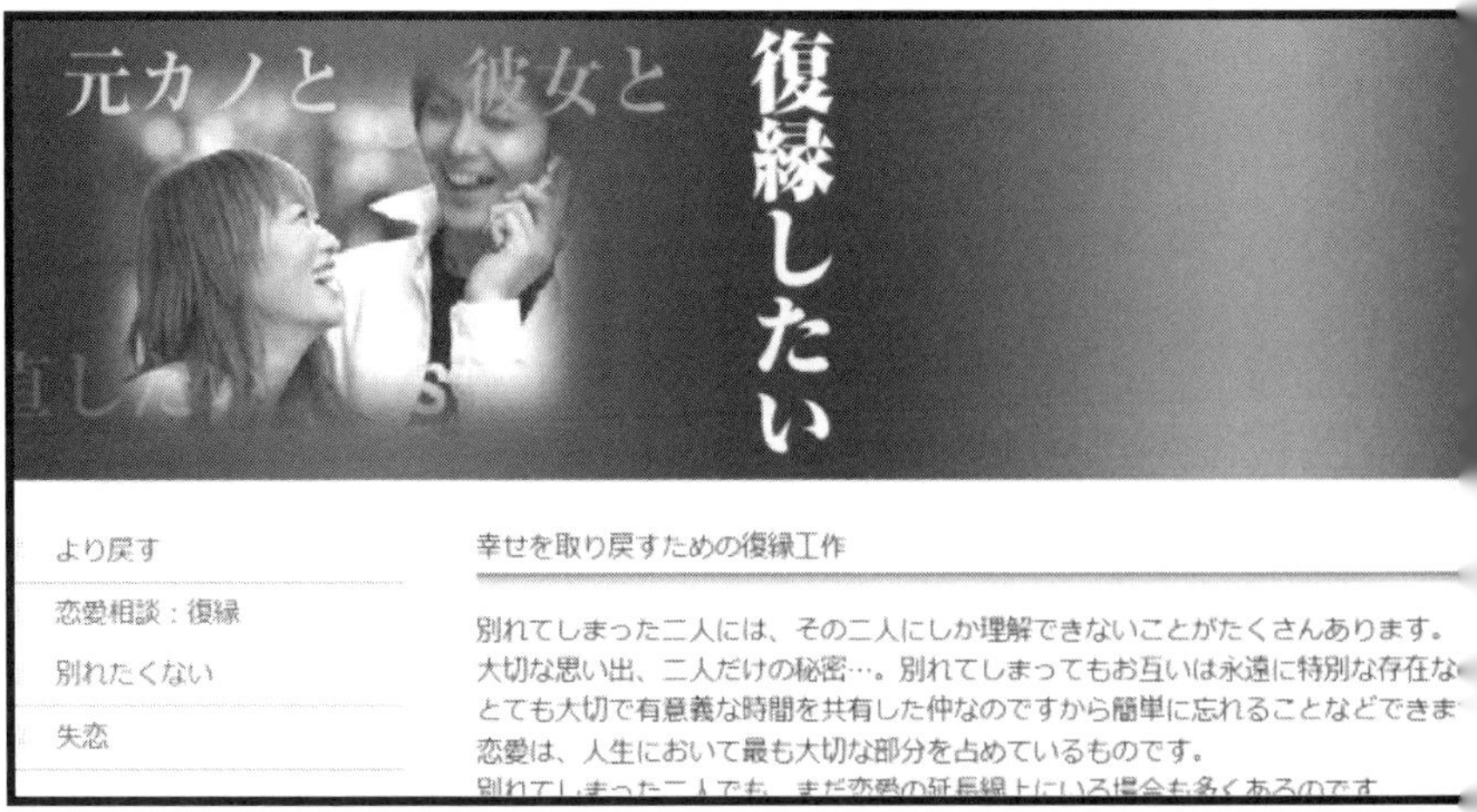
元カノと
彼女と
復縁したい
より戻す
恋愛相談：復縁
別れたくない
失恋
幸せを取り戻すための復縁工作
別れてしまった二人には、その二人にしか理解できないことがたくさんあります。
大切な思い出、二人だけの秘密…。別れてしまってもお互いは永遠に特別な存在な
とても大切で有意義な時間を共有した仲なのですから簡単に忘れることなどできま
恋愛は、人生において最も大切な部分を占めているものです。

元カレ元カノとよりを戻すための
「復縁工作」を謳う業者も

がて依頼人とターゲットが2人で会うようになり、傷心の依頼人を慰めていく過程で親密な関係に↓半年後、ターゲットと依頼人が再婚。

まるでホラーだが、これは全て現実の出来事。ちなみに、依頼から交際に発展するまでに要した時間は1年4ヶ月。費用は約600万円だったという。恋愛は金で買えるのだ。

アフターピルを3日以内に服用すれば、95%以上の確率で危険回避

思わず中に出してしまった！妊娠したらシャレにならん

セックスは愛の交換、快楽の追求である。が、常に注意が必要なのが「妊娠」だ。結婚を約束している間柄なら、産む前提で中に射精しても構わないだろう。が、これが不倫カップルとなればそうはいかない。避妊は絶対条件だ。

気持ち良いから挿入はナマ、射精は外というのは危険である。挿入中、膣内でカウパー（いわゆる我慢汁）が出てそこに含まれた精子で妊娠する可能性がある。また、排卵日（通常、生理が終わって10日目後くらいまでの期間）ではないから安全と考えるのも早計で、生理が遅れていたり不順がちな女性は妊娠の確率は決して低くない。

間違いのない避妊法は、ピルかコンドームの使用だ。ただし、

ピルは毎日定時に飲まなければ効果は絶対と言えず、副作用の危険も伴う。お手軽で確実なのは、やはりコンドームの着用だろう。

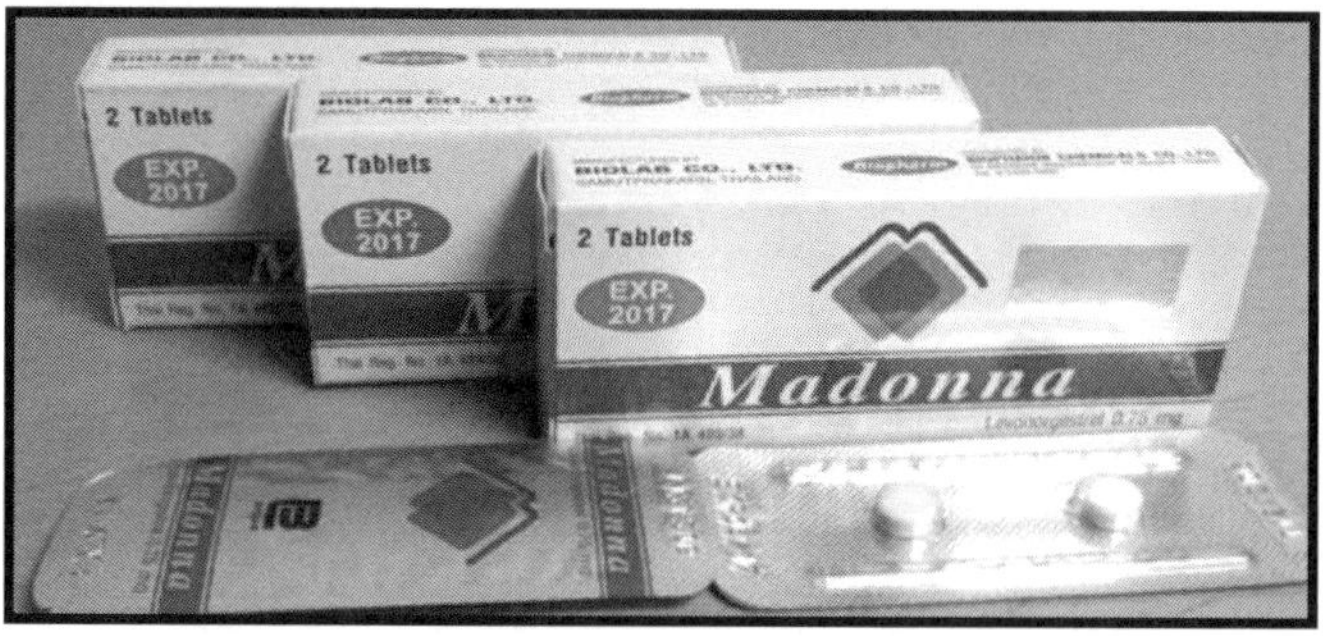

アフターピル。海外から安価で個人輸入することも可能

が、その絶対安全なはずのコンドームが行為の最中、破れるという危険もゼロとは言えない。膣に精子が放出されたら効果はゼロだ。

一般に、30歳ぐらいまでの健康な女性が避妊せず性行為を行った場合、危険日なら8~25％程度の確率で妊娠すると言われている。必ずしも高い数字とは言えないかもしれないが、不安は付きまとう。そこで、少しでも妊娠のリスクが生じた場合は、アフターピルを利用しよう。これは誤って中出ししたり、避妊を失敗してしまった際に使う緊急避妊薬で、性交から72時間以内に服用すれば、95％以上の確率で妊娠を回避できる。

入手法は最寄りの産婦人科に出向くか、病院が休みの際は【消防署の救急相談センター】に電話をかけ、対応してくれる病院を探してもらおう。ただし、保険適用外のため費用は診察代を含め安くて5千円、場合によっては2万円前後かかる。妊娠回避のためには必要不可欠な出費だ。

ちなみに、アフターピルは個人輸入でも入手可能でこちらは2千円前後と価格が安め。取り寄せに時間がかかるので緊急時の対応は難しいが、いざというときに備え常備しておけば心強い。

本籍地を移す「転籍」なら過去が消せる

離婚歴を気づかれずに再婚したい

最悪の状況を乗り切る100の解決策

2019年度の厚生労働省の調査によると離婚件数は約20万9千件。対し、婚姻件数は約59万9千件で単純計算、3組に1組以上が離婚しており、最も多いのが30歳から34歳の女性らしい。

いまどき離婚など珍しくも何ともないし、30代前半の女性なら、また新たな男性と出会い再婚を考える人も多いだろう。が、もし彼氏が生真面目な性格でお堅い家庭で育った男性ならどうだろう。離婚歴があることを言い出しにくく、もしバレたら本人はもちろん親族からも、結婚はおろか交際自体に抵抗を示されるかもしれない。何とか離婚の事実を消し去ることはできないだろうか。

男女が結婚して婚姻届を出すと、一般的には男性が筆頭者、女性が配偶者になって夫婦の戸籍が作られる。離婚すれば配偶者は除籍され、名前の上に×印が付く、原則的に結婚前の親の戸籍に戻ることになる。が、戸籍が結婚前の状態に戻るわけではなく、×印は残ったまま。もし、これを消したければ、離婚時に自分が筆頭者になって新戸籍を編製すれば、見た目上はゴマカシがきく。

が、いざ結婚となった場合、相手方が念のため戸籍を調べるのは十分あり得る。そこで、本来未婚な

何かの拍子でバレない保証はない

ら親の戸籍に入っているはずなのに、なぜ一人で戸籍を編成しているのか、何か事情があるのではないかと疑われるのは必至。離婚歴が発覚するのは時間の問題で、その事実を隠していたことが原因で破談になる可能性もあるだろう。

違和感なく戸籍謄本から離婚歴を隠すには、本籍地を移す「転籍」が現実的だ。例えば、引っ越しなどで本籍地を移せば、除籍された者に関する事項は転籍地の戸籍に引き継がれない。つまり自分の戸籍内にある離婚した相手についての記載や、親の戸籍内にある結婚前の自分についての記載が丸ごと消えるのだ。どうしてもバレたくなければ、疑われる前に、実家を出るなり、アパートを越すなどして、本籍地を変えておくのが賢明だろう。

ちなみに、離婚歴の事実は、戸籍謄本から削除可能だが、原戸籍（改製される前の戸籍）から完全に消すことはできない。が、仮に婚約者の男性やその家族が役所で原戸籍を調べようと思っても、プライバシー保護の観点から取得は不可能。ただし、その後、結婚し籍を入れた場合、夫は正式な配偶者として、妻の過去の戸籍まで入手する権利を持てる。結婚後、過去の離婚歴がバレる危険性があることもお忘れなく。

不倫相手の配偶者から、高額の慰謝料を請求されて夜も眠れない

直接交渉はＮＧ。必ず弁護士に相談せよ

Ｗ不倫の相手の配偶者に不倫がバレてしまい、相手から慰謝料を要求する電話やメール、内容証明郵便が届いた。請求額は５００万円。払わなければ、法的手段に訴えるとのこと。相手の言うとおりの金額で解決できれば良いが、そんな金はどこにもない。だからといって訴訟を起こされたら、妻にバレて家庭崩壊にもつながりかねない。いったい、どうしたら良いんだ。不安で夜も眠れない。

不貞が発覚したときの代償は決して安くない。不倫相手の配偶者が「平穏で円満な家庭生活を送っていたのに、おまえのせいでどん底に突き落とされた！」「絶対に許せないし、同じ以上の痛みが与えないと気がすまない」と怒りを剥き出しにして当然。この復讐心は、慰謝料を支払うことで、鎮めてもらうしかない。が、まずは法的な知識を身に付けておくのが先決だ。

こうした場合、相手は怒りに任せて違法行為を働きがちだ。例えば、「おまえの家族や親戚にこのことをバラしてやる。職場に不倫の証拠写真を送る」などと言えば脅迫罪。「慰謝料を払わないと周りに言いふらす」と脅してきたら恐喝罪。仮に相手と対面し、飲み物をかけらたりビンタを食らわされると

傷害罪に該当する。

だからといって、警察に相談するのは得策ではない。「今夜、おまえを殺してやる!」などと言われ、証拠となる音声テープでもあれば別だが、前記のような程度で警察は動いてくれない。警察とて、そもそも不倫していたあなたも悪いという意識が働くのだ。

ベストな対処法は、弁護士に解決を委ねることだ。間違っても、直接示談交渉してはいけない。あなたの顔を見たり声を聞くことで相手が怒りを増幅しかねないし、反省や謝罪の態度が甘ければ、家族や職場に不倫の事実をバラされるかもしれない。そうなったら一巻の終わりだ。

弁護士に相談すれば当然費用はかかる。が、それ以上にメリットの方が大きい。法律のプロが間に入ることで相手は冷静になるし、事が明るみに出るリスクも少なくなる。相手に違法行為があれば警告してくれるし、慰謝料も折り合いの付く額でまとめてもらえるはずだ。ちなみに、不倫の示談金は50万円から200万円が相場である。


写真はイメージ。本文とは直接関係ありません

リベンジポルノに遭ったら

発覚した時点で、警察か、セーファーインターネット協会に相談を

最悪の状況を乗り切る100の解決策

別れた恋人や配偶者に対する報復として、交際時に撮影した相手方のわいせつな写真や映像を、インターネットなどで不特定多数に公開する。いわゆる「リベンジポルノ」は、２０１３年10月に女子高生が刺殺された「三鷹ストーカー殺人」において、犯人の元交際相手の男性が事件前、被害者の裸の画像をネットを介して拡散させていたことがメディアで報じられたことから世間で問題視され始め、翌２０１４年11月、「私事性的画像記録の提供等による被害の防止に関する法律」（いわゆるリベンジポルノ防止法）が成立。犯した者には、３年以下の懲役又は50万円以下の罰金が科されることになったが、警察庁の発表によると、２０２０年の１年間に警察に寄せられたリベンジポルノの相談は１千５７０件で過去最多を更新。この件数は過去5年間で１・５倍にも増加している。

リベンジポルノが恐ろしいのは、写真・動画が流出・拡散すると削除が困難となり、半永久的にネットに存在し続ける点だ。当然ながら被害者の人生はずたずたに破壊されてしまう。

悲劇に見舞われないためには、まず「絶対に撮らせない」ことだ。いくらラブラブな間柄だとしても、

国内・国外にかかわらず、対象サイトに削除依頼を行ってくれる「セーファーインターネット協会」
https://www.safe-line.jp/against-rvp/#link_delete

ハメ撮りなどの行為はもってのほか。別れた途端、相手が豹変し、撮影した画像や動画をばらまく危険がないとはいえない。もし撮影された場合は、必ず目の前で削除させよう。

交際が破綻し、嫌がらせを働かれる危険性を少しでも感じたら、ＳＮＳなどで自分の名前を検索するなどして、画像や映像が流出していないか確認すべし。もし、そこで見つけた場合は早急に公表された画像を削除することが重要。他人から知らされた場合でも、それが判明した時点で、迷わず最寄りの警察署か各都道府県警察本部のサイバー犯罪対策課に相談し、該当サイトに削除要請を出してもらおう。

リベンジポルノの被害に遭った場合、警察以上に頼りになってくれそうなのが「セーファーインターネット協会」だ。これはネットに流出した違法な画像や動画を削除する目的で大手民間企業数社が設立した社団法人で、同協会に連絡を取れば、無料で削除の手続きを代行してくれる。ちなみに、２０１９年、同協会は通報・パトロールで把握した国内外のリベンジポルノ掲載サイトに削除依頼した７千２７６件のうち、93％にあたる６千７７１件の削除に成功している。

いずれにしろ、時間が経てば経つほど、拡散の程度は上がり、海外のサイトにまで波及、削除が難しくなる。逆に早い段階で対応し、公表されたサイトが少なければ、１日で削除手続が終わる場合もある。被害を最小限に抑えるため、一刻も速い行動が重要だ。

ストーカー被害で警察に動いてもらうには？

「つきまといの証拠品」を提出せよ

２０２０年８月12日、栃木県宇都宮市のコンビニで、カウンター内で接客中だった45歳の女性が41歳の男に刺殺された。殺害された女性は事件前、元交際相手だったという男からストーカー行為を受けていると警察に相談しており、事件３日前には１１０番通報で「これから家に行くと言われて怖い」と訴え、警察はストーカー行為に当たると判断。対応の説明や被害防止の助言をしたが、女性の意向に沿って男性への警告は行わなかったという。被害女性は、警察から注意された加害者が逆上して行動がエスカレートすることを心配していたようだが、結果は最悪なものとなった。

「つきまとい」「待ち伏せ」「頻繁な無言電話」「ツイッターやＬＩＮＥなどのメッセージの連続送信」「個人のブログへの執拗な書き込み」などストーカー被害に関する警察への相談は、２０２０年の１年間で２万１８９件あったそうだ（２０２１年３月、警察庁発表）。前記のような殺人にまで発展するケースは稀だが、自分がもしストーカー被害に遭っていると感じたら、どんな対応をすべきか。重要なのは、あくまで〝拒絶〟の態度を崩さないことだ。ストーカー行為は、一方的な思考から起こっているもので、自分がおかしな行動を取っている認識や罪悪感はゼロに等しい。よって、間違っても相手を説得しようなどと思ってはいけない。できれば完全無視。それが難しいようなら、相手のプライドを傷つけず、かつ親しさを感じさせない言葉遣いや態度で拒否し続けるべきだ。

会いに行きます。
その日から二人の未来が始まる

一方的に自分の思いを送りつけてくるメールが続いたらストーカー規制法に抵触。警察に本腰を入れさせる「証拠」ともなる

それでも、ストーカー行為が止まないようであれば警察へ相談するよりないが、単に被害の状況を話すだけでは不十分だ。日時を記したストーカーの行動記録、メールやＬＩＮＥの着信履歴、つきまとい行為に該当するＳＮＳの画像、被害者の自宅近くを徘徊する加害者の映像、ストーカーが送ってきた品物、こうした〝証拠〟がない限り、警察は事件性なしと判断し、何も対応してくれない可能性も大。証拠品を集めるため、場合によっては探偵に協力を仰いだり、相談の際に弁護士に同行してもらうことも必要だろう。最悪の事態を防ぐため、身の危険を感じたらすぐに違法行為を裏付けるデータを収集、警察に提出し、捜査員を本気にさせよう。

被害届が受理されたら、警察はまず加害者に対してすぐ行為を止めるよう通達する「警告」を行い、これに従わなければ公安員会から「禁止命令」（つきまといなどの行為を、さらに繰り返し行ってはならないという命令。加害者が被害者の写真を送付しているような場合は、その写真のネガやデータを破棄させる）が出され、それでも加害が止まらないとき、初めて逮捕となる。

最悪の状況を乗り切る100の解決策

マッチングアプリで知り合いセックスした女性が未成年だった

身分証明書などで実年齢を確認したか否かが重要

２０２１年５月、同年１月の箱根駅伝の最終10区で歴史的な逆転優勝の立役者となった駒沢大学陸上部所属の男子学生（21歳）が、17歳の女子高校生にみだらな行為をしたとして、青少年保護育成条例違反などの容疑で神奈川県警に逮捕された。２人は２０２０年10月下旬、マッチングアプリで知り合い、同年12月と翌年１月の２回、ホテルで肉体関係を持ったという。報道によれば、女子生徒は当初、18歳と伝え

ていたものの、その後のやりとりで17歳と明かしたらしいが、男子学生は18歳と思っていたと主張が食い違ってるそうだ。

言うまでもなく、成人が18歳未満と性交渉を持つことは違法である。両者に恋愛感情があったり、未成年の親が認める間柄なら罪に問われないケースが多いが、セックスだけが目的の場合で、相手方に被害届けを出されたらアウト。ただし、性交渉を持った女性が年齢を偽っていた場合は処罰の対象とならない。これは援助交際の場合も同じで、未成年と知りながら金銭を対価に行為に及ぶと児童買春罪で逮捕されるものの、年齢を知らなかった場合は、原則これに該当しない。

と言いたいところだが、注意すべきは、駒沢大学生の一件のように事前に年齢を確認したか否かだ。歳を聞かず未成年とセックスして、18歳未満とは知らなかったでは通用しない。また、たとえ相手が20歳と自称しても、16、17歳にしか見えなかった場合、身分証明などで実年齢を確認する義務がある。これを怠れば、処罰の対象になるケースもある。

実際に逮捕されるかどうかは、両者に合意があったかどうかなど経緯にもよるが、被害者と示談が成立すれば、罪は免れる可能性が高い。

せっかくのチャンスなのにどのラブホテルも満室。困った！

デリヘル業者に電話すればソク解決

最悪の状況を乗り切る100の解決策

飲み屋で知り合った女性と意気投合し、流れのままラブホテルに行くことになった。時間は金曜の23時。一刻も早くセックスしたいが、あいにくどこも満室。このままでは釣った魚を逃してしまう。なんとかならないものか。

こういうときは、できるだけ部屋数の多いホテルに入ろう。案内パネルが全て満室表示でも、全てが「泊まり」の可能性は低く、中に必ず「休憩」の客がいるはずだからフロントに確認すべし。休憩はたいてい2時間。ホテル難民になるくらいなら、待合室なりで時間を過ごすのが賢明だろう。狙い目の時間帯は22時と24時だ。また、満室＝必ずしも客が居るとは限らず、掃除中、点検中の場合もある。受付に、遠慮なく、もうすぐ空く部屋はないかどうか聞くべくだ。

さらに、ホテルによっては、土日祝日の前の夜など確実に入りが予想される場合、わざと料金の安い部屋を「売り止め」にすることもある。繁盛しているホテルと思わせ、客に料金の高い部屋を選ばせるためだ。そこで、料金の安い部屋を確認し、片っ端から「○○○号室はいつ空きますか?」と聞いてみ

「満室」の表示があっても、鵜呑みにしてはいけない

る。そこが、見せかけの満室なら、すんなり案内してくれるに違いない。

それでもダメな場合は、スマホでデリヘル業者を調べ電話をかけよう。

「いま歌舞伎町で、これから遊びたいんだけど、混んでるかもしれないんで、どのホテルの何号室に行けばいいか教えてくれます?」

デリヘルは、ホテルに女性を派遣してなんぼの商売。いついかなるときでも、空いてる部屋の情報は確保しているものだ。首尾良く聞き出せば、後は教えられたホテルに直行するまでだ。

ちなみに、今なら新型コロナの影響でラブホテルはどこも空いてるだろうと考えるのは早計。逆に他に行くところがなく、以前より賑わっているホテルも少なくない。

第4章

人生初の大ピンチ! さぁどーする?

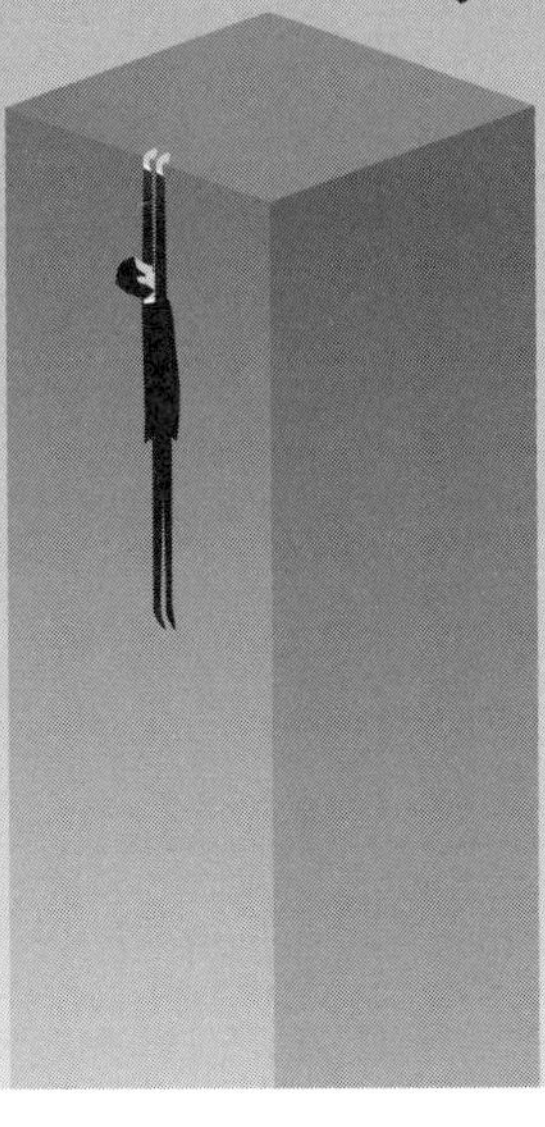

無視→削除依頼→個人情報開示請求→刑事告訴・民事訴訟

ツイッターやフェイスブックなどのＳＮＳで悪質な誹謗中傷、嫌がらせ行為を受けた

最悪の状況を乗り切る100の解決策

２０２０年5月23日、女子プロレスラーの木村花さん（当時22歳）が東京都江東区の自宅マンションの部屋で母親らに宛てて「ごめんね。産んでくれてありがとう」という遺書を残し、自ら命を絶った。動機はＳＮＳで受けた誹謗中傷である。出演していたフジテレビ系の恋愛リアリティ番組「テラスハウス」で、ルームメイトの１人とトラブルになった（後に事実上のヤラセだったことが判明）ことをきっかけに、放送直後の同年3月末から彼女に対して連日数百件の批判ツイートが殺到したのだ。誹謗中傷に苦しんだ木村さんは自身のＳＮＳに、リストカットの写真とともに「もう人間なんかやりたくない」「愛されたかった人生でした」「みんなありがとう、大好きだよ」などと投稿、自殺当日にも「愛してる、楽しく長生きしてね。ごめんね」とメッセージを残していた。

木村さんの死後、投稿者らは次々とツイートや匿名アカウントを削除したが、彼女の母親による告訴を受けた警視庁は、木村さんのスマホのネット閲覧履歴などを復元し、約６００アカウントによる約１千２００件の投稿を精査したうえで、２０２１年3月、木村さんのツイッターアカウントに対して「顔

面偏差値低いし、性格悪いし、生きてる価値あるのかね」「ねえねえ。いつ死ぬの？」などと書き込んでいた大阪府の男を特定し書類送検。また同年5月には、木村さんが亡くなった後、「あんたの死でみんな幸せになったよ、ありがとう」「テラハ楽しみにしていたのにおまえの自殺のせいで中止。最後まで迷惑かけて何様？　地獄に落ちなよ」とツイッターに投稿した長野県在住の男性に対し母親が起こした損害賠償訴訟の判決で、東京地裁は母親に生じた精神的苦痛に対する慰謝料など129万2千円の支払いを命じた。

ＳＮＳは使いようによっては、時に人を死に追い込む凶器へと化ける。根も葉もない誹謗中傷や個人情報を書き込まれたり、プライバシーを侵害する画像や動画をアップされた被害者の心的苦痛、物理的損害は計り知れない。本書102ページ「リベンジポルノ」の項目でも記したように、悪質な情報が拡散していくことで削除が困難となり、半永久的にネット上に残り続けるからだ。

もし自分がＳＮＳで被害を受けたらどうすれば良いのか。大した内容でなければ放置しておいて構わない。逆に、ネット上で情報の誤りを指摘するのは絶対ＮＧ。火に油を注ぐのがオチだ。が、とても無視できないケースでは、それなりの対応が必要となる。以下、段階をおって講じるべき策を紹介しよう。

①削除依頼　サイトや掲示板管理者に、権利侵害を受けている事実を明示し、書き込まれた問題部分の削除を要求する。ツイッターは「ツイッターヘルプセンター」、ＬＩＮＥは「問題報告フォーム」から。フェイスブックや各種ブログは運営者へ通報。ただし、2ちゃんねるに削除要求すると削除板に掲載されるため、かえって耳目を集めて炎上し、問題を大きくする場合があるので要注意。また、いずれも独

書き込みの削除申請・賠償請求の基本手順

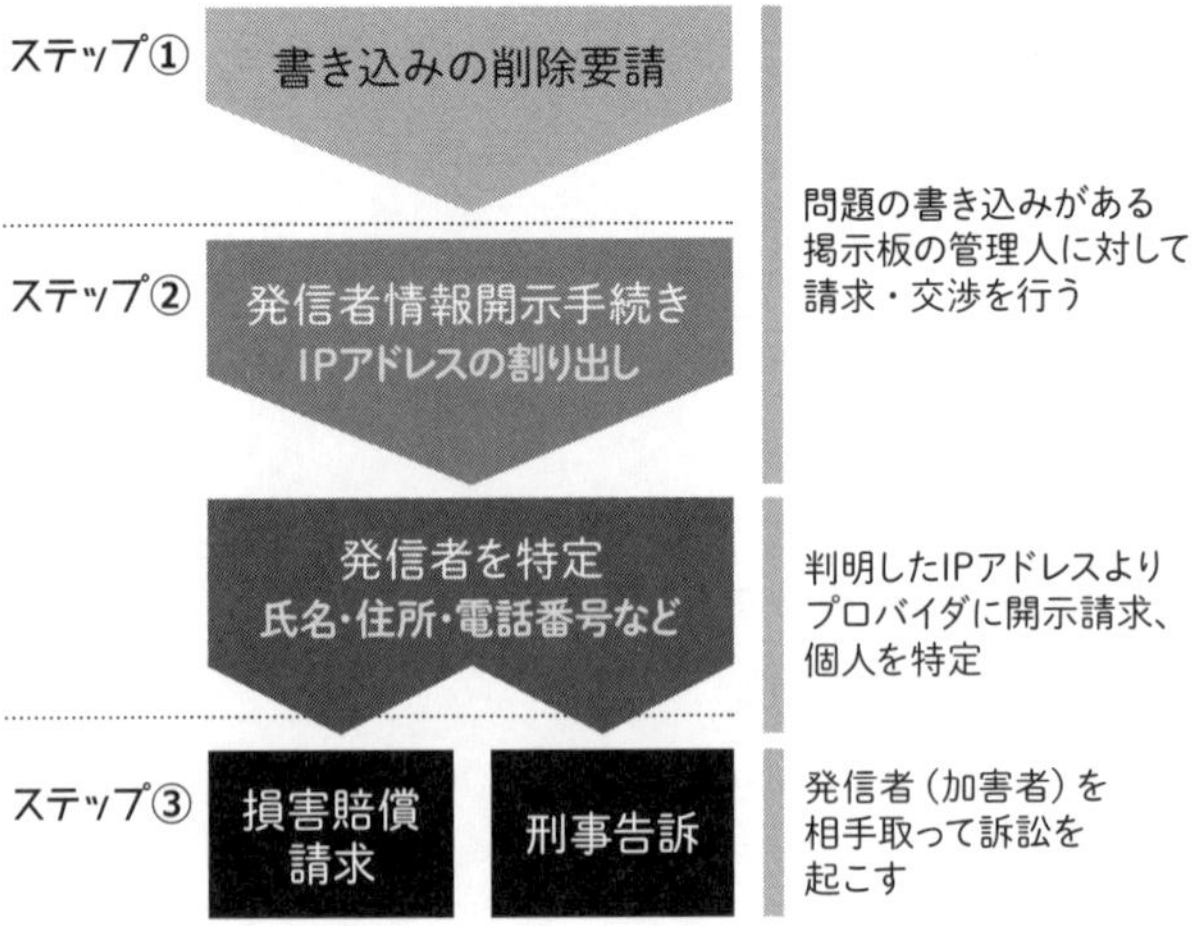

ステップ①
書き込みの削除要請
ステップ②
発信者情報開示手続き
IPアドレスの割り出し
発信者を特定
氏名・住所・電話番号など
ステップ③
損害賠償請求
刑事告訴
問題の書き込みがある掲示板の管理人に対して請求・交渉を行う
判明したIPアドレスよりプロバイダに開示請求、個人を特定
発信者（加害者）を相手取って訴訟を起こす

自の削除基準を設け、それに合致しているかどうかで判断されるため要求が通らないこともある。

②個人情報開示の要求　正式には「発信者情報開示請求」といい、プロバイダや掲示板管理者に問い合わせ、匿名で書き込んだ人間の本名、住所などを特定する手続き。以下③、④でも必要となるが、法律で通信の秘密が事業者に課せられているため、警察の強制捜査でもない限り、一般的には勝手に事業者が個人情報を開示することはない。

③刑事告訴・民事訴訟　刑事告訴は警察のサイバー犯罪担当部署に被害届けを出し、訴える旨を明確にすること。ただし客観的な証拠は必須で、何の資料も準備せずただ相談に行っても全く相手にされないことも多い。ちなみに、ＳＮＳでの被害で問える容疑は名誉毀損罪、侮辱罪、信用毀損罪、業務妨害罪、脅迫罪、強要罪など。刑事告訴とは別に、被害に対する損害賠償請求を行うのも効果的。

もっとも、①〜③の手続きは素人には到底不可能。ネットでの嫌がらせ対策に強い弁護士に解決を依頼するのが賢明だろう。

職場で上司から、許しがたいパワハラ被害を受けている

泣き寝入りは厳禁！「証拠」を揃えて徹底抗戦せよ

2019年8月、三菱電機の男性社員（20代）が自ら命を絶った。男性は同年4月に入社し、兵庫県尼崎市の生産技術センターに配属されたが、指導員から尋常ならざるパワハラ被害を受けていた。男性が残したメモには、「飛び降りるのにちょうどいい窓あるで。死んだ方がええんちゃう？」「次、同じ質問して答えられんかったら殺すからな」など指導員から受けた暴言が記されており、同年12月、この指導員は自殺を被害者にそそのかした「自殺教唆」の疑いで書類送検されている。企業のパワハラ事案が労働法違反ではなく刑法犯で送検されるのは、他に類を見ない特殊なケースだ。ちなみに、三菱電機では、直近8年間で5人の社員が自殺しており、いずれもパワハラの影響が疑われるという。

現在、日本のあらゆる職場で、悪質なパワハラが横行してる。被害に遭った者は心を病んだり、退職に追い込まれたり、最悪自殺の道を選択するほど問題は深刻だ。こうした状況を鑑みて、政府は2019年5月、改正労働施策総合推進法（通称：パワハラ防止法）を成立させた。これは企業（事業主）は職場におけるパワハラ防止の社内方針の明確化と周知・啓発、苦情などに対する相談体制の整備、被害

を受けた労働者へのケアや再発防止を講じることを義務づけたもので、適切な措置を講じていない場合、企業名を公表することになった（施行は大企業が２０２０年６月から、中小企業は２０２２年４月から）。が、これには刑事罰がないため、許しがたいパワハラ被害を受け、それが解決しない場合は「雇用主は、従業員にパワハラやセクハラなどの被害が発生した場合、その損害を賠償しなければならない」という民法の定めに則り、会社を相手に民事訴訟を起こすのが最も効果的だ。

職場でのパワハラとは、「地位・優位性を利用」して、「従来の業務の範囲を超えた指示や強要」や「相手の人格や尊厳を侵害する行為」が「断続的に行われている」ことを指し、具体的には、以下の６つが該当項目だ。

①身体的攻撃型パワハラ／殴る蹴る、胸ぐらを摑む、タバコの火を近づける、物にあたり威嚇する。

②精神的攻撃型パワハラ／「おまえは給料泥棒だ」と侮辱したり「仕事が終わるまで帰るな」と脅す、人前でバカにする。

③人間関係からの切り離し／仲間はずれや、無視、仕事を教えない、会社の連絡事項を教えない。
④過大な要求型パワハラ／とうてい無理なノルマを課せられたり、終わりきらない仕事を与える。
⑤過小な要求／ずっとコピーを取らせる、掃除・雑用だけで仕事を与えてくれない、プロジェクトに参加させてくれない。
⑥個人への侵害型パワハラ／執拗にプライベートのことを聞いてくる、仕事が終わった後も個別でメールやＬＩＮＥが届く。

　我慢の限界を超えたパワハラには徹底的に抵抗すべきだ。その際、最も重要になるのが「証拠品」である。備忘メモ、メール、録音データや映像、第三者の意見や証言、病院にかかった診断書など、パワハラを裏づける確たるブツを準備したうえで、加害者本人、人事、社長などに訴えよう。社内で解決しなければ、各都道府県労働局の「総合労働相談コーナー」や、解決に役立つ法制度や地方公共団体、弁護士会、司法書士会、消費者団体などの関係機関の相談窓口を紹介してくれる「法テラス」などの外部機関、あるいは暴行などがあった場合は警察に直接出向くべし。

　最悪、会社を辞めざるをえない状況になるかもしれないが、泣き寝入りだけは厳禁だ。

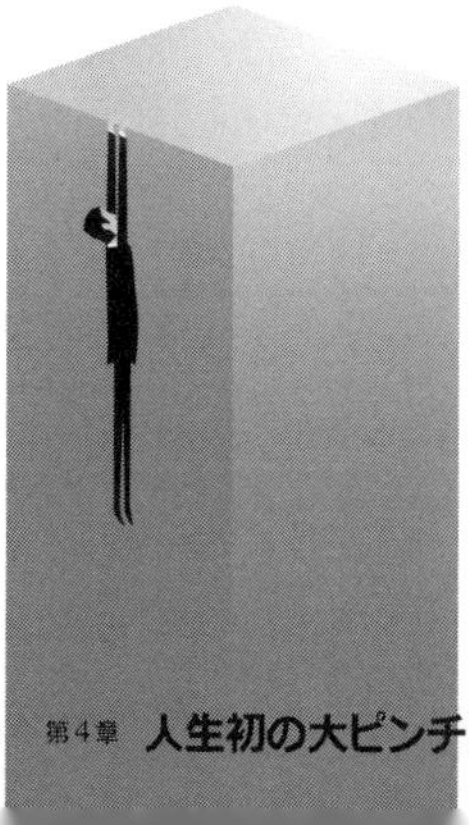

1ヶ月前に予告がなければ不当解雇。相応の賃金を要求せよ

アルバイト先の店長から突然「明日から来なくていいよ」と言われた

近所のドラッグストアでアルバイトを始めて1ヶ月半。いきなり、店長から「明日から来なくていい」とクビを告げられた。何でも、他の従業員との協調性に欠け、仕事にもミスが多いのが理由とのこと。言われてみれば、思い当たるフシも少なくない。が、せっかく就いた仕事。解雇されたら生活に支障をきたす。どうすりゃいいんだ。

結論から言えば、このケースは不当解雇に該当する。アルバイトと言えど、労働者としての扱いは正社員と同じ。労働基準法では、労働者を解雇するためには1ヶ月以上前に解雇予告をしなければならないとある。雇い先が予告をせずに解雇する場合は、30日以上分の賃金を労働者に払わなければならないことが義務づけられている。

よって、こうした勧告を受けた場合は、まず「受け入れられない」旨を告げた後、翌日も普段どおり出勤する。そこで「来なくていい。帰ってくれ」と告げられたら「それは命令ですか」と確認。命令なら、そのまま帰り、前記の1ヶ月分の〝解雇予告手当〟を請求しよう。相手が応じなければ、地域労働

組合（ユニオン）に相談し、対応策をアドバイスしてもらえばいい（不当解雇された場合は、雇用側に解雇の撤回を求めることも可能だが、現実的に復職は困難）。

ただし、こうした権利は、雇用側と最低3ヶ月の契約を結んでいる場合にのみ有するものだ。2ヶ月以下の契約なら予告なしで解雇を言い渡されても文句は言えない。また、労働者側に重大な過失がある場合も、不当解雇にはならない。例えば、横領やセクハラなどの犯罪行為はもちろん、無断欠勤や遅刻を注意されているのにもかかわらず繰り返した際は、解雇されて当然である。

ちなみに、契約期間が過ぎたら、労働者側に過失がなくとも解雇を受け入れなければならない。極端な話、口の利き方が気にくわない、不潔な感じがするといった納得し難い理由でも、こちらの言い分は通らない。雇われる側の立場は弱い。だからこそ、不当解雇の際は、退職前提で堂々ともらうべきモノをもらい、次の職を探そう。

解雇の予告と解雇予告手当

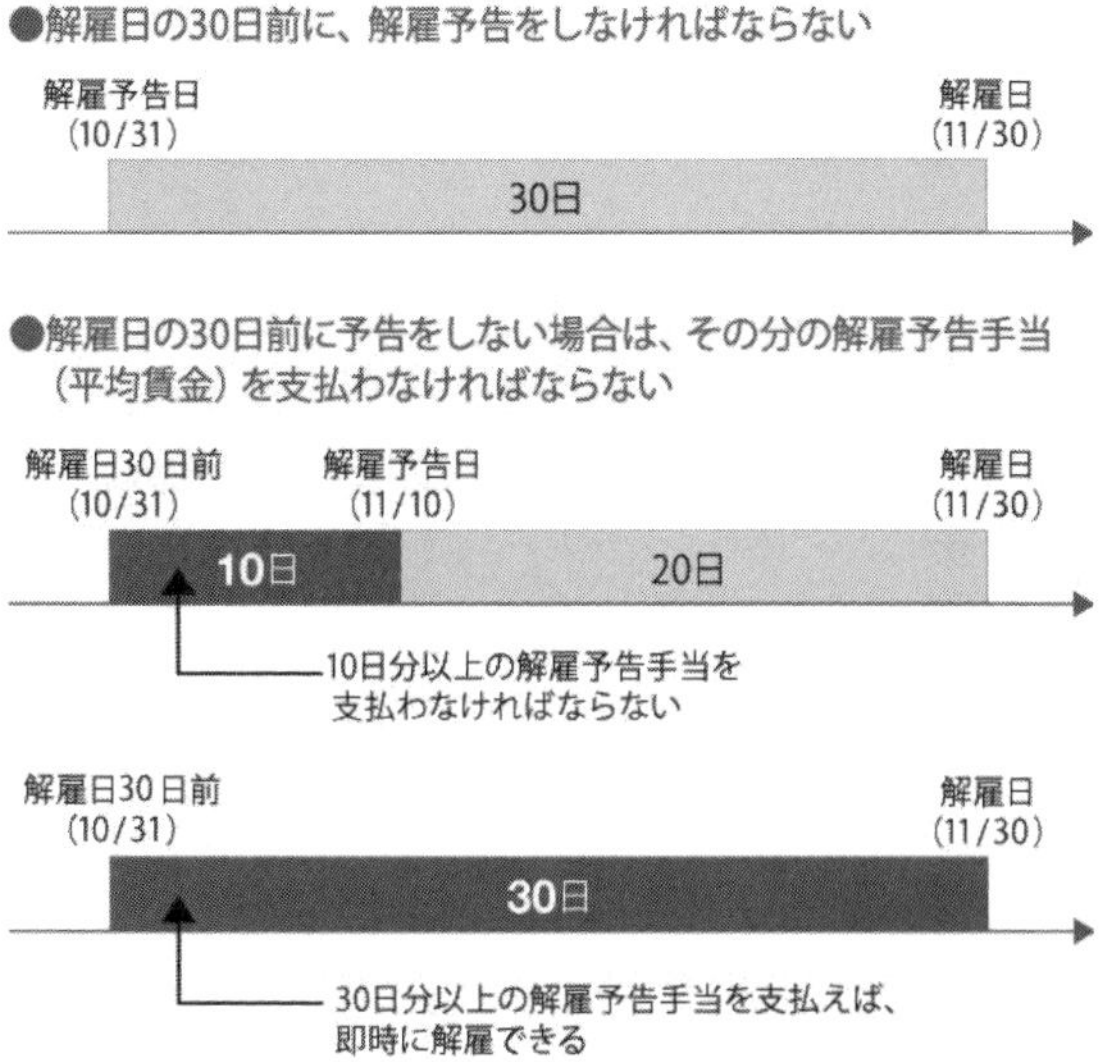

●解雇日の30日前に、解雇予告をしなければならない
解雇予告日（10/31）
解雇日（11/30）
30日
●解雇日の30日前に予告をしない場合は、その分の解雇予告手当（平均賃金）を支払わなければならない
解雇日30日前（10/31）
解雇予告日（11/10）
解雇日（11/30）
10日
20日
10日分以上の解雇予告手当を支払わなければならない
解雇日30日前（10/31）
解雇日（11/30）
30日
30日分以上の解雇予告手当を支払えば、即時に解雇できる

労政時報の人事ポータル「jin-Jour」より　http://www.rosei.jp/jinjour/

電車内で痴漢に間違えられた

その場を移動せず、堂々と無罪を主張せよ

「痴漢えん罪」が問題になって久しい。一昔前は、勇気を持って訴えた女性がウソをつくはずがないという先入観から、どれだけ身の潔白を主張しても問答無用で逮捕されたが、その後の裁判で無罪を勝ち取ったケースも多く報道されるようになった。が、いったん逮捕されたら無罪を証明するためには、大変な時間と労力が必要になる。精神的苦痛、弁護士費用、場合によっては職も家族も失い、たとえ無罪判決が出ても周囲から向けられる目は確実に変わる。身に覚えがなければ、以下を参考に徹底抗戦しよう。

①痴漢していないことを明確に告げる

当たり前だが、自分の意思を明らかにすることが最重要。弱気な態度や曖昧な対応ではなく、「私はこの女性を触っていません」と周囲にもわかるよう大声で告げるべし。

②相手の言い分を聞き、録音する

自分の意思を告げた後は、女性に説明を求めよう。例えば、先に自分が「4号車のドアの横に立っていた」と説明すれば、相手も「私も4号車のドアの横辺りに立っていた」などと話を合わせられるのがオチ。そこで、まずは相手に、電車のどこに立っていて、いつから（どこの駅の辺りから）、どちら側の手で、どこを触られたかなど、具体的かつ詳細な被害状況を説明させ、後でその間違いを指摘する。この際、やり取りを録音（できれば録画）しておくのは必須。後で「言った」「言わない」の水掛け論にならないよう、自分で証拠を収集しておくことだ。

③駅員室に行ってはいけない

相手とホームで揉めていたら、駅員が「この場ではじゃまになるから」などと言葉巧みに駅員室へと連行しようとするだろう。が、連れて行かれたら鉄道警察の厳しい取り調べが待っている。たとえ、弁護士を呼んでも同席することも許されない。よって「自分は逃げも隠れもしないから、この場で話をしよう」と主張、その場で話し合いを続けよう。

④「DNA鑑定」を要求する

弁護士の北村晴男氏がテレビ番組で提案していた方法。痴漢の有罪・無罪は、最終的にDNA鑑定が決め手になる場合が多く、鑑定では肌が触れた衣服の表面から細胞片を検出、この細胞片を解析することで触った人がわかり「触れたのか」「触ったのか」「揉んだのか」が判明する。そこで、電車などで痴漢えん罪に遭った場合は、その場で両手をあげて「私は今から何も触らない。DNA検査をやってくれ」と叫ぶ。あなたが、何もしていなければ最新の科学技術が無罪を証明してくれるだろう。

酔って殴りかかってきた相手にケガを負わせてしまった

「向こうが先に手を出してきたから」は通用しない

飲み屋でたまたま隣り合わせた客と、何かの拍子で口論になるケースは少なくない。お互い酒が入っているので大声で罵り合い、場合によっては相手に平手打ちをくわされたことに激昂、思わず殴る蹴るの暴行を働いてしまうこともありうるだろう。

こうしたケースでは、相手がケガを負わなければ「暴行罪」で、ケガを負えば「傷害罪」に問われるのが一般的だ。この場合のケガは、血が出るとか患部が腫れて元の状態に戻るのに数日間を要するようなケースを指し、極端なことを言えば、同じアザでも放っておいて自然回復すれば暴行罪で、医者から診断書が発行されたら傷害罪になる。

「喧嘩両成敗」という言葉があるとおり、自分も殴られたのだから、一方的に罪に問われるのは納得できないかもしれない。が、自分が無傷なのに、

相手がケガを負っていれば、立場は不利。飲み屋での喧嘩となれば店側が110番通報し、そのまま警察署に連行されてしまう。

事情聴取に素直に応じ、逃亡や証拠隠滅の恐れがないと判断されればその日のうちに釈放されることも多い。が、酔った勢いで警官に逆らったり暴言を吐いたりすれば公務執行妨害などの理由で逮捕され、少なくとも2〜3日は留置される可能性が高い。

相手にケガを負わせたら「傷害罪」。
逮捕後、被害者と示談を済ませておくのがベター

この手の事件では、裁判所へ送致される前に被害者との示談が必要不可欠だ。成立すれば不起訴となる可能性が高く、暴行罪の場合は10〜30万円、傷害罪は20〜50万円が相場だ。初犯だから起訴猶予になる、相手が殴りかかってきたのだから「正当防衛」だと裁判に持ち込むのは賢明ではない。ケガを負わせてる以上、逆に民事裁判を起こされたら慰謝料を支払わざるを得ず、裁判費用など余計な出費がかかるだけだ。

ちなみに、正当防衛が認められるのは、生命や身体を守るためにやむを得ず応戦したとき。自分の攻撃が相手の攻撃と同程度であることも重要で、攻撃し過ぎれば過剰防衛に問われてしまう可能性もあることをお忘れなく。

いかに撒くか、いかに相手に気づかせるか

夜に帰宅途中、誰かが後を付けてくる

夜道や深夜の帰宅時など、誰かが後を付けてきていると不安になったこと経験はないだろうか。まさか自分が、と思っていても、不審者やストーカーが目の前に現れてからでは遅い。万が一のために対処法を確認しておこう。

①一駅ごとに車両を移動

電車に乗っているとき不審者に気づいたら、一駅ごと一度ドアから下りて、別の車両へ移動しよう。それでも付けられて自宅の最寄り駅に着いてしまったら、一番端の車両のドアから降車。電車が走り去るまでその場に留まり、下りた人が全員、歩き出すのを見届け、おかしな人がいないことを確認してから改札へ向かう。

②8の字を描くように歩け

夜道で後ろから付けられたら、まっすぐ先を急ぎたいところだが、それは尾行する側にとって好都合でしかない。少し勇気が必要だが、8の字を描くように歩こう。こちらがおかしな動きをすれば、相手が気づかれたと感じ、あきらめる可能性が高くなるからだ。

③住宅街は左に3回曲がる

区画整理された住宅街では、左に曲がり、もう一度左折し、さらに左に曲がってみる。3回左折すれば進行方向は最初の場所と同じになるため、尾行者があきらめる可能性大。

④車が入りにくい場所へ逃げ込む

相手が車で付けてくる場合は、車が入りにくい場所に逃げ込むのが手だ。遠回りになっても人通りが多くて車が進みにくい商店街や、一方通行の道へ逃げ込もう。

⑤防犯カメラに誘導

付けられてるとわかったらコンビニに立ち寄るのも一つの手だ。コンビニには防犯カメラが設置されているので、尾行者がカメラに映るように店内を移動。相手がそれに気づけば、逃げる可能性も高い。もし外で待ち構えているようなら店から110番通報しよう。

出入口や通路、レジ上などに多くの防犯カメラを設置しているコンビニに相手を誘導するのも手だ

最悪の状況を乗り切る100の解決策

空き巣被害に遭った。どう対応すれば？

犯人はまだ部屋にいるかもしれない

警察庁の統計によると、２０１９年の住宅への侵入窃盗は２万８千９３６件。２００４年以降、減少傾向にあるが、それでも１日あたり約79件も発生していることになる（一般住宅を狙う侵入窃盗には「空き巣」の他、家人が就寝しているときに侵入し金品を窃取する「忍込み」、在宅中に昼寝や食事をしているときに侵入する「居空き」も含まれる）。

侵入窃盗の被害に遭った住居形態の割合は、一戸建住宅が43・９％、３階建以下の共同住宅が10・７％、４階建以上の共同住宅が４・１％で、侵入手段の１位は戸締まりなし、２位はガラス破りだ。新型コロナウィルスが蔓延した２０２０年以降の詳細なデータはわかっていないが、在宅が多くなったぶん被害は減る可能性が高いだろう。

もし自分が空き巣被害の当事者になってしまったら、まずは落ち着いて警察に通報しよう。すぐに盗まれたものなどを確認したくなるが、警察官が到着するまでは現状維持。もしかすると泥棒が室内に潜

んでいる可能性もあるので、ガラスが割れていたり、ドアが解錠されているなど、明らかに不自然な状況のときには、家の外で警察官の到着を待つのが一番だ。

万が一、空き巣に出くわしてしまった場合は、瞬時の判断が必要だ。相手がプロ（常習犯）なら、捕まりたくない一心で、盗品を置いて一目散に逃げ出すのでそのまま放置しておけばいい。決して追いかけたりしてはいけない。対し、攻撃してくるのは素人。住人と鉢合わせしたことでパニックに陥り何をしでかすかわからない。こんな場合は大声を出して周囲に危険を知らせ、「自分は攻撃しないから早く出ていってくれ」などと逃げることを促すのがベター。よほど腕に覚えがない限り刃向かうべきではない。

マンションの空き巣被害は1階、2階に次いで、セキュリティに無防備な最上階の部屋が多いという
（写真と本文は直接関係ありません）

ちなみに、空き巣に狙われやすいのは、洗濯物が遅い時間まで干してあったり、部屋の明かりがついていないなど、明らかに留守とわかる住居だが、逆にプライバシーが充実しているケースも被害に遭うことが多い。例えば、自宅前の道路がほとんど見えないくらいの高い塀で囲まれていたり、背の高い植木が密集した生垣のある一戸建て住宅は、ひとたび敷地内に侵入してしまえば、周囲から見られる心配がないので、空き巣にとっても実に好都合。集合住宅でも、ベランダに背の高い植木を並べたり、目隠しシートを張っている場合は、犯行を働きやすい部屋と見られがちである。

暴力団、ヤンキーの車にぶつけてしまった

その場での示談交渉は厳禁。解決は弁護士に一任せよ

運転中、ついうっかりで前を走る車にぶつけてしまった。と、中からいかつい男が数人降りてきた。見るからにカタギではない。車を確認したらセルシオで、もはやその筋の方であることは明らか。途端に鼓動が高鳴り、冷や汗が流れ、ガクブル状態。俺、どうなっちまうんだ？

追突事故は、追突した側の１００％の過失となる。過失相殺がない以上、発生した損害は全て加害者側が賠償しなければならない。通常なら警察に連絡したうえで、保険会社に処理を依頼するところだ。が、相手がたちの悪いチンピラやヤンキーの場合、ビビりまくるあなたを恫喝し、少しでも多くの金をせしめようとしてくるかもしれない。

追突した相手が素人ではないとわかったら、まずは丁寧に謝罪し、速攻で警察を呼ぶことだ。恐怖のあまり、相手の言いなりになってしまいそうなところをぐっと我慢し、まずは１１０番通報。彼らは警察が介入することを極端に嫌うことを知っておこう。

とはいえ、警察は「民事不介入」だから、示談交渉には関知しない。あくまで、彼らの恫喝を少しで

いくら恫喝されても、追突した自分に非があることは認識しておくべし

も抑制させるための存在でしかない。

ヤクザが具体的な金額を提示してきて、想像以上に少なかったとする。が、その程度ならと支払いに応じてはいけない。いったん示談交渉に乗ってしまうと、後日言いがかりを付けられ、さらに多くの金額を要求される可能性もある。金銭の授受はもちろん、一筆書いたり、口頭での合意は厳禁。職業を聞かれても答える必要なし。相手はあなたの情報を入手し、どの程度巻き上げられるか査定しているのだ。

取るべき対応は一つ。その場での示談には一切乗らず、「申し訳ありません。誠意を持って対応させていただきます。あとは弁護士に依頼し、代理人を通じて連絡させていただきます」と冷静に言えばいい。どんなに脅されても「法律に則り処理させていただきます」と毅然とした態度を取るべし。弁護士には、この手のトラブルに強いプロも少なくない。費用はかかっても、法律の専門家に解決を委ねるのが得策だ。

知らなかったことを立証できれば無罪だが、海外では死刑になる場合も

覚せい剤と知らず「運び屋」になってしまった

２０２０年3月、財務省が公表した資料によると、２０１９年の1年間で全国の税関や空港、湾岸などにおいて押収された覚醒剤は2・57トン。前年比の2・2倍で過去最高を記録した。これは薬物乱用者の通常使用量で8千５６６万回分、末端価格にして1千５４2億円に相当するそうだ。

こうした中には旅先で知り合った人に「家族へのプレゼントだから持って帰ってくれない？」と頼まれたり、〝割のいいアルバイト〟に応募した結果、違法薬物と知

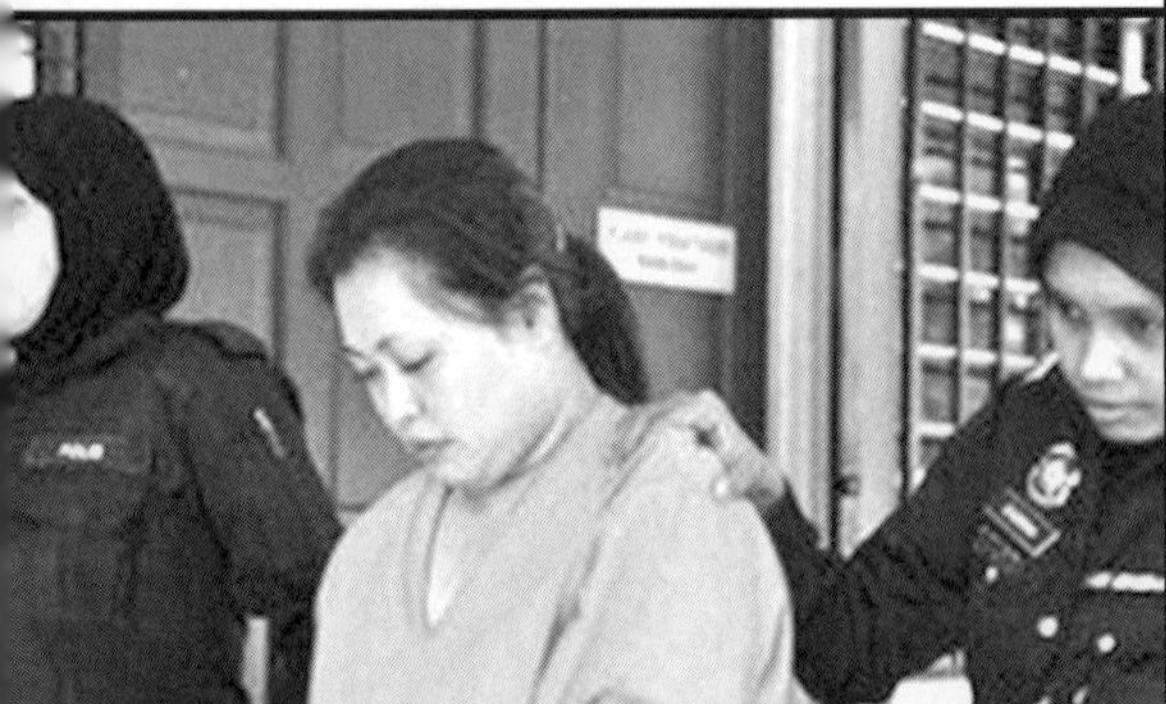

2009年、“頼まれた荷物”をマレーシアに運び、死刑が確定した元看護師の日本人女性

らず国内に持ち込んだケースも含まれている。もし、知らないうちに「運び屋」にされ、日本の税関で捕まってしまったらどうなるのか。

海外から覚せい剤を持ち込んだ場合、最高刑で無期懲役になる可能性もある重罪に問われる。運んだ量にもよるが、たとえ数キログラム程度でも10年以上の刑期を覚悟しなければならない。

しかし法律では、荷物の中身を知らずに運んだ場合は無罪と定められている。問題は、その事実認定の難しさだ。重要なのは客観的証拠である。誰に頼まれたのか、報酬の約束があったのかどうか、パスポートは自分のものか、さらに過去の渡航歴や観光目的にふさわしいガイド本や持ち物があるかなど、検察は様々な観点からチェックしてくる。正直、覚せい剤と知らなくても、違法かもしれないと思っていたら、以前はほとんど有罪とされた。が、裁判員裁判が導入されてから無罪判決が増え、不起訴事例も増加しているらしい。

これが日本ではなく、海外だと事情は全く異なる。２００９年、マレーシアの空港で捕まった女性は「頼まれた荷物を運んだだけ」と主張したものの認められず、最高裁で死刑判決が確定した。また、中国もドラッグに厳しく、薬物関連で拘束されている日本人は40人ほどいると言われ、これまでわかっているだけで8人の日本人が死刑を執行されている。

違法薬物を、それと知らぬまま運ばされることなど滅多にない。が、海外へ渡航の際は、念のため各国の実情を調べておいた方がいい。国によっては、担当の取調官に賄賂を渡せば見逃してくれるケースもある。

最悪の状況を乗り切る100の解決策

エイズ検査で陽性反応が出た

定期的に通院し薬を服用していれば、これまでどおりの生活でOK

たまたま保健所で受けたエイズ検査で「陽性」と判定されたら、あなたはどうするだろう。自分はいずれ死亡すると、絶望の淵に追い込まれるだろうか。

誤解が多いのは、エイズ検査での陽性とは、あくまでＨＩＶ（ヒト免疫不全ウイルス）に感染したことであり、エイズ（後天性免疫不全症候群）を発症したという意味ではない。陽性反応が出て、実際に発症する確率は１万人に１人か２人。大半の人は、今までと同じように生活できる。が、これには専門医に定期的に通い適正な治療を受けることが絶対条件。医者にかからなければ、発症の危険は一気に高まる。

具体的には、抗ＨＩＶ薬を服用することでエイズの罹患《りかん》を防ぎ、あとは健康的な日常を送るのみだ。仕事や学校も辞める必要なし。食事はバランスの良い摂取を心がけ、免疫能が低下しているときは下痢や食中毒を起こしやすい生もの（特に肉・魚介類・卵など）は避ける。セックスもコンドームを着用していれば問題ないが、できればパートナーには打ち明け理解を求めておくのがベター。仮にＨＩＶ感染者が女性で出産を望んだ場合でも、薬でウイルス量をコントロールする、時期を選んで帝王切開する、赤ちゃんに母乳を与えないなど、いくつかの感染予防策をとることで、我が子への感染は約0・4％まで下げられる。

エイズ検査で陽性になっても恐れることなかれ。ただ、感染の可能性がある場合は1日でも早い検査が必須だ。感染を長期間放置していた結果、検査の段階ですでに発症していることも十分ありうる。

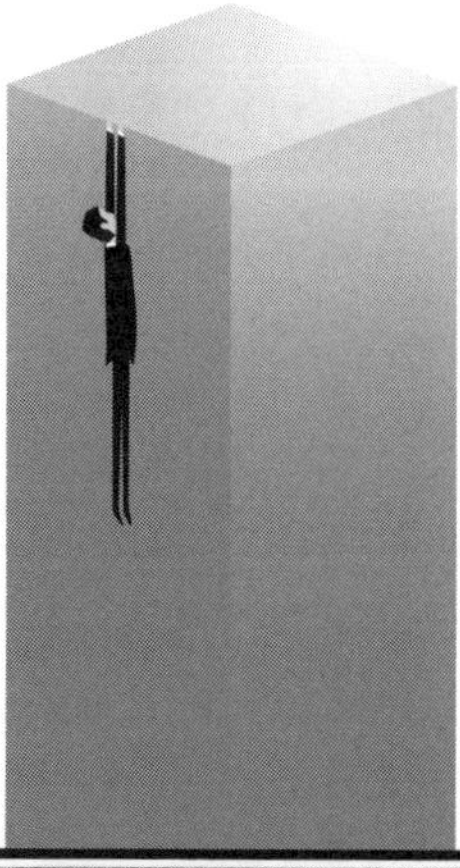

エイズ予防財団作成の啓発ポスターより

我が子がいじめに遭っている

「証拠」があれば、周囲の対応は一変する

写真はイメージ。本文とは直接関係ありません

２０２０年10月、文部科学省が発表した調査結果によると、２０１９年度に全国の小中高校などでいじめを認知した学校は、全体の82・６％で過去最多となった。早期発見や報告を学校に求める「いじめ防止対策推進法」が施行された２０１３年度と比べて30・８ポイント増。いじめの認知件数は過去最多の61万２千４９６件で、特に小学校が５年前と比べて約４倍に増えた。いじめにより心身に重大な被害を負ったり、長期の欠席を余儀なくされたりした「重大事態」も、これまでで最も多い７２３件に上ったそうだ。

我が子がいじめに苦しみ自殺する。親にとってこれほどの悲劇はない。最悪の結末を迎える前に取るべき正しい行

動は何だろうか。

この問題は、周囲がなかなか気づきにくい点が難しい。本人はいじめを受けていることを恥ずかしいと感じたり、ショックから、その事実を口にできないケースが多々ある。そのために、親は普段から注意深く我が子の様子をチェックしておかねばならない。口数が少ない、服装が乱れているなど、些細なことで子供がサインを出しているかもしれない。そのうえで、危険を察知したら「いつ、どこで、誰が、何を、どのように」をできるだけ詳しく子供から聞き出し、記録しておくべし。

我が子が事情を話してくれたら、まずは担任に相談し、問題解決に動いてもらう。が、ここで注意すべきは、担任の教師がいじめている生徒に注意・警告することで、よりいじめがエスカレートする可能性がある点だ。２０２１年２月、北海道旭川市の女子中学生（当時14歳）が学校内のいじめが原因で家出し、雪の積もった公園で凍死した状態で発見された事件では、いじめが発覚した２０１９年４月から６月にかけ合計４回にわたり生徒の母親が担任の先生へ調査を依頼したが「本当に仲のいい友だちです」などと返答し、被害者が担任にいじめの相談をした際、加害者には言わないようお願いしたにもかかわらず、その日のうちに加害者に知れ渡ったという。

だからといって、担任教師に相談しない手はない。担任が頼りなければ、教頭や校長。それでも迅速な対応がなされなければ、教育委員会に直接かけあおう。それでも、学校側はイジメを確認できないかもしれない。これは調査の怠慢というケースもあるが、いじめる側もいじめられる側もなるべくその事実を隠すため、発覚しづらいのだ。

要は証拠である。例えば、学校の行き帰りに子供を尾行し行動をチェック、写真に収める。バレたときのリスクは高いが、子供にスマートフォンで録音させるのも手だろう。いじめの音声が録音されたら動かぬ証拠になるし、それを学校側や教育委員会に提出したら、彼らの態度は豹変するに違いないし、警察や弁護士に直接相談に出向いてもいいだろう。

最近は、こうしたイジメの証拠集めを得意とする興信所、探偵事務所も少なくない。もちろん相応の費用はかかるが、身内が動くより、調査、尾行、録音・録画に秀でたプロに依頼した方がより成果が期待できる。我が子が命を絶って後悔しても取り返しはつかない。やれるべきことは全てやっておくのが親の務めだ。

興信所に依頼するのも有効

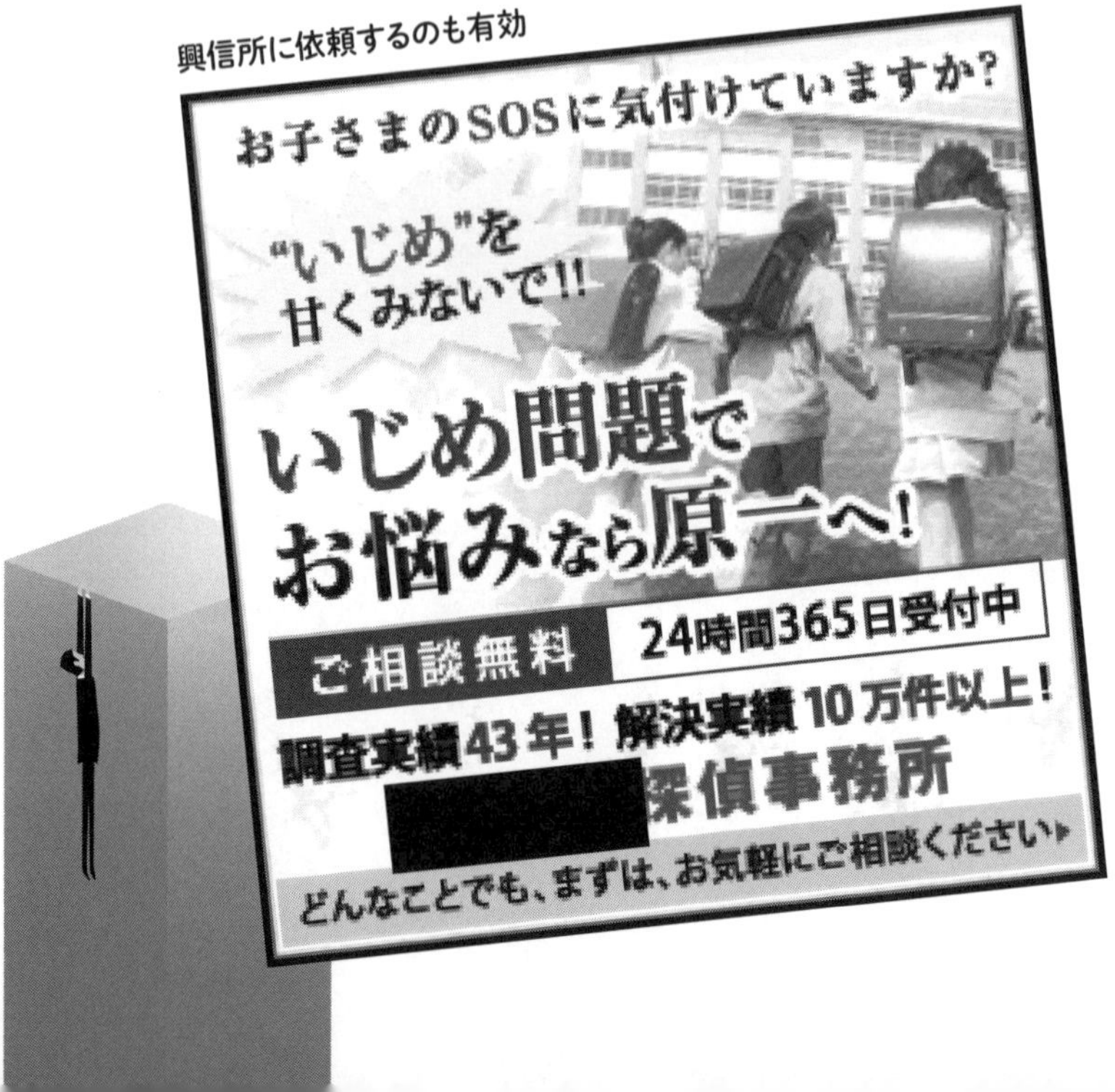

万が一逮捕された際に覚えておくべき2つの重要事項

警察は被疑者の当然の権利を教えてくれない

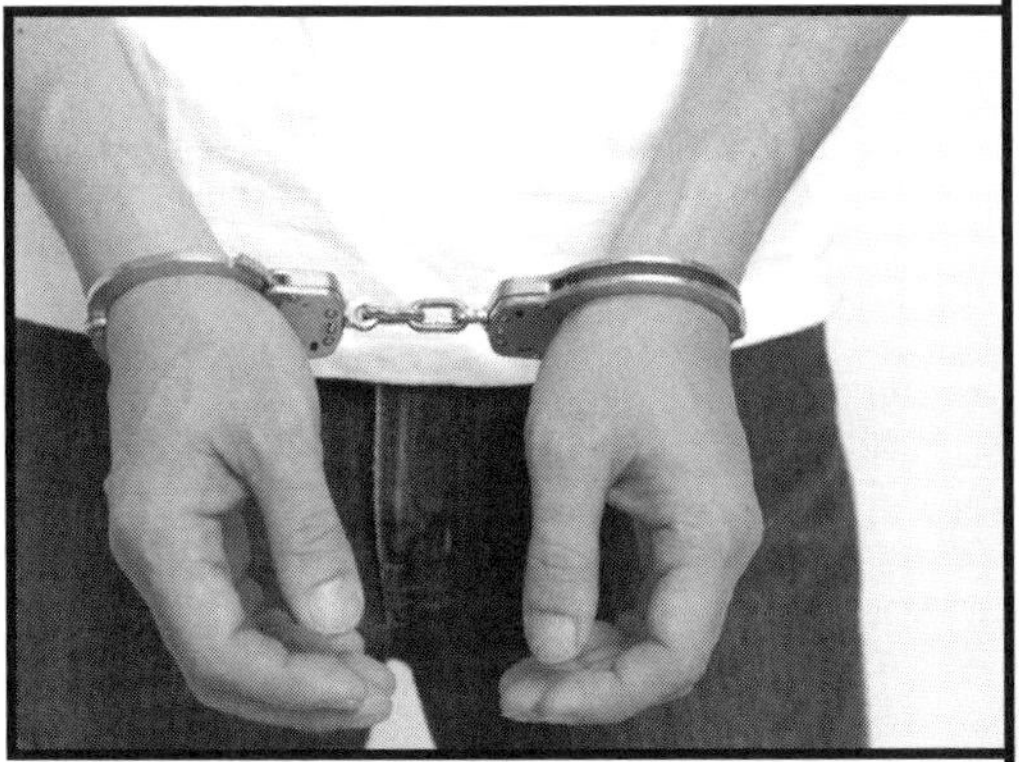

警察に逮捕・拘留される――。真っ当に生きていればそんな体験をすることはまずないが、あなたがもし違法行為を働きパクられたら、取り調べに応じ、相応の処罰を受けるのが道理だろう。

万が一に備え必ず知っておかねばならないことが2つある。1つは「黙秘権」だ。刑事訴訟法に「あらかじめ、自己の意思に反して供述をする必要が無い旨を告げなければならない」と定められているように、警察官は黙秘権を被疑者に告知する義務がある。つまり、話したくないことは話さなくても良いというわけだ。

が、これが現実に守られているかといえば、さにあらず。警察に黙秘権告知の義務はあっても、それを怠っても処罰の対象とならないからだ。ただし、全く説明しないというわけではなく、「おまえも、わかっているよな」などといった曖昧な言葉で誤魔化される。予期せぬ逮捕で被疑者がパニックに陥っている場合は、意味を理解できないだろう。警察官は、それをわかったうえで取り調べがスムーズに進むよう、策を講じているのだ。

恐いのは、警察官が使う供述調書の書式に、あらかじめ次のような文言が記されている点だ。

「上記の者に対する○○被疑事件につき、平成○年○月○日、警視庁○○警察署において、本職は、あらかじめ被疑者に対し、自己の意思に反して供述をする必要がない旨を告げて取り調べたところ、任意次のとおり供述した」

事情をわからないまま供述し、裁判の段階で黙秘権の告知はなかったと主張しても後の祭り。調書に署名があれば、任意、つまり自分の意思で供述したものとして、裁判官は証拠に採用してしまう。実際に黙秘するかどうかはともかく、取り調べの前に、権利の確認は絶対欠かせない。

もう一つの重要事項は、弁護士の助けだ。弁護士であれば、友人や家族が面会できないような場合でも警察官の立会なく面会することが可能で、逮捕された人の疑問に答え、今後の手続の流れや保障されている権利について説明してくれる。警察も被疑者に対して「弁護士を呼ぶ権利がある」と口頭で伝えてはくれるし、自分や家族に弁護士の知り合いがいればぜひ依頼すべきだ。

弁護士にツテはない、費用を払う余裕がない場合は「当番弁護士制度」を利用しよう。これは、逮捕された場所の弁護士会に所属する弁護士が1回無料で逮捕された人に面会に来てくれるというものだ。が、警察から本制度の存在について説明はなく、これを活用できずに送検に至る被疑者が多数存在する

逮捕・拘留された際、被疑者と自由に接見できるのは弁護士のみ

のが実情。よって、ツテも金銭的余裕がない際は、担当の捜査官に「当番弁護士を呼んでくれ」と主張しよう。ちなみに2回目以降も、日弁連の法律援助事業の中の「刑事被疑者弁護援助」という制度を使うと、日弁連が費用を負担し弁護士を派遣、接見とアドバイス、警察官・検察官との折衝、被害者との示談交渉などを請け負ってくれる（ただし、依頼者が国選弁護人を選任している場合は対象外）。

有償で弁護士を雇う方が親身になってくれる可能性は高いだろうが、いずれにしろ弁護士なしで警察の取り調べに応じるなど言語道断。堂々と権利を訴えよう。

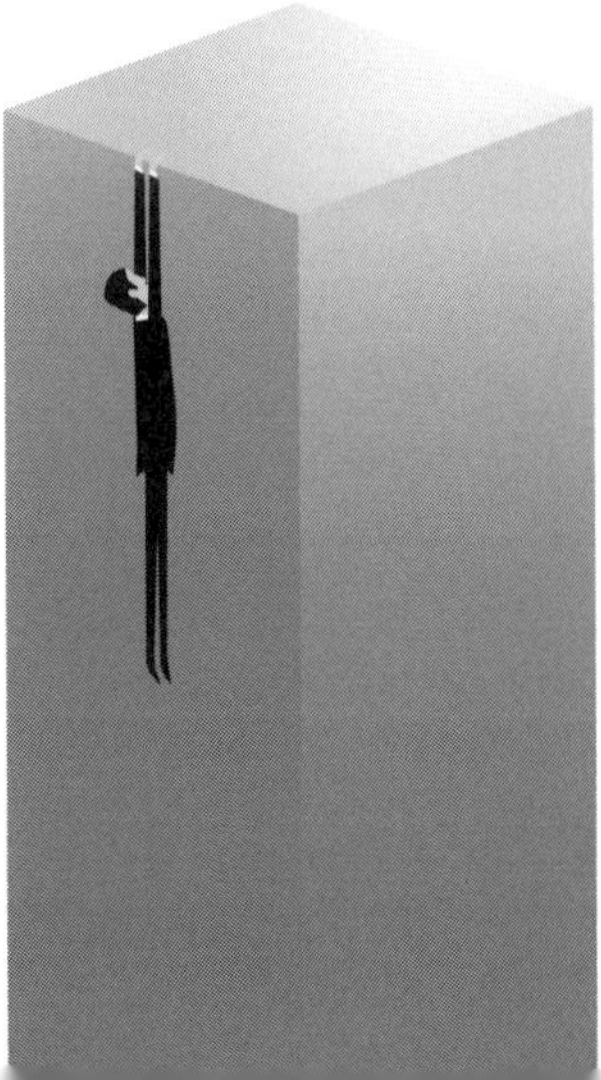

第5章

その応急処置が命を救う

最悪の状況を乗り切る100の解決策

餅を喉に詰まらせた

取り出すためにできる3つの方法

正月などに餅を喉に詰まらせる事故が毎年１００件ほど発生、このうち10人に１人が死亡している。目の前の高齢者などが苦しんでいるのに気づいたら、１１９番へ通報するのが先決。同時に、当人に意識があれば、救急車の到着前に次の方法で取り出しを試みよう。

①口の中に指を入れる

口の中に指を入れ、詰まった餅を直接取り出す。慌てると逆に餅を喉の奥に押し込んでしまうことがあるので、無理をせず、傷病者が咳ができるようなら咳をさせる。ちなみに、掃除機で吸い出す方法は喉を痛める危険大。

②腹部を突き上げる

↓傷病者を後ろから抱えるように腕を回す。

↓片手で握りこぶしを作り、その親指側を傷病者のへそより上、みぞおちの下方に当てる。

↓その手をもう一方の手で包むように握り、手前上方に向かい圧迫するように突き上げる。

③背部を叩打

↓背中を叩きやすいように傷病者の横に回る。

↓手の付け根で肩胛骨の間を力強く、何度も連続して叩く。

妊婦や乳児に対しては、②の腹部突き上げ法は行わず、③のみを実施すること。横になっている傷病者が自力で起き上がれない際は③を行う。また、②を行った場合は、腹部の内臓を痛める可能性があるので、実施したことを救急隊に伝えることをお忘れなく。救急車を呼ぶ前に異物が取れた場合も、念のために医師の診断を受けよう。

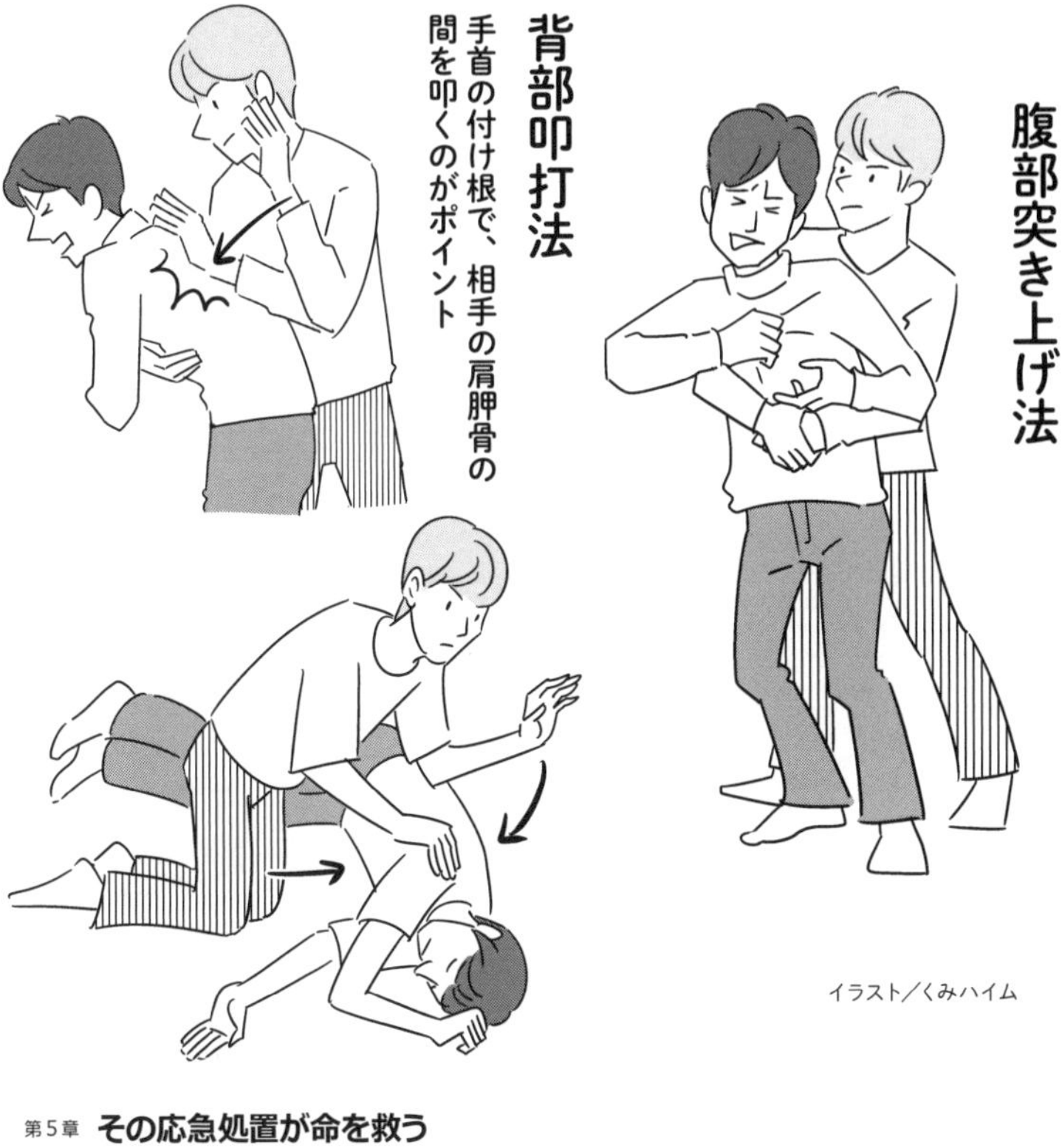

腹部突き上げ法
背部叩打法
手首の付け根で、相手の肩胛骨の間を叩くのがポイント

イラスト／くみハイム

最悪の状況を乗り切る100の解決策

どうしても、しゃっくりが止まらない

限界まで息を止め、限界まで吐き出せ

誰でも、しゃっくりが止まらず困った経験があるだろう。そもそも、しゃっくりは横隔膜のけいれんで、自分ではコントロールできない反射動作のこと。早食いや大喰い、タバコの吸い過ぎによる急性胃拡張が原因で起こることは知られているが、他に精神的ストレスや薬の副作用で起こることもある。

たいていは、時間が経てば自然と止まるが、一般に知られる方法は、息を止める、びっくりさせる、コップ一杯の水を手前からではなく向こう側から飲む、両耳の穴に指を突っ込んで耳の穴を塞ぐように30秒間強めに押す、などだ。

また、医者が勧める方法としては、

①10秒かけて限界まで息を吸う。深く、横隔膜を下げるイメージで吸うのがコツだ。

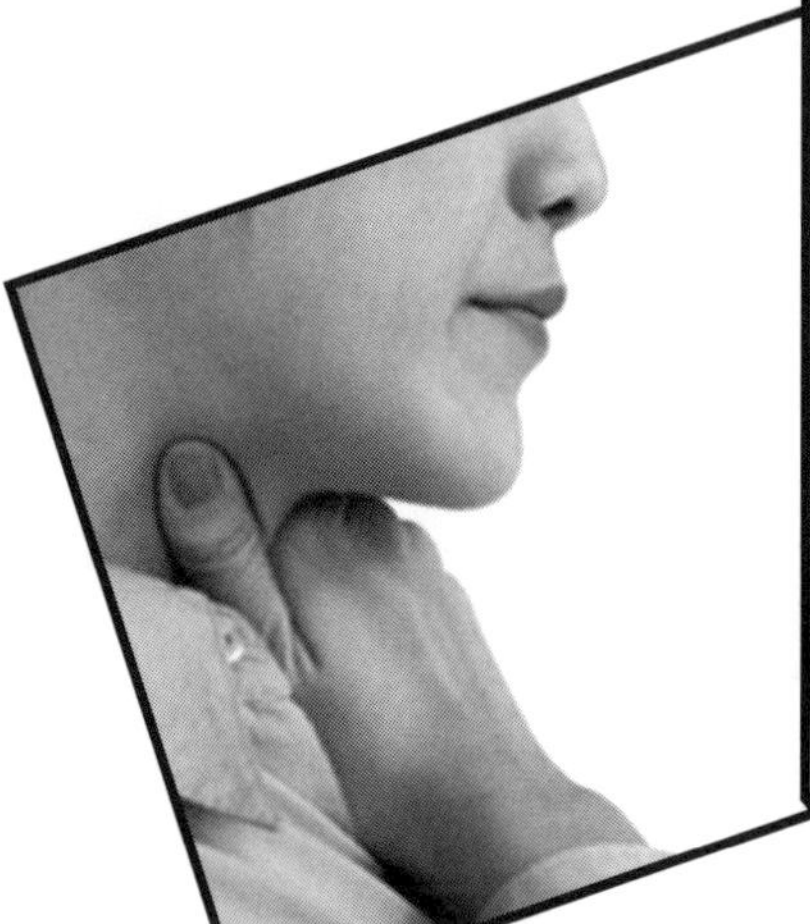

「内関」と呼ばれるツボを押すのも効果あり

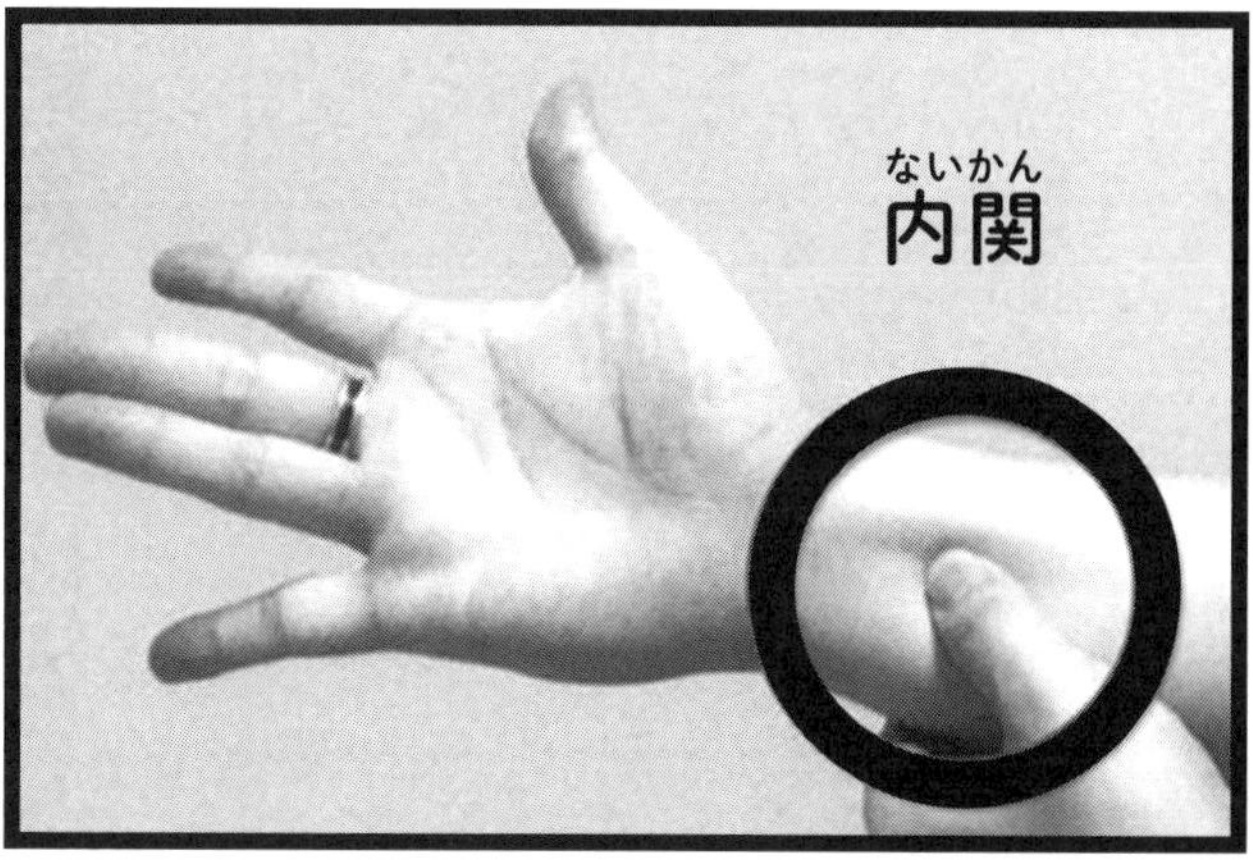

②10〜15秒間息を止める。
③10〜15秒かけて、ゆっくり限界まで息を吐く。例え苦しくなっても、急には息を吐き出さない。
④5秒かけて吸う。
⑤普通に呼吸をする。

限界まで息を吸って横隔膜が最大限まで下がると、しゃっくりが起きそうになっても肺に空気が詰まっているので横隔膜は動かない。空気をめいっぱい吹き込んだ風船を手のひらで押してもヘコまないのと同じ原理で、最後にゆっくり息を吐くのは、急激に吐き出せば肺が急にしぼんで横隔膜も急に動き、せっかく止まったしゃっくりが、また起こる原因となってしまうからだ。

しゃっくりは、ごく稀に48時間以上続いたり、逆流性食道炎や胆嚢の感染症、心臓・脳の疾患などが原因の可能性も考えられる。長引くようなら、内科や呼吸器科を受診しよう。

遊泳中に足がつったら

前屈みの状態で「ダルマ浮き」せよ

プールや海で泳いでいる最中に足がつってしまったら、どうすればいいのだろう。陸の上なら、たとえ転んでも大事になる心配はないが、水中で足がつれば、最悪、溺れ死ぬかもしれない。

プールなら、すぐにつっていない方の足で立ち上がり、つった方の足を水中でブラブラさせたり、優しくもみほぐすうちに治まってくる。もし治らないようなら、プールから上がってマッサージなどして安静にし、泳ぐのはやめよう。

海で泳いでいた場合は、まず慌てないこと。全身の力を抜いて水面に浮き、つっていない方の足の指を「グー」の形に握ったり開いたりして筋肉をゆっくり伸ばしたりする。

それでも治らないようなら顔を水に浸けて前屈みの状態で「ダルマ

足が着かない場所で痙攣が起きると、溺れ死ぬ危険も

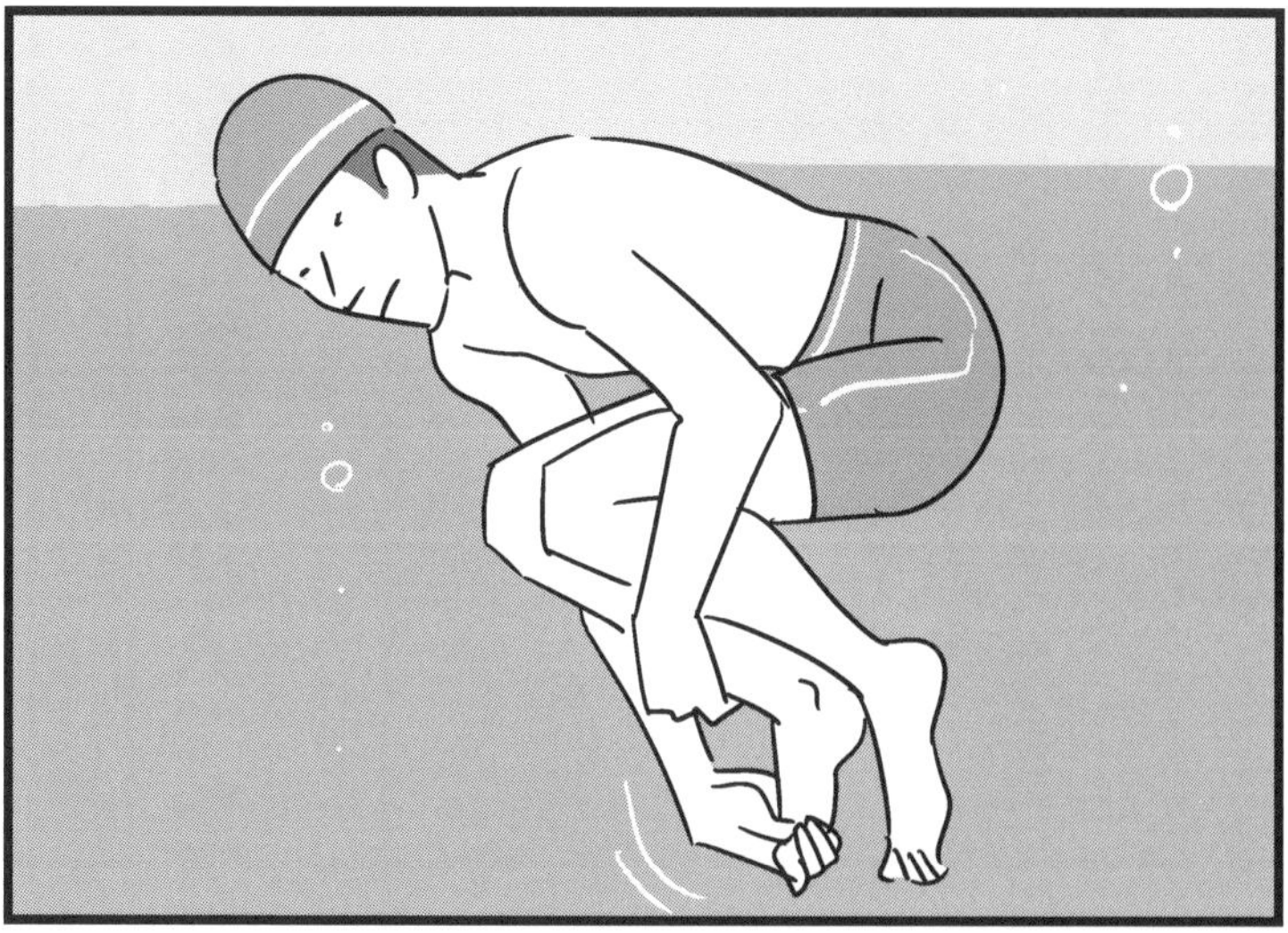

「ダルマ浮き」の状態で足指をつかんで曲げる

浮き」し、足の裏がつった場合は、つった方の足指をつかんでゆっくり手前に引っ張り、足の裏の筋肉を伸ばす。ふくらはぎがつった場合も、同じように「ダルマ浮き」の態勢で、つった方の足のつま先をゆっくり自分の方に反らせ、少しずつふくらはぎの筋肉を伸ばそう。また、痛みがなくなっても、再びつる可能性があるので、つっていない方の足で立ち泳ぎをしながらゆっくり浜に向かい、その日は泳がないこと。

足がつる＝筋肉の痙攣なので、これを防ぐには水分（ミネラルが摂れるミネラルウォーターがベスト）をしっかり補給し、水に入る前にストレッチをして特にアキレス腱を伸ばすことが大切だ。

耳の中に異物が入ったら

虫は懐中電灯を当てて取り出せ

耳に異物が入っても基本的に大きな危険はない。が、時に激痛を起こしたり、放置すれば難聴になるケースもある。耳鼻科にかかる前に自分でもできる応急処置の知識を身に付けておこう。

▼水

基本的には放っておけば出てくるか、自然に乾燥してしまうが、気になるようなら水が入った方の耳を下に向け、片足でトントン跳ねてみる。綿棒や、こより状のティッシュを耳に入れて水を吸い出すのもひとつの手だ。また、耳を上の斜め後ろに引っ張ったまま、耳の穴を下に傾けると出てくることもある。耳鼻科に行くと、ライトを当てて乾かしてくれるので、ドライヤーで乾かすのも良いだろう。ただし、綿棒などで乱暴にやると細菌感染によって外耳炎を引き起こす危険性もあるので注意が必要だ。

▼ハエや蚊などの生き物

ガサゴソ動き回る音が響き、一刻も早く取り除きたくなるが、落ち着いて懐中電灯を用意。部屋を暗くし耳たぶを引いて、耳の入り口付近から中に向かって懐中電灯の光を当てる。昆虫の多くは光に向かって集まる習性があるため、ほどなく外に飛び出してくるはずだ。それでも出てこない場合は、オリーブ油やベビーオイル、サラダ油などを耳の中に数滴垂らして、虫を窒息させてから綿棒などで優しく取り出す。もし虫が奥の方に入ってしまって取り出せないようなら耳鼻科を受診せよ。

▼石や豆など硬い物

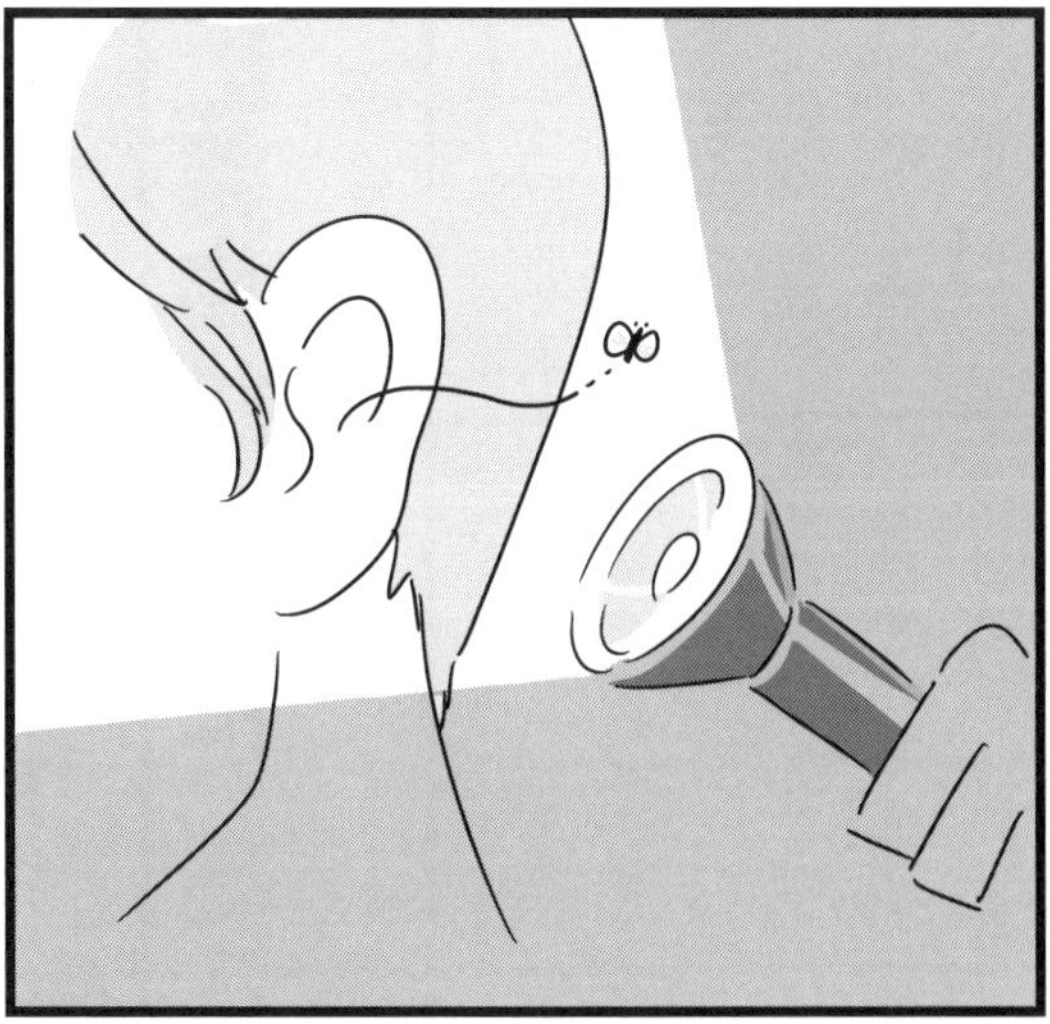

虫は光の方向に飛び出す

異物の入った方の耳を下に向け、耳たぶを後ろの方へ引っ張りながら、反対側の頭をトントンと叩くようにする。豆類やビーズ、小石など小さな物ならオリーブ油やサラダ油を1～2滴たらし、異物が入ったほうの耳を下にすると出て来る場合もある。また、外から異物が見える場合は、ヘアピンの丸い方を耳に入れて異物を引っかけるようにして出すが、奥に入ってしまった場合は無理に出そうとせず、耳鼻科にかかろう。

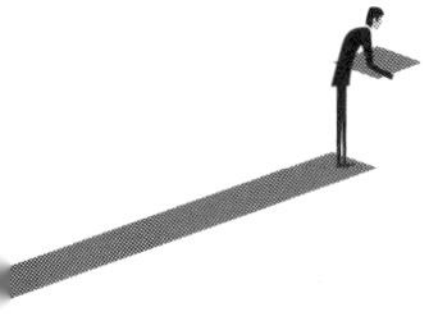

目に異物が入った、刺さった、打撲した

薬品が混入した場合は点眼薬で洗い流せ

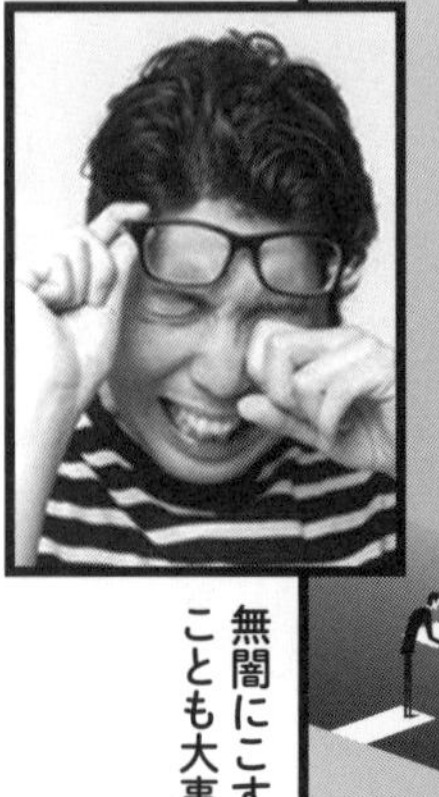

無闇にこすらないことも大事

目はデリケートで傷つきやすい部位。何かトラブルが生じたときの応急手当は慎重に、必ず手をよく洗ってから行おう。

▼ゴミが入った

①何度かまばたきすると涙が分泌され、自然と異物が目の外に流れ出る。
②まぶたを裏返し、目薬を注して異物を流す。
③清潔な器にキレイな水を入れ、その中でまばたきをする。また、赤ん坊などは横向きに寝かせ、キレイな急須などで水を注いで洗う。
④上下のまぶたを広げて、もしゴミが見えるなら清潔なガーゼやハンカチの端を水に濡らして取り除く。
ゴミを取っても目の中がゴロゴロしたり違和感が残るなら、目の表面に小さな異物が刺さっている可能性があるので、すぐに眼科を受診すべし。

▼薬品が入った

とにかく洗い流す。特に洗濯で使う漂白剤やトイレや台所の洗浄剤などは強力な酸性・アルカリ性成分が含まれていることもあるので、人工涙液の点眼薬などで30分以上かけて、しっかり流そう。ちなみに、水道水は感染症を引き起こすウイルスや細菌、病原微生物を消毒するための塩素が含まれており、これが目の表面を傷つける恐れがあるため、できれば使用は避けたい（シャンプーが入った場合はシャワーで洗い流してＯＫ）。

▼物が刺さった

刺さったものを抜いたり、目をこすったり、洗眼したりするのは厳禁。清潔なガーゼなどの布で軽く目を覆い、ケガをした目を上にした状態で寝かせたまま眼科に出向こう。

▼打撲した

清潔な布で冷湿布をする。目自体に痛みや出血、視力障害などの異常を感じた際は、必ず眼科医の診察を受けること。目の周辺部にケガを負ったときには、一般のケガの応急処置をするが、絶対に薬品が目に入らないように要注意。

洗剤などが混入した際は水道水ではなく、人工涙液の点眼薬で洗浄

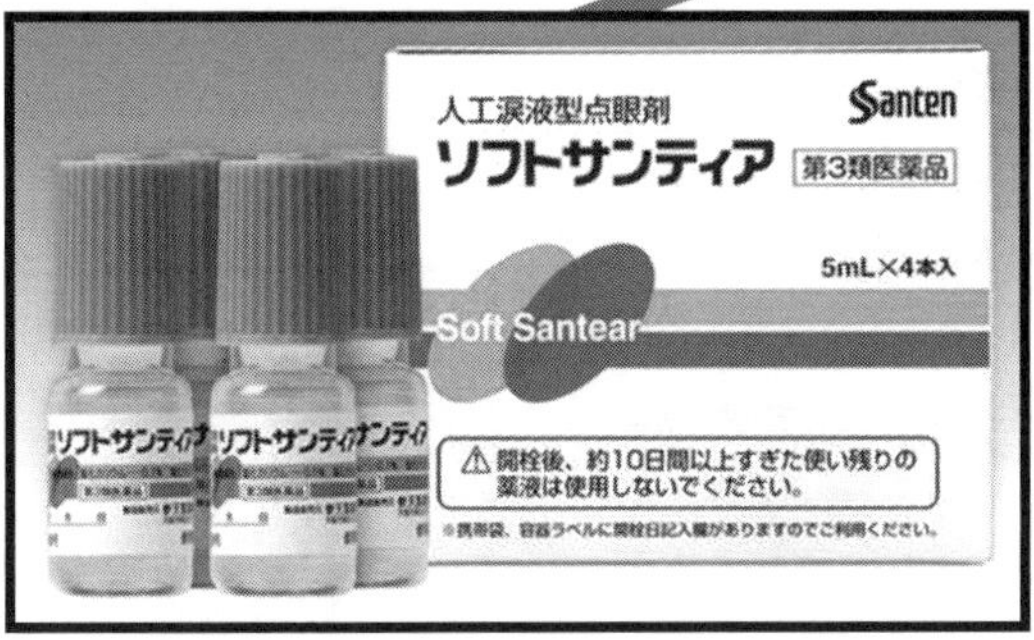

安心して良い鼻血、危険な鼻血

止血は下を向いて鼻を圧迫

最悪の状況を乗り切る100の解決策

顔面を家具にぶつけたり鼻をかみすぎたり、ピーナッツをたくさん食べて鼻血を出した経験は誰にもあるはずだ。鼻血には自分で止血すれば問題ないケースと、受診すべき場合があるので注意が必要だ。

▼止血方法

鼻血の多くは、鼻の入り口近くにある「キーゼルバッハ部位」に集まっている静脈が破れて起こる場合がほとんど。この場所は鼻の穴近くで、粘膜層も薄いので、指でこすったりするだけで鼻血が出ることもある。止血の手順は以下のとおりだ。

①体を起こし、椅子や床に座る。
②鼻血が喉に流れないように顔をやや下に向ける。
③小鼻をつまんで5〜10分圧迫。

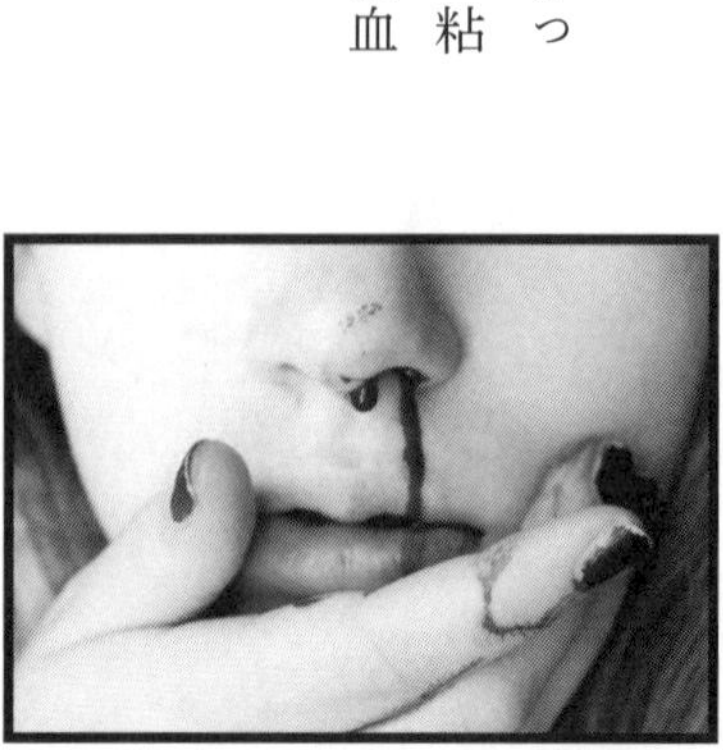

④血が止まった後、鼻の中にある血の固まり（ゼラチン状になった物）を無理に取らない。

この他、鼻やうなじ、前頭部、心臓部を氷や冷たいタオルで冷やすと血管が収縮してより効果的。やりがちな、ティッシュを詰めて止血する方法は血管を傷つけてしまう恐れがある。また、顔を上に向かせたり、首の後ろをトントン叩くのも鼻血が食道に入り、吐き気を催したり、胸焼けを起こす危険があるので厳禁だ。

▼急いで受診すべき鼻血

たいてい圧迫すれば血は止まるが、以下の場合は病院で止血、検査の必要がある。

●30分経っても止まらない。
●洗面器いっぱいほどの出血量がある。
●一度止まっても何度も鼻血を繰り返す。
●血をさらさらにする薬（抗凝固剤）を飲んでいる。

特に思い当たる原因がない鼻血は、アレルギー性鼻炎、高血圧、血管運動性鼻炎、さらには白血病、糖尿病も疑われる。早めに専門医にかかるのが賢明だ。

止まらない場合は耳鼻科へGO!

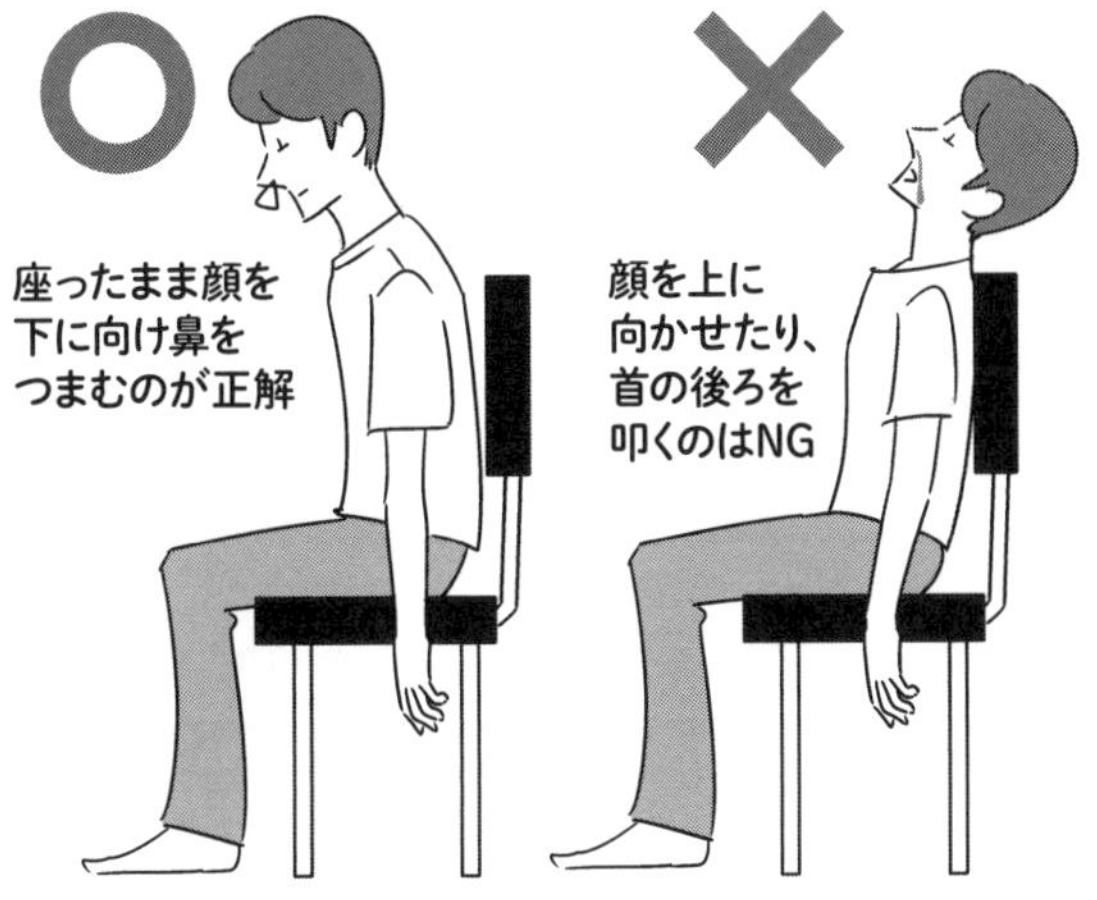
座ったまま顔を
下に向け鼻を
つまむのが正解
顔を上に
向かせたり、
首の後ろを
叩くのはNG

子供が誤って異物を飲んでしまった

まずは顔色、意識などを確認せよ

子供が異物を誤って飲んでしまった場合、まずはその症状を確認するのが先決だ。咳きこむ、息苦しそう、顔色が悪いなどの症状があるケースでは、窒息を起こしかけている可能性もある。口の中をチェックして、異物が見えるなら体を横向きにし、人指しを口の中に頬の内側に沿わせて入れ、異物を掻き出そう。

意識がない、痙攣を起こしている、ガソリン・石油、強酸性や強アルカリ性の漂白剤やカビ取り剤を飲んだ、画びょうやホチキスなど鋭利な物を飲んだ場合は無理に吐かせず、すぐに受診すべし。ここでは、特に注意が必要な例を紹介しよう。

▼ピーナッツ

重大な事態になりやすいのがピーナッツの誤嚥《ごえん》だ。硬くて表面が滑らかなので気道に入りやすいうえ、ピーナッツから出る脂肪酸が原因で肺炎を起こして呼吸困難になったり、ピーナッツが少しずつ膨らんで気管を塞いで窒息の可能性もある。

また、ピーナッツはレントゲンに写らないため医師が気づかないかもしれず、診断後は全身麻酔で取り除いたり、肺の奥に入ってしまった場合は肺を部分切除しなければならないことも。5歳以下の子供にはピーナッツを与えない方が賢明だ。

▼電池

中でもアルカリ電池は食道や胃に穴をあけてしまったり、リチウム電池は30分程度で消化管の壁に潰瘍を作ってしまうこともあり得る。何も飲ませず吐かせず、すぐに病院へ。

▼タバコ

子供の誤飲事故ナンバー1がタバコだ。赤ん坊なら半分〜1本が致死量に当たり、特にニコチンが溶け出した水は吸収が早く、一刻も早い処置が必要だ。タバコを吐かせるのはいいが、水や牛乳を飲ませるのは吸収率を高めて症状を悪化させる恐れがあるので避ける。誤飲したタバコを吐き出した場合は様子をみて、顔色の変化や吐き気などがあれば必ず医者にかかろう。

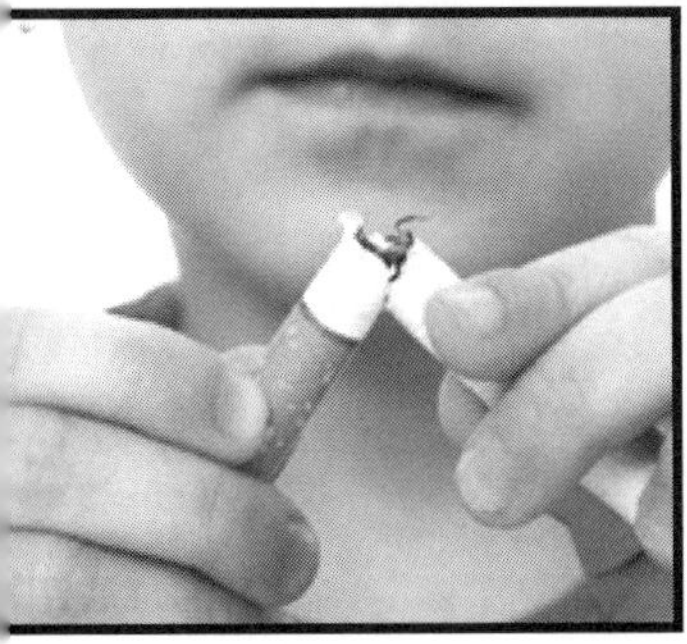

タバコは毒性が高いため、子供の手の届くところには絶対置かないこと

▼灯油・ガソリン

タバコと同様危険性が高いため、誤飲したらすぐ受診を。吐かせるのはNG。食道や気道を傷つけてしまう場合がある。その他、マニキュア液や除光液も吐かせずに、何も飲ませずにすぐ受診が必要だ。

▼少量なら心配ない物

紙、クレヨン、石けん、化粧品、絵の具、シャンプー、シャボン玉、線香など。

ハチに刺されてしまった

ショック症状が出たら119番通報し、気道を確保

スズメバチは強力な毒を持つものが多く、攻撃性も高い。もし刺されたら一刻も早く受診せよ

ハチに刺されても痛みこそあれ、大事には至らないと考えたら大間違い。場合によっては、命の危険にさらされることもある。正確な対処法を知って、なるべく早い処置を行おう。具体的な手順は次のとおりだ。

①速やかにその場から離れる

姿勢を低くして、いち早くその場から離れる。ミツバチならともかく、スズメバチやアシナガバチは何度も襲ってきたり、分泌される毒液によって他のハチたちが寄ってくることもある。通常なら10〜20メートル、最長でも50メートルも離れれば追いかけてくることもないはず。できれば、大勢の人がいるところまで逃げたい。

ただし、大声を出したり急に背を向けて逃げ出してはハチを興奮させるだけ。振り払ったり余計な威嚇行為はせず、静かに立ち去ろう。

②傷口を洗って毒を絞りだす

安全な場所まで来たら、傷口を流水でよく洗う。患部が冷えれば痛みが和らぎ、ハチの毒が薄まる効果もある。ただし、ミツバチの針が傷口に刺さったままだと、どんどん毒が体内に回るので、早めに抜く。口で吸い出すのは、虫歯や歯茎から毒が侵入する恐れがあるので、厳禁。毛抜きがなければ、手で振り払うだけでＯＫ。

③傷口に虫刺され薬を塗る

その後は、薬局などで相談し、抗ヒスタミン系成分を含むステロイド系軟膏を塗る。傷口に尿をかけて毒を中和する民間療法があるが、まったく効果がないうえ、尿に含まれる雑菌で皮膚炎を起こす可能性があるので試すべからず。

④傷口を冷やす

薬を塗ったら、濡れたタオルなどで傷口を冷やして安静に。刺されて30分ほど経っても強い症状が現れなければ危険性は低いと考えられるが、スズメバチなどの場合は必ず受診しよう。ちなみに、かゆみの他に熱や頭痛、めまい、嘔吐などの徴候が出たら「アナフィラキシーショック」が疑われる。ハチ毒へのアレルギー反応で、最悪の場合命を落とすこともあるため、至急、１１９番通報しよう。救急車が到着するまでの間は「気道確保」をして待機すべし。

気道確保の方法

あごの先を持ち上げると同時に、前頭部に当てた手で頭を後屈させ呼吸の有無を確認する

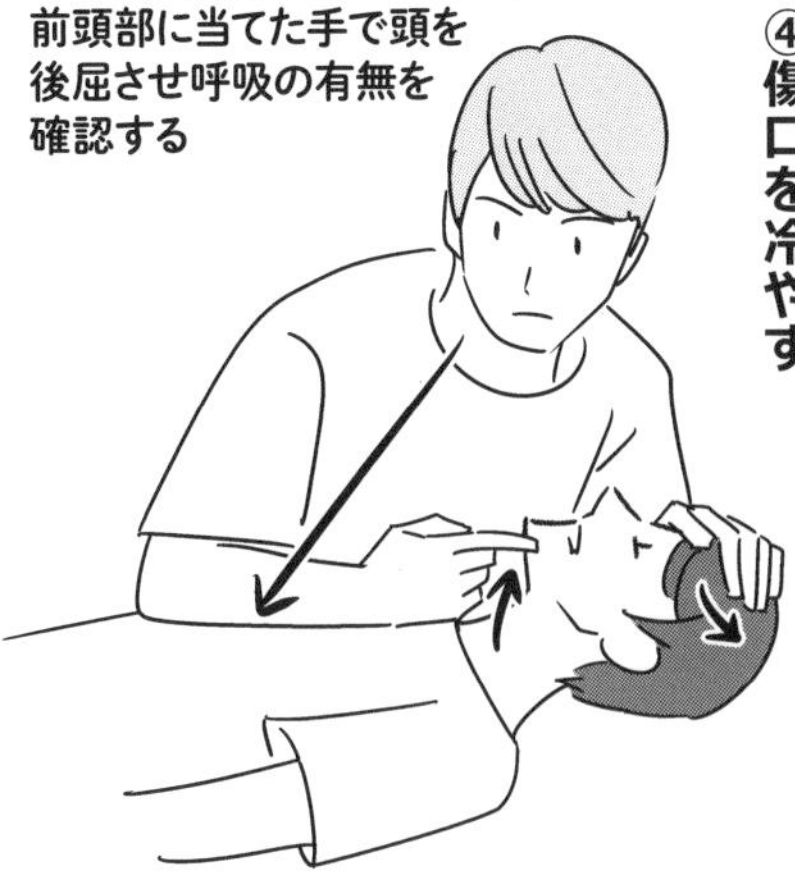

家庭用100ボルトの電源でも死の危険あり

周りの人が感電したら

感電といえば、落雷や、強風・積雪で切断された電線での事故を思い浮かべがちだが、電化製品の故障や漏電、濡れた手でコンセントを触るなど、家庭内でも起こり得る。しかも死亡率が非常に高く、家庭用の100ボルトの電源でも命を危険にさらしかねない。正しい対処法を知っておこう。

▼電源から引き離す

二次災害をも起こしかねないので、救助は安全を確保して行うのが鉄則。電源が切れる状況ならブレーカーを落とす、切れない場合はゴム長靴、ゴム手袋など電気を断絶する物を着用しよう。

手元にゴム長靴やゴム手袋がない場合は、家庭用のゴミ袋を足にはめて蹴って引き離したり、手に被せて引っ張ったりすべし。いずれにせよ直接感電した人の肌に触れないよう、ベルトや衣服を持って引き離す。間違っても感電している人を素手で触ったり、濡れた手で家電製品のスイッチを触ってはいけない。

▼意識を確認

意識がなく呼吸が止まっている、または呼びかけても非常に反応が鈍い場合にはすぐに１１９番に連絡して「心肺蘇生法」（１７８ページ参照）を救急車が来るまで続ける。

▼火傷の手当て

電流が体を通り抜けた際の〝入り口〟と〝出口〟に火傷を負っていることが多いので、服の上から水道を流しっぱなしにして水をかけて冷やす。水ぶくれができても破かず、洋服などがくっ付いてしまった場合も無理矢理には脱がさない。

▼医療機関の受診が必要な場合

高電圧で感電したとき、また電圧が低くても長時間にわたり感電していた際は、意識があっても医療機関へ連れて行く。外からはわからない体の内部に火傷や損傷を受け、後になって重症化することがある。

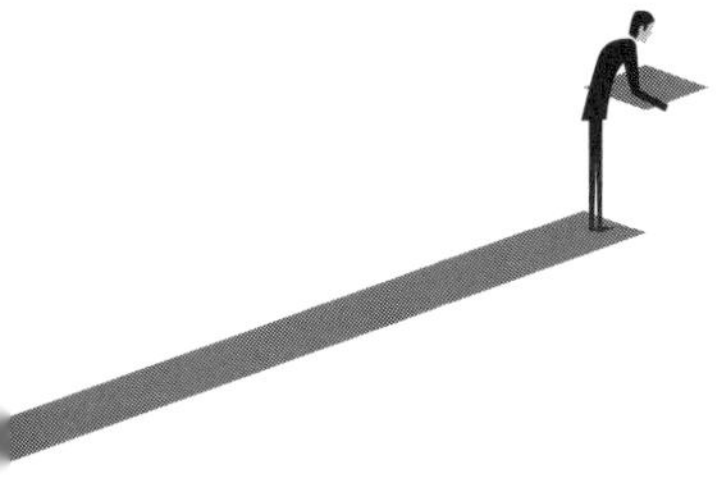

濡れた手で
コンセントを触るのは
非常に危険

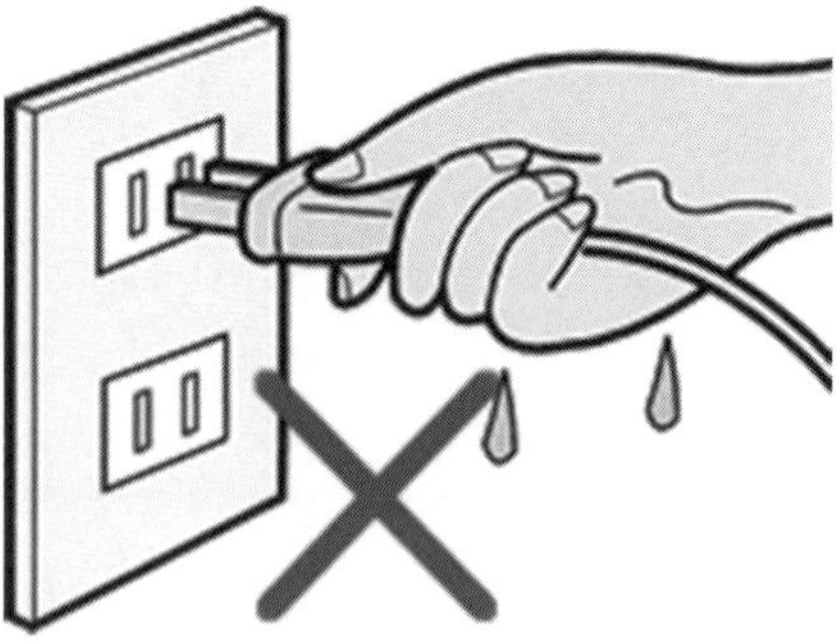

「SHARPサポート・問い合わせ」サイトより
https://jp.sharp/support/safety/ac.html

電線による感電の対処法

ゴム手袋や乾いた木の棒などで
電線を外す

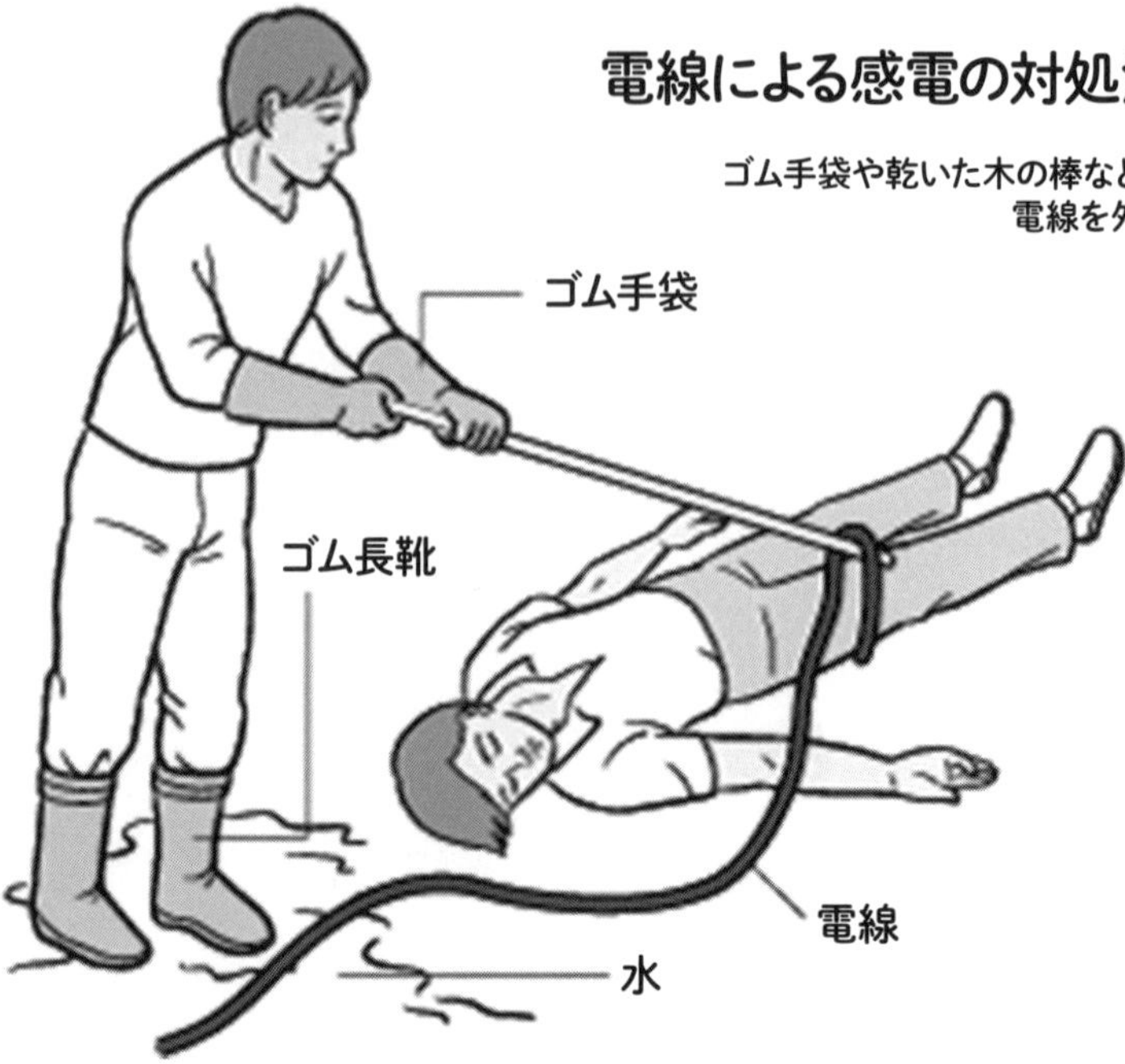

「ケータイ家庭の医学」より　http://sp.kateinoigaku.ne.jp

衣服に火が燃え移ったら

止まって、倒れて、転がって

(伊勢市HPより)

「着衣着火」。聞き慣れない言葉だが、ガスコンロで料理をしている最中や、ストーブで温まっているとき、また仏壇の灯明などから衣服に火が燃え移ることを言う。着ている服に直接、火がつくだけでなく、首にかけているタオルやマフラーを経由して燃え移ることも多く、火が体にまとわりつくので大火傷を負ったり、最悪の場合は命を落とす危険が高い事故である。

2018年版「消防白書」によれば、年間の住宅火災による死者のうち、放火、自殺者を除く1千51人を着火物別で分類すると、第1位が寝具類で96人（10・1％）、続いて衣類が76人（8・0％）。発生源はタバコ、ストーブ、電気器具類の順、出火箇所は居室、台所、食事室の順で多かったそうだ。

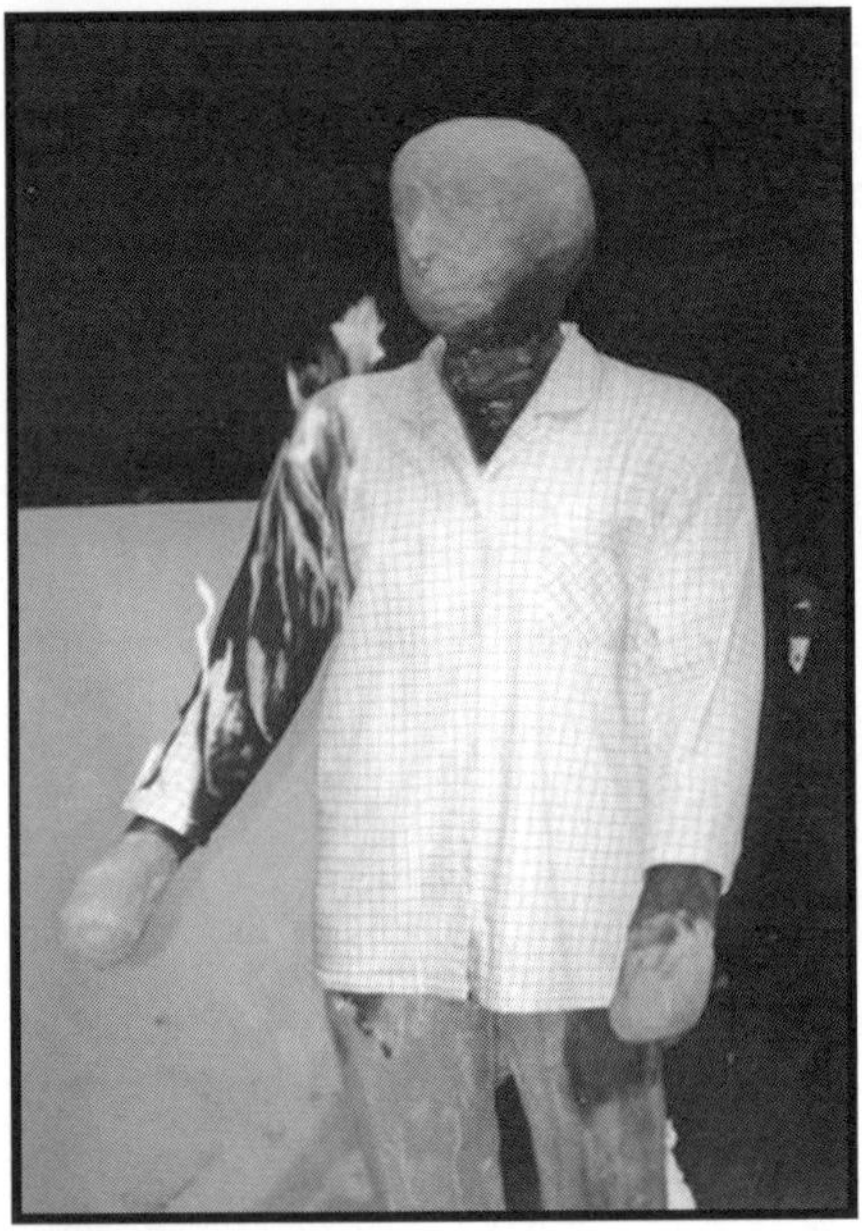

衣服の素材によっては表面フラッシュ現象が起こり、瞬時に火が回る

着衣着火で恐いのは、表面フラッシュ現象だ。これは、わずかな炎の着火で短時間に衣類の表面を火が走る現象のこと。炎は透明に近いので明るいところでは、ほとんど目立たず、気づくのが遅れると衣類の内部にまで延焼してしまう。綿、レーヨンなどで生地の表面が起毛されている毛羽立《けばだ》ちの多い衣服は特に注意が必要だ。

もし衣服に火がついてしまったら、すぐに脱ぐか、火が小さいうちは手ではたき消すか、水を被ろう。水道水はもちろん、浴槽、洗濯機、水槽、花瓶など、手近にある水なら何でもＯＫ。身近に水がなくても、絶対に走り回ってはいけない。火の回りが速くなって消化が困難になるだけでなく、動き回ることでカーテンや家財道具に燃え移り、建物火災となってしまう可能性も高くなる。慌てずその場に転がって、燃えてる部分を地面に押し付けて消火しよう（窒息消化法）。倒れることで顔前に火が上がるのも防げ、一石二鳥だ。

ちなみに、アメリカでは「ストップ、ドロップ＆ロール」（止まって、倒れて、転がって）という合言葉をキーワードに、子供の頃から着衣着火への対処法（左のイラスト参照）を教育している。これはアメリカの消防士たちが考案した消火法で、①火の勢いを大きくさせないために、まずはその場に止まり、②地面に倒れこみ、燃えているところを地面に押しつけるように。体と地面をくっつけ（体と地面の間にできるだけ隙間ができないようにする）、③顔への火傷を防ぐため両手で顔を覆いながら、地面に倒れたまま左右に転がり、洋服についた火を窒息・消火させるというものだ。万が一、火傷を負ってしまった場合は１１９番通報することはもちろん、救急車が到着するまでの間、火傷の部位を流水で冷やし続けることも重要だ。

服の火が消えたら、すぐに１１９番通報することもお忘れなく。

着衣着火した場合は
「ストップ・ドロップ・ロール」
（唐津市HPより）

マムシやハブなどの毒蛇に噛まれたら

止血し、毒を吸い出せ

日本の野山には、マムシやハブなど毒を持つ蛇が生息している。もしマムシに噛まれたら、火ばしを当てられたような激痛、局部の腫れ、内出血、ネフローゼ（筋肉組織が死ぬこと）、場合によっては視覚障害、腎機能障害なども発生。ハブの場合の症状はさらに激しく、死に至るケースも少なくない。万が一の場合は、すぐに医療機関にかかり血清治療を受けよう。どんなにひどい咬傷《こうしょう》でも敏速に的確に血清を使用すれば9割以上は完全に治癒する。同時に緊急処置の知識も身に付けておくべし。病院に運ぶまでの手当が生死を分ける場合もある。以下、具体的な対処法を紹介しよう。

①傷口の5～6センチ上部をタオルなどであまり強くなく縛る。体の中心部への毒の侵入拡散を防ぎ遅らせるためだ。ただし、長時間連続の止血はNG。少なくとも10分おきに1分程度緩めよう。

毎年10～20人が毒蛇に噛まれ命を落としている

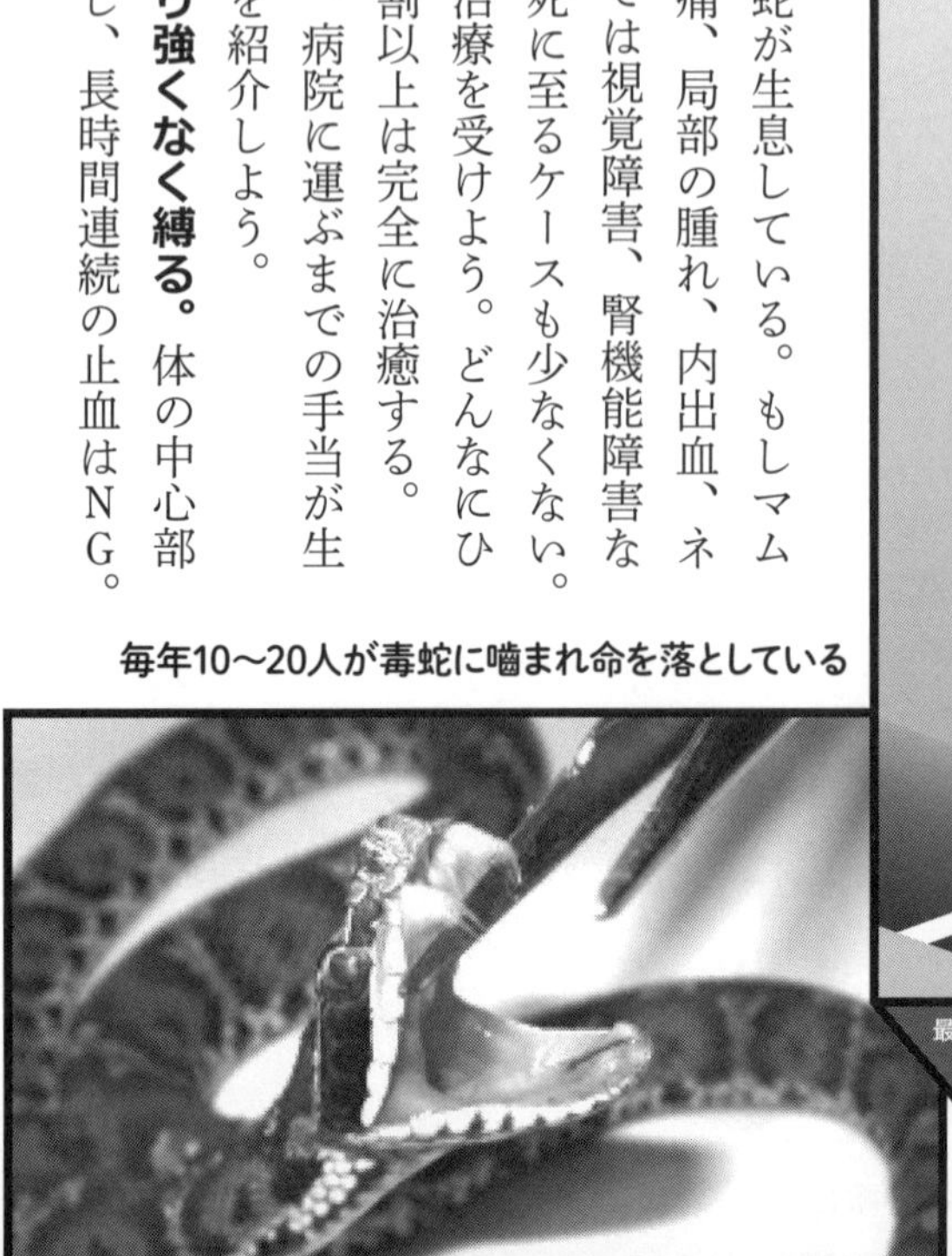

②すみやかに傷口から毒を吸い出す。吸引器があればそれを使い、口で直接出血する血液と共に毒液を吸い取り吐き捨てる行為を何回も繰り返す。仮に失敗し飲み込んでしまっても胃の中の強い酸性の胃液によって毒蛋白を凝固分解するので心配はない（口内炎など口の中に傷がある場合は避ける）。口で毒を吸い取った後は水か渋茶などで口をすすぐ。また、2～5％のタンニン酸で洗浄するとヘビ毒を不活性化する効果がある。

③血が出なくなったら塩水で熱い湿布をし、冷めたら、また吸い出す。

④毒や血液を吸い出した後は他の菌による混合感染を防ぐため、消毒する。

⑤氷などで患部を冷やさず、患者には酒を飲ませない。

⑥患者は可能な限り安静にし、救急車などで医療機関へ。

⑦水分を摂取し、利尿促進を計る。血液中の毒素濃度を薄めると同時に毒素排出にもつながる。

　ちなみに、日本では毎年数千人がマムシに噛まれその内の10～20人程度が死亡していると推定されている。生息地に立ち入る場合は、必ず長靴を着用しよう。

救急車が到着するまでの応急手当

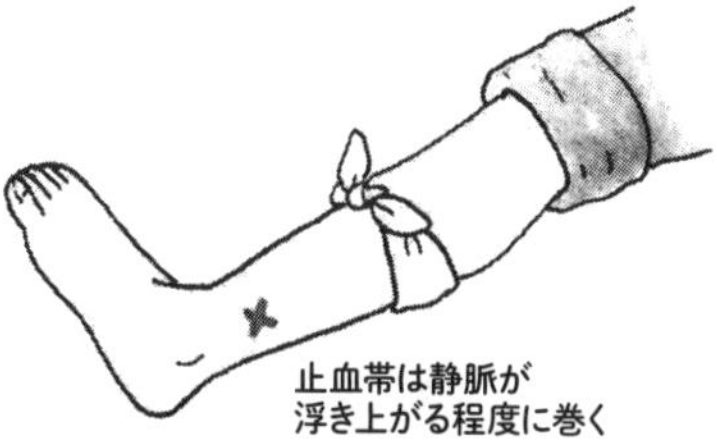

止血帯は静脈が浮き上がる程度に巻く

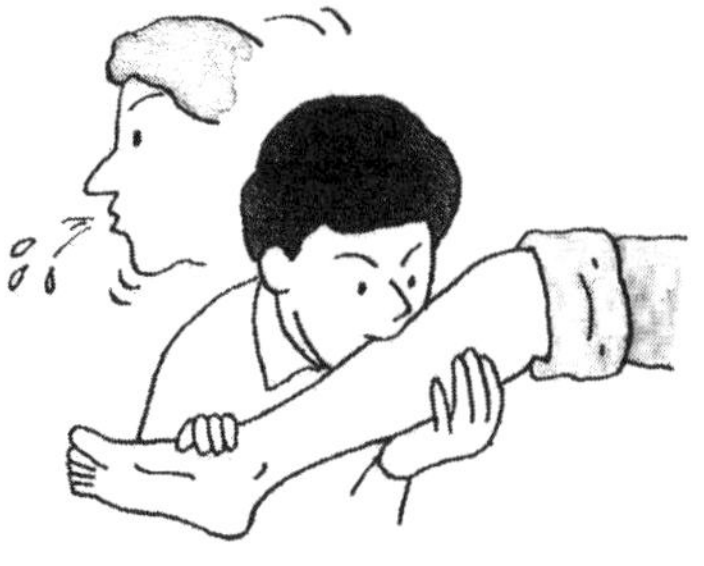

口で吸って、中の毒を抜く。吸い出した毒液は必ず吐き出す

熱湯を被ってしまった

全身の20％以上の火傷で命の危険が

インスタントラーメンを作ろうと鍋で湯を沸かす。待つこと数分、沸騰したところで袋から麺を取り出し、中に入れようとした瞬間、鍋の手摑みの部分に腕が引っかかり、思い切り熱湯を被ってしまった——。日常で起こりうる緊急事態だ。

こうした場合、水道の水で冷やすのが最初の処置だ。アイスノンや氷は冷えすぎるのでNG。摂氏10～15度の水道水が最適だ。水道水は火傷が皮膚の深いところまで進行しないよう食い止め、痕を残りにくくし、痛みを軽減する効果もある。冷やす時間は5～10分ほど。患部に流しかけるのが良いが、痛みを感じたり水ぶくれができたなら患部から少しズラそう。

服を着ている場合は、無理に脱げば皮膚がはがれてしまう可能性もあるので、服の上から痛みが取れるぐらいまで冷やせばいいが、全身に火傷を被った際は、冷やし過ぎに要注意。低体温の原因になり、

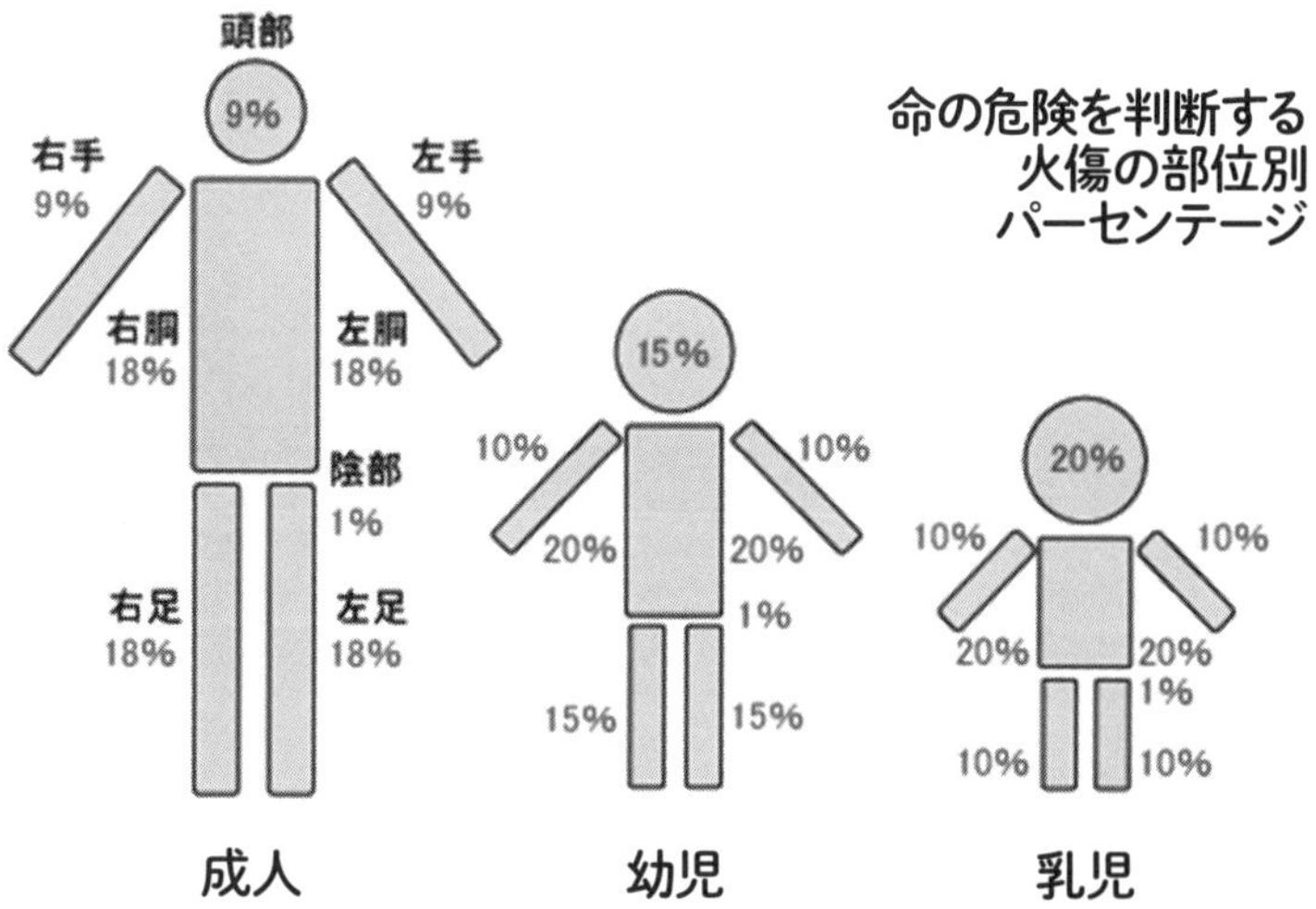

火傷より深刻な事態を招きかねない。ちなみに、民間療法の、味噌やジャガイモのすりおろし、油、アロエなどを塗るといった方法は百害あって一利なしである。

冷やして痛みが取れたら、患部を石けんで洗って清潔にしてから軟膏を塗って保護。包帯を巻く場合も、皮膚に包帯が張り付くのを防ぐ効果もある。できるだけ、患部を空気に触れさせないようにしよう。

ただし、日常的な火傷を除いては、水ぶくれが破れないようガーゼやタオルで被せ、できるだけ早く医療機関を受診したい。水ぶくれもできず皮膚が白くなったり黒く焦げたように変色したなら、痛みがあまりなくても「熱傷」の可能性が大。皮下組織や筋肉への影響が考えられるので、必ず病院にかかるべし。

大人なら体の20％以上、子供なら10％以上の火傷で命の危険が出てくる。判断目安は、手のひらの大きさが1％だ。一刻も早く119番通報し、水道水で冷やしながら救急車を待とう。

胸や腹部を強打したら

内臓損傷の可能性を疑い、適切な体勢で待機せよ

運転中に急ブレーキをかけてハンドルに胸を打ち付けた。スポーツジムでバーベルを腹部に落とした。いずれも、日常生活で起こりうる事故だが、胸や腹には重要な臓器が収まっており、対処を誤ると大事になりかねない。どんな手当が正解か。

▼胸をぶつけたとき　着衣をゆるめ、上半身を起こして座布団や布団などに寄りかからせるなどして呼吸が楽にできる姿勢にする。そのまま安静にして、患部を氷のうや濡れタオルなどで冷やす。それでも息苦しく、呼吸や咳のたびに激痛を感じたら、肋骨や胸骨が骨折している疑いがある。至急医師の診断を受けること。

▼腹をぶつけたとき　座布団や枕を膝の下に当て、膝をゆるめ、仰向けに寝かせる。吐き気や嘔吐がある場合には、横向きにして嘔吐物がのどに詰まらないように要注意。ただし、激しい腹痛や腹部の膨張、頻脈などがみられる際は内臓破裂、発熱や嘔吐などの症状があり腹部が膨満して板のように硬くなっているときは腹膜炎の恐れがある。一刻も早く救急車を呼ぼう。

次に症状別の応急処置を。いずれも119番通報し、救急車が到着するまでにやるべきことだ。

▼激しい腹痛 歩けず、体をエビのようにそり返らせるほど痛く苦しいなら内臓の損傷が疑われる。すぐに「回復体位」（177ページ参照）を取らせるべし。

▼腹部の膨らみ 胸の下部を強打すると、肝臓や脾臓が損傷し、腹部が膨らむ。腹部で大量の内出血を起こすからだ。ショック症状が現れるので、頭を下にして静かに寝かせておこう。

▼血尿・血便 血尿は腎臓や膀胱、血便は腸管が損傷したときのサイン。痛みが楽になる姿勢で待機せよ。

胸部をぶつけた場合

上半身を起こした状態で
患部を冷やすのがポイント

腹部をぶつけた場合

座布団などで足を少し高くして膝をゆるめ
仰向けに寝かせる

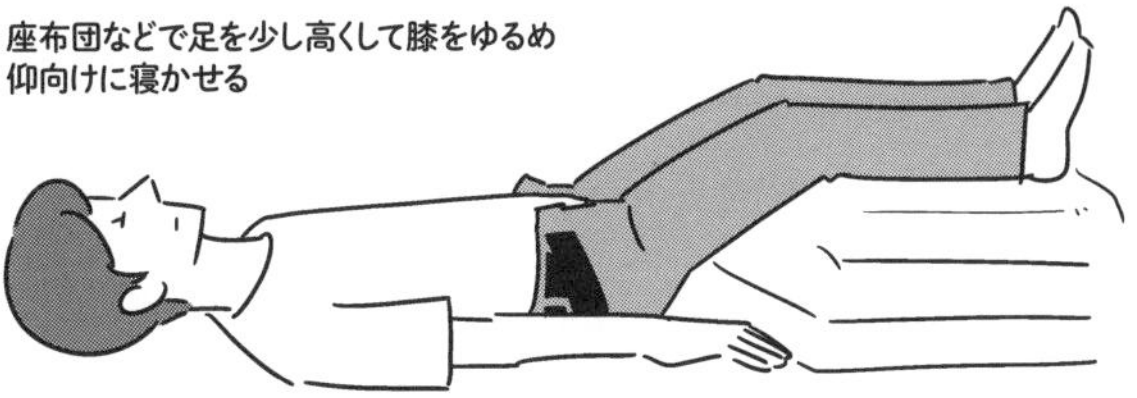

頭部をぶつけた際にできること、疑うべきこと

脳の損傷は半年後に現れることも

最悪の状況を乗り切る100の解決策

誰もが一度や二度、頭を打ったことがあるだろう。たいていは「たんこぶ」ができ、冷やしているうちに痛みも取れ症状は治まる。が、そのときは何もなくとも、数時間、数日間経ってから重大な損傷が発生する可能性も。まずは症状を見極めることが重要だ。

◉意識・態度とも正常　明らかに日常ではありえないほど強い打撲の場合、頭を少し高くして寝かせ、保冷枕などで頭を冷やす。外傷後24時間以内は外出したり無理をしないで安静にして、念のため入浴や飲酒を避ける。

◉眠り込む　頭を打った後、すぐに眠り込んだり反応が鈍くなったときは脳の損傷の疑いがある。15分経っても正常に戻らなければ、ソッコーで医療機関へ。

◉瞳孔の異変　瞳の大きさが左右バラバラだったり、光を当てても大きくなってしまう場合、脳に損傷を受けていたり、頭蓋内で出血している可能性が高い。

頭を少し高くして安静に

保冷枕などで頭部を冷やす

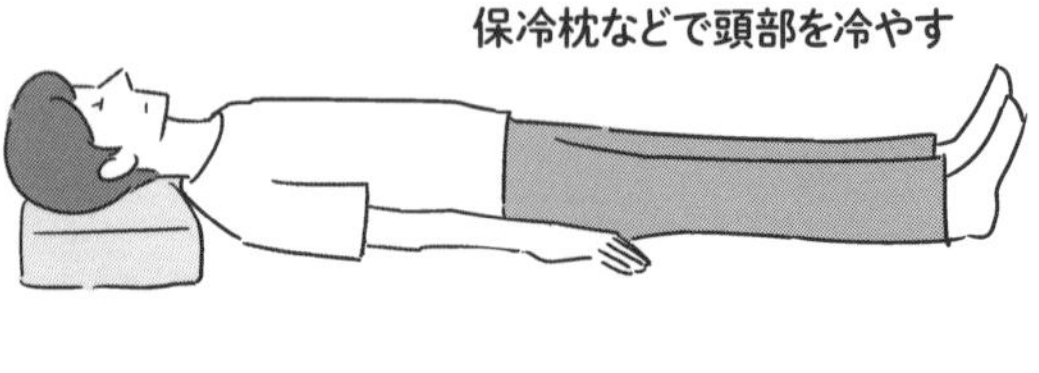

◉姿勢の異常・マヒ・痙攣　両方の腕や脚を反らせたり、体の片側の動きが悪いとき、けいれんを起こしたときなども、頭蓋内出血や脳の損傷が疑われる。意識があっても手足が動かないときには、首の後ろにある頸髄損傷の可能性大。

◉頭からの出血　頭皮は血流の良い部位なので、大量出血の可能性がある。清潔なガーゼなどで傷口を押さえ、止血せよ。

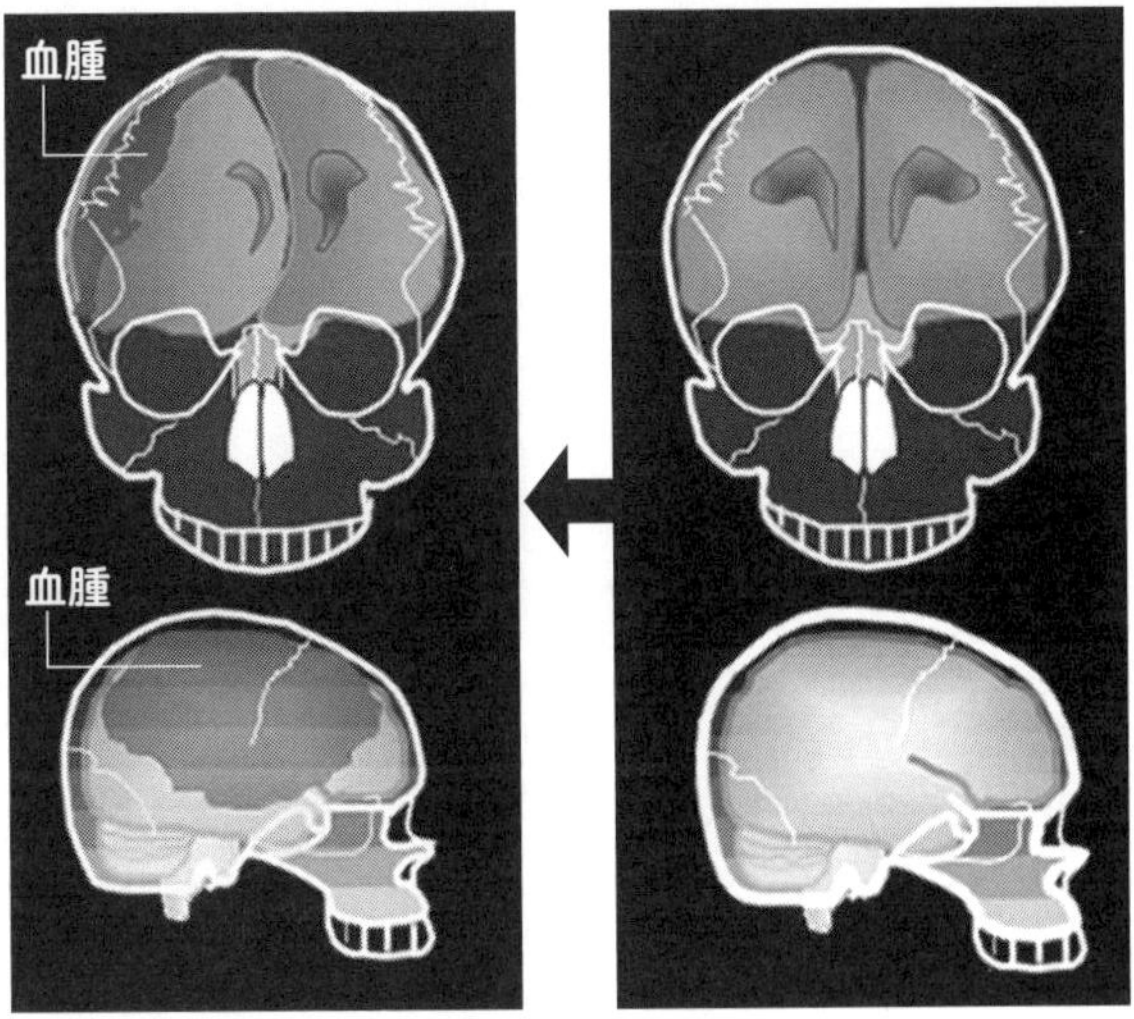

「慢性硬膜下血腫」

時間をかけて血が溜まり最悪、死に至ることもある

◉耳や鼻からの出血　この状態は要注意。ガーゼや脱脂綿、ティッシュなどでの止血はせず、そのままタオルなどで血をぬぐいながら医療機関へ。

◉嘔吐　頭部に外傷を負って1〜6時間以内に嘔吐を繰り返すときは、頭の中で出血している可能性大。脳挫傷や頭蓋内の出血で脳が圧迫されると嘔吐中枢が刺激され、吐きやすくなるからだ。24時間以内に医療機関へ。

◉脱力感やふらつき　頭を強く打ち3週間から6ヶ月経つ間に頭蓋内に血が溜まり「慢性硬膜下血腫」が起こる可能性もある。頭痛や嘔吐、脱力感やふらつき、片麻痺、認知機能低下などが現れたらすぐ受診を。

突然、嘔吐したら

発熱、めまい、痙攣、下痢などの症状がある際はソク病院へ

嘔吐は誰でも経験したことのあること。たいてい吐けば体調は改善されるが、急な嘔吐には思わぬ病気が潜んでいる場合もある。危険を見逃さないよう、正しい知識と適切な対処法を身に付けておこう。

▼吐きたいだけ吐く

嘔吐は、体内の異物を排除する自浄作用。吐き気を抑えると有害物質が体内に残る可能性があるので、まずは徹底的に吐くことが重要。うまく吐けないときは、水や薄い塩水を飲むと吐くのが楽になる。

▼水分補給と安静

吐いた後は、うがいなどで口の中を清潔にし、水分を摂る。嘔吐すると体の水分が急激に減った状態になり、脱水症状を起こす危険がある。気持ちが悪くて飲む気にならないときでも、少量でも口にすべし。摂るのは、胃に負担のかからない常温の水が最適。この後は、衣服を緩め、顔を横向けにして寝そ

べり安静を保とう。

▼病気を疑い、医療機関へ

吐き気が治まり、食欲などが戻ってくれば問題はないが、嘔吐にともない、次のような症状が出たら重篤な病気にかかっている可能性もあることを知っておこう。

●下痢、発熱、腹痛、悪寒→ノロウイルス、ウイルス性胃腸炎
●胃痛、胃もたれ→胃潰瘍・十二指腸潰瘍
●頭痛、めまい→脳卒中、メニエール病
●冷や汗→低血糖
●大量の唾液→自律神経失調症

この他、吐《と》瀉物《しゃぶつ》に血が混じっている、痙攣、嘔吐の繰り返し、過呼吸、呼吸困難などの症状があった場合は、早急な受診が必要。万が一、意識がなかったり反応が鈍い場合は「心肺蘇生法」（178ページ参照）を、救急車が来るまで続けるべし。

周りの人は
背中をさすって
吐きたいだけ
吐かせよう

家族や知り合いが血を吐いたら

背中をさすり、吐瀉物を取り除き、安静に寝かせる

家族や知り合いが突然、血を吐いたら誰でも慌てるに違いない。こうした場合、周囲はどんな対応を取れば良いのだろうか。

血を吐くという行為には出血の部分によって「吐血《とけつ》」と「喀血《かっけつ》」の2種類に分かれる。吐血はその多くが食道から胃、十二指腸球部にかけての上部消化管の病気によるもので、およそ7割が胃・十二指腸潰瘍が原因だ。嘔吐とともに血が出るのが特徴で、色は暗褐色。出血量はさほど多くないが、時に胃液や食べ物のカスが混じって吐く量が増え、洗面器いっぱいになることもある。一方、喀血は、肺や気管支のような呼吸器からの出血で、咳や痰と一緒に血が出るのが特徴。色は鮮やかな赤の場合が多い。

いずれにしろ、病院での受診が欠かせないが、血を吐いてる最中

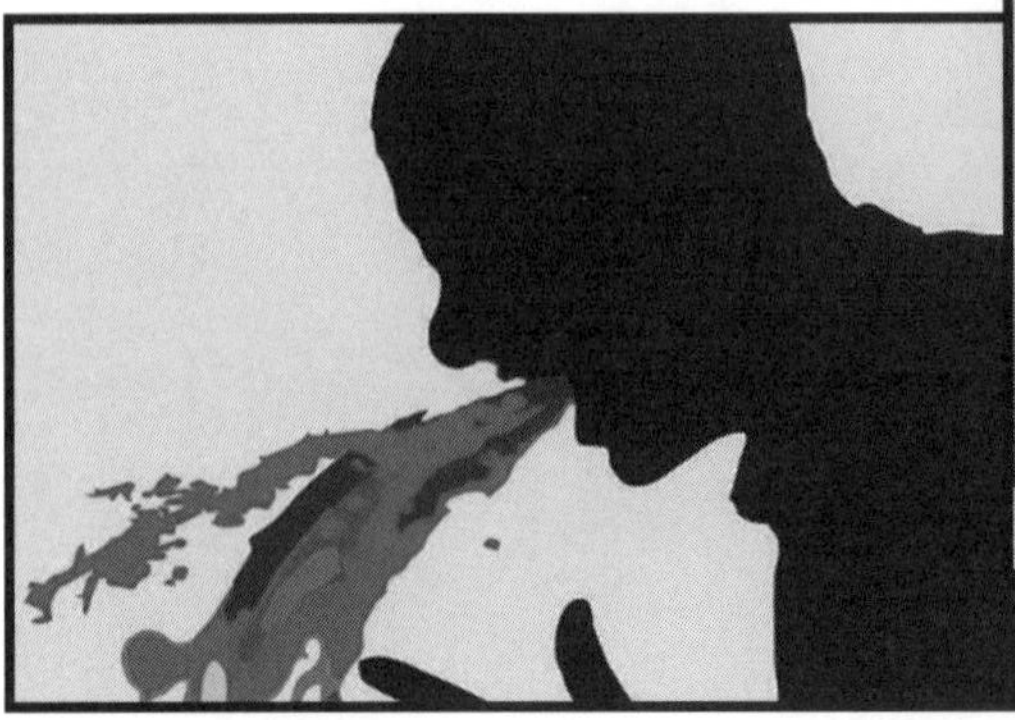

衣服をゆるめ、顔を横向きにして静かに寝かせる

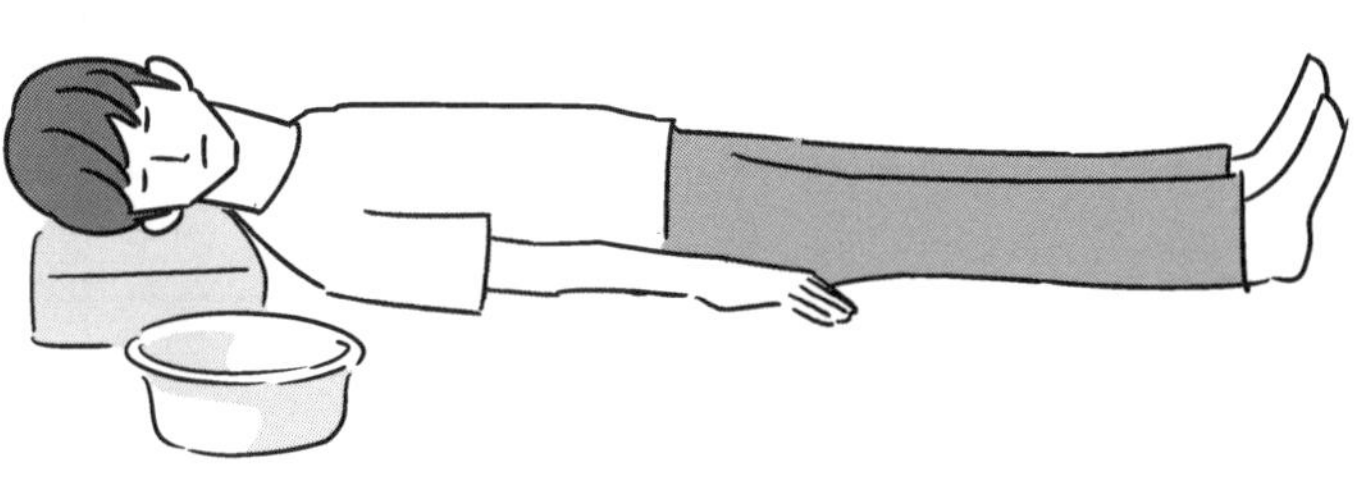

にむせる場合は、周囲の人間が背中を軽くさすったり叩くなどして、血を吐きやすくするのが重要。また、口の中に血の塊や吐瀉物が残っていると窒息の原因になることもある。本人が自力で吐血できないときは、ガーゼを巻いた箸などを使い、それらを取り除こう。

落ち着いたら安静にして寝かせる。ただし、吐血や喀血が続くときは顔を横向きにして気道が詰まるのを防ごう。血が少量であれば横向きのまま、大量であれば腹ばいの状態で吐かせた後、薄い食塩水でのうがいも行う。また吐血では胃のあたりを、喀血では胸全体を冷やしておこう。

緊急を要するのは、手のひら一杯以上のような大量の吐血・喀血があったり、顔面蒼白や意識障害がみられる場合だ。即座に119番通報し、救急車が到着する前に、医師が適切な診断が行えるよう、吐いた血を保存しておくべし（感染症予防のためにビニール手袋などの着用が必須）。

他にも、応急手当中は、本人が飲み物を欲しがっていても、医師の許可を得るまでは飲ませてはいけない。鎮痛剤や胃薬などの医薬品の服用もNG。また、吐血・喀血することで本人は精神的に動揺しているので、吐き出した血を見せないなどの配慮が大切だ。

突然、痙攣を起こしたら

抱く、揺する、ハンカチを入れるなどは厳禁

突然、近くにいる人が、まぶたや顔の筋肉をピクピクと動かしたり、発作による全身の硬直などを起こしたら、どうすべきか。こうした「痙攣」は、てんかんや自律神経失調症の疑いもある。症状をよくチェックし、落ち着いて対処しよう。

▼熱性痙攣は心配なし

38度以上の高熱を出したり、熱の上昇の際に起こりやすく、普通は1〜3分程度、長くても10分程度で治まる。痙攣後は、通常1〜2時間程度で寝入ってしまう。

▼痙攣の最中

二次的なケガや火傷などの事故を起こさないよう、周りにある危険物を取り除く。また、ひきつけの最中に、いきなり抱いて動かしたり、無理に押さえつけたり、大声で呼んだり、揺すったりの行為はNG。同様に、水をかけたり、無理に口をこじあけてハンカチやスプーンなどを入れるのも厳禁だ。

▼痙攣後

衣服をゆるめ、顔を横向きにして「回復体位」（イラスト参照）で静かに寝かせる。部屋はやや暗くして、熱があるなら、保冷枕などで冷やす。痙攣が数分で治まったら、しばらく様子をみて、早めに病院へ行くべし。

▼緊急を要するケース

以下のような症状の場合は119番に連絡して一刻も早く医師に診せよう。

◉5分以上、痙攣が続く（通常は長くて10数秒）。

◉短時間に痙攣を繰り返す。

◉熱がないのに痙攣している。

◉体の片側だけが強く痙攣。

◉白眼をむいたり、眼つきがおかしい。

◉収まった後も意識が朦朧としている。

◉嘔吐を繰り返す、吐瀉物を詰まらせる。

◉麻痺がある。

また、意識がない、または非常に反応が鈍い場合は「心肺蘇生法」（178ページ参照）を実行し、救急車の到着を待とう。

回復体位の方法

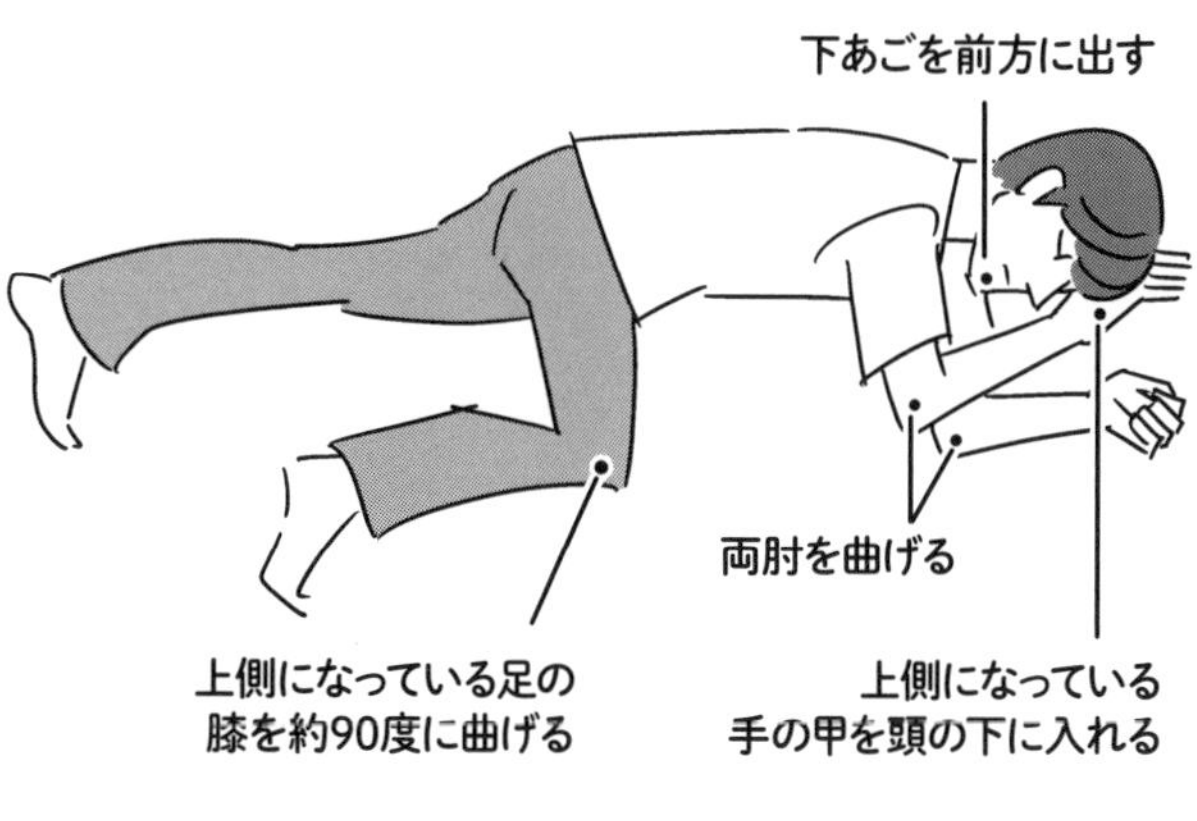
下あごを前方に出す
両肘を曲げる
上側になっている足の膝を約90度に曲げる
上側になっている手の甲を頭の下に入れる

必ず覚えておきたい「心肺蘇生法」の手順

救急車到着までの応急措置が生死を分ける

最悪の状況を乗り切る100の解決策

家族、友人、同僚が突然、目の前で倒れ意識を失った。あるいは通りを歩いていたり、店舗の中で他人が卒倒した。慌てて相手に近寄るが、呼びかけても返事も身動きもしないばかりか、呼吸も確認できない。もしかしたら、すでに死亡しているのかも……。こんな状況に遭遇すれば、大半の人が１１９番通報するだろう。

しかし、救急車が救急要請された現場に到着するまで平均８・６分、病院に収容されるまでは平均39・３分を要する（２０１８年度・『消防白書』より）。つまり、病院の外で心臓が止まった場合、その人が生き延びるか、社会復帰するかは、病院に着く前に、ほぼ勝負がついてしまうのだ。

救命センターの医師も、救急隊から心停止患者受け入れ要請の電話が鳴ると、「卒倒した瞬間に発見されているかどうか」「卒倒した瞬間から心臓マッサージがされているかどうか」を必ず確認する。それは、意識を失ったり、心肺停止に陥った人の生死や今後の人生にかかわる最も重要な情報だからに他ならない。

全国に50万台以上設置されているAED（自動体外式除細動器）

大切なのは救急車到着までに、いかに「心肺蘇生」（呼吸が止まり、心臓も動いていないと見られる人の救命へのチャンスを維持するために行う循環の補助）をするかだ。一般的に、人は心臓が止まってから、１分ごとに救命率が７～10％低下すると言われている。が、有効な心肺蘇生が行われた場合、救命率の低下を３～４％に留めることができるのだ。

とにかく、一刻も早く倒れた相手の意識を回復させなければならない。知らない人に「マウストゥマウス」（口から口へ直接息を吹き込む人工呼吸法）を行うのは抵抗があるかもしれない。が、他に救助者がいなければ、あなたがやるしかない。どうしても抵抗があれば心臓マッサージでもいい。倒れたばかりならまだ血液に酸素が残っている。この血液を循環させるだけで蘇生のチャンスが拡大する。

現在では、こうした緊急事態を想定し、不特定多数の人が出入りする駅、学校、ホテル、空港や飛行機の中などに「ＡＥＤ」も設置されている。これは血液を流すポンプ機能を失った状態の心臓に対して、電気ショックを与え、正常なリズムに戻すための医療機器。といえば難しそうに聞こえるが、コンピュータにより自動的に心電図を解析し除細動が必要かどうかを決定、音声により指示を出すので、誰でも簡単に操作できる。ちなみに、２０１８年の１年間でＡＥＤを実施したケースは１千２５４人で救命率は55・99％。その割合は、一般市民が心肺蘇生を実施しなかった場合に比べ、１ヶ月後生存者数で2倍、１ヵ月後社会復帰者数で2・8倍にのぼる。次のページで、ＡＥＤを使った心肺蘇生法をイラストで紹介している。ぜひ参考にしてほしい。

1 **両肩を軽く叩きながら「大丈夫ですか?」と声をかける**

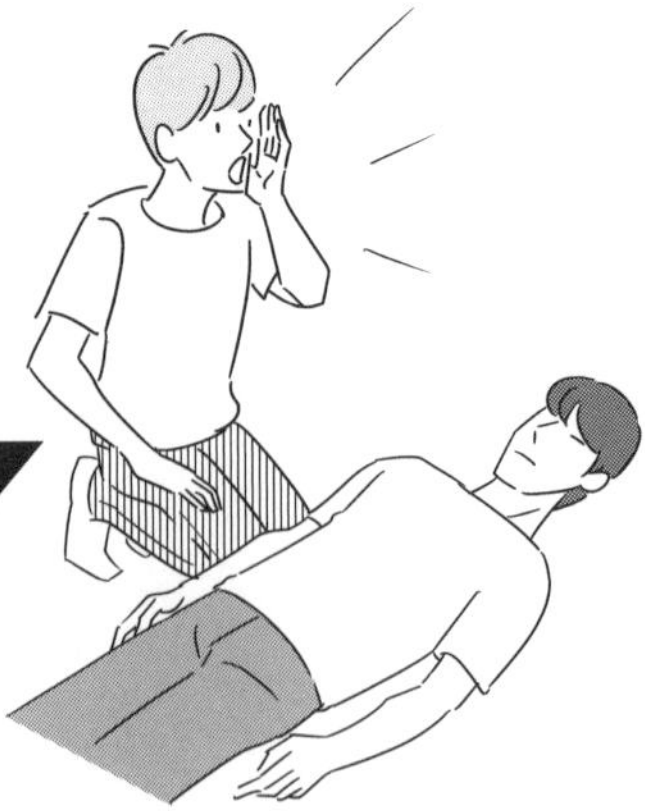

2 **反応がない、または判断に迷う場合は大声で助けを呼び、119番通報とAEDを持ってきてくれるよう依頼する**

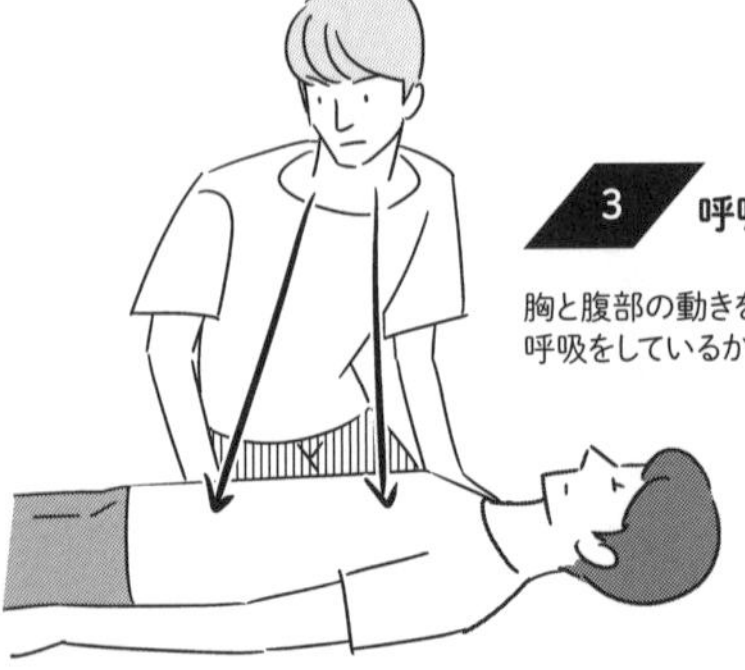

3 **呼吸を確認する**

胸と腹部の動きを見て、普段どおりの呼吸をしているかをチェック

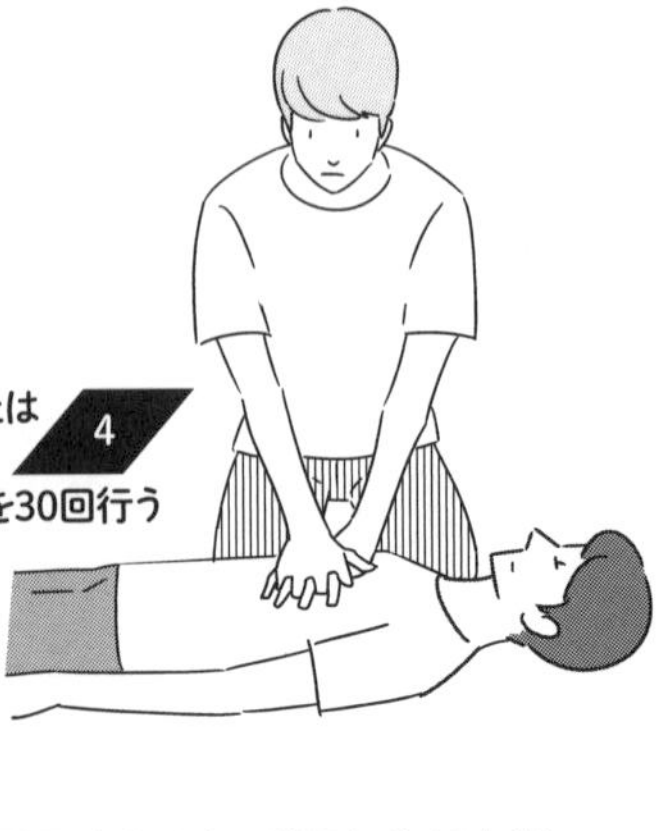

4 **普段どおりの呼吸がない、または判断に迷う場合は、両手で胸の真ん中を押す「胸骨圧迫」を30回行う**

5 **応急手当の講習を受けるなどして技術があったり、やる意思があれば「人工呼吸」を2回行う**

約1秒をかけて胸の上がりが見える程度の量を吹き込む。「人工呼吸」を2回行った後は「胸骨圧迫」を30回を繰り返す。訓練をしておらず、マウスピースなどが無く、血液や嘔吐物などで感染危険がある場合は「胸骨圧迫」を続ける

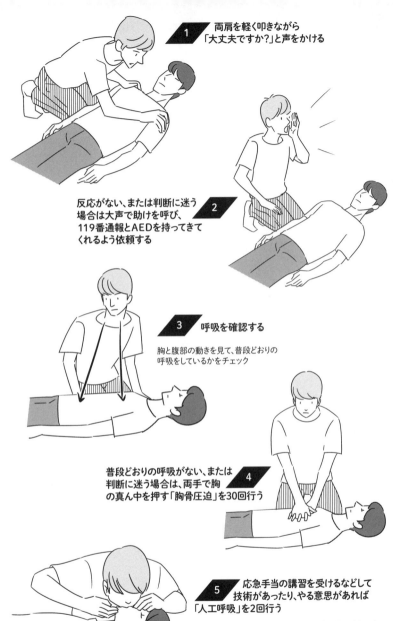

6 AEDが到着したら電源を入れる

フタを開けると自動的に電源が入る機種もある

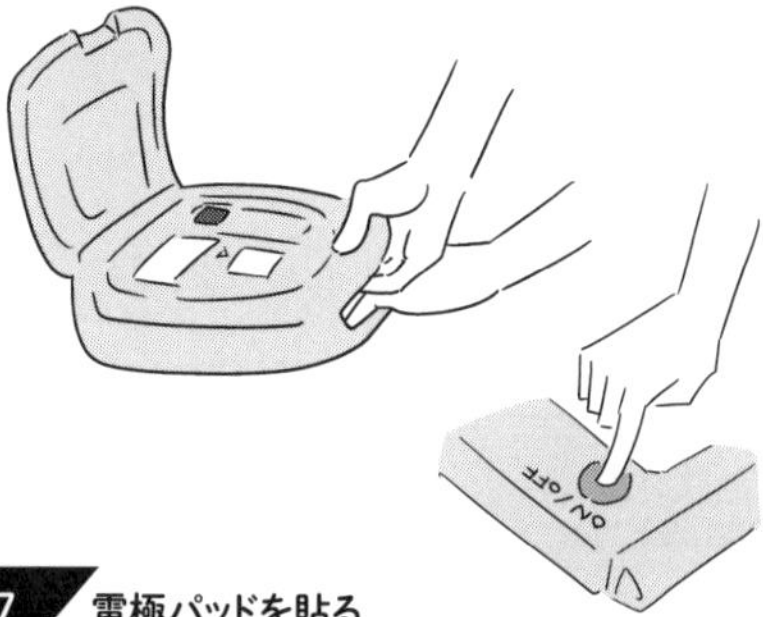

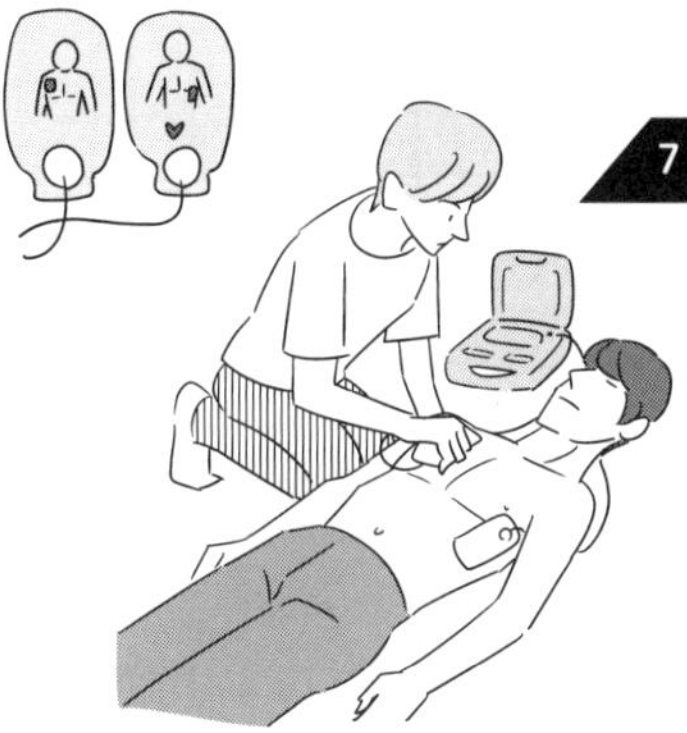

7 電極パッドを貼る

電極パッドを貼る位置は電極パッドに書かれた絵のとおりに、皮膚にしっかり貼る。体が汗などで濡れていたらタオル等で拭き取る

8 電気ショックの必要性はAEDが判断

電気パッドを貼ると、AEDが心電図の解析を自動で始めるので傷病者に触れずに待つ

9 AEDの音声メッセージに従う

もし電気ショックが必要な場合は、誰も傷病者に触れていないことを確認してから点滅しているショックボタンを押す

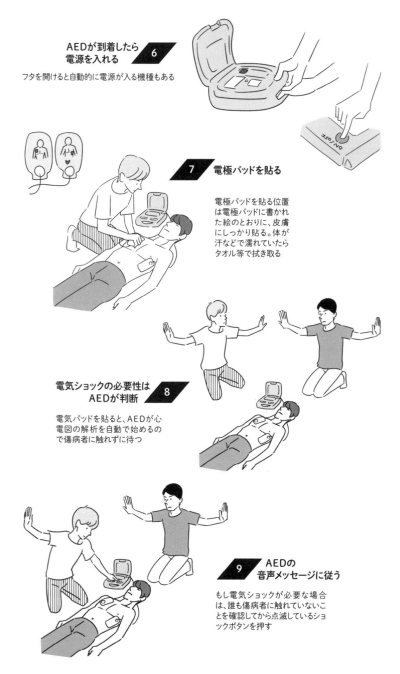

誤って指を切断したら

再接着手術までにできること

電動ノコギリや裁断機などを扱っている最中に、誤って指を切断してしまう事故が時々起きる。万が一の際はすぐに整形外科などを受診する必要があるが、応急処置も欠かせない。

まず、知っておきたいのは指が切断されても医療機関で再接着手術が可能なことだ（切断後8時間以内が目安とされる）。そのためには、病院に搬送するまで適切な状態で保存しなければならない。重要なのは「温めない」「乾かさない」「汚さない」こと。切断された指は、清潔なビニール袋に入れて密封したうえ、氷水が入った袋や容器の中で冷やしておこう。直接指を氷水などで冷やしてしまうと細胞組織が破壊され、再接着ができなくなってしまう可能性がある。

切断した方の傷口は、清潔で湿らせたガーゼを当て、その上から包帯を巻くべし。ただし、包帯をあまりキツく巻いてしまうと末端の正常な組織まで阻血し、壊死してしまう可能性があるので、傷口のすぐ下を縛るのがポイントである。

もっとも、これは指が完全にもげてしまった「完全切断」の場合。皮膚や腱でかろうじてつながって

いる「不全切断」だと、冷却が難しく、体温や外気温によって傷みが進みやすくなる。ただし、不全切断は静脈がつながっている可能性があるので、血液がたまって流れが悪くなる「うっ血」になりにくく、術後のトラブルを減らすことが可能だ。

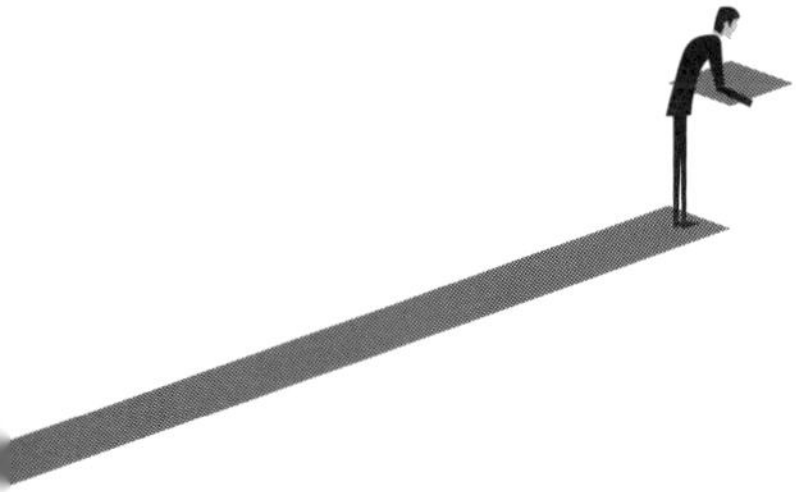

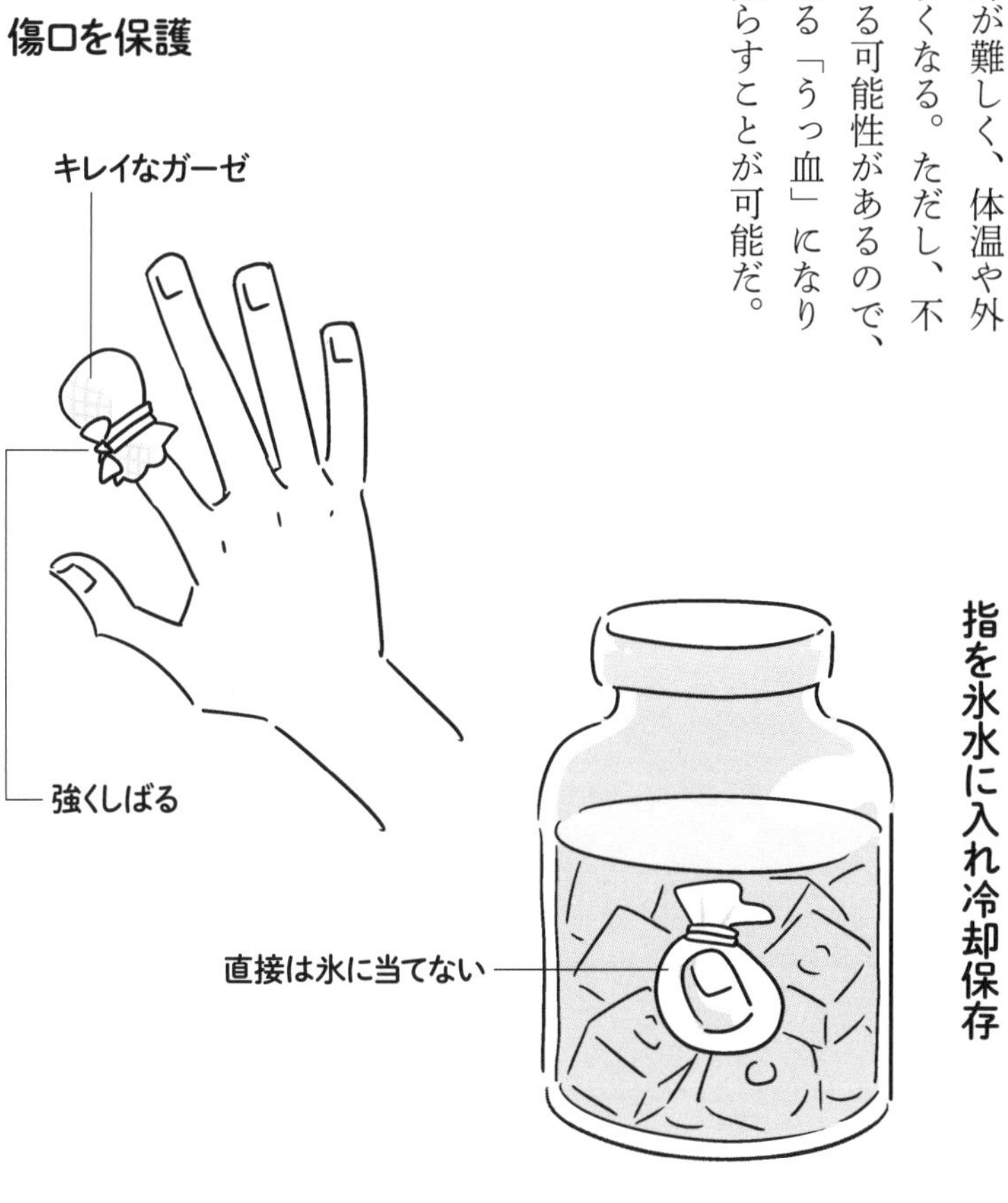

第6章

絶体絶命！でもあきらめるな

駅のホームから線路に転落したら

線路脇の「待避スペース」に転がれ

日本各地で鉄道事故が後を絶たない。中でも多いのが、駅のホームから転落する事故だ。もし自分が誤って線路に落ちた場合、どうすべきか。

2001年1月、東京・新大久保駅で泥酔した男性がプラットホームから線路に転落。その男性を救助しようとして線路に飛び降りた日本人のカメラマンと韓国人留学生が、進入してきた電車にはねられ、3人とも死亡した。この痛ましい事故を受け、国土交通省は主だった駅のホームに「列車非常停止ボタン」を設置。さらに、客がホームに転落した場合に近くの列車に自動的に異変を知らせる「転落検知マット」や、ホームの床下に人がすっぽり入れる「待避スペース」を設けるなどの対策を講じた。また、最近の都心の鉄道では、転落や列車との接触事故防止を避けるため、車両が停止するまで

プラットホーム下の「待避スペース」。人1人なら余裕で入れる

開かない「ホームドア」を導入している駅も多い。

こうした鉄道の安全対策を理解していることが前提となるが、万が一線路に転落してしまった場合、多少の余裕があれば、ホーム上の誰かに非常ボタンを押すように頼もう。転落事故を目撃し、とっさに動ける人はなかなかいないので、自分から大声で助けを求めるのが正解だ。

間に合わない場合は、待避スペースに体を低くして入る。移動の際は、転落した態勢のまま転がるようにして逃げた方が早い。待避スペースがない場合でも、ホームに上がる階段は必ずある。落ち着いて探そう。

では、目の前に電車が迫って来ていたらどうか。この場合は、電車の進行方向と逆方向にダッシュするか、イチかバチか線路に伏せる。

ホームのすぐ下にセットされた「転落検知マット」。ここに人が接触したら、即座に付近の電車に異常が知らされる

実は年に1度くらい、電車の車体下部と線路の間に寝転がって電車をやり過ごす人がいるそうだ。ただし、線路と電車の隙間はわずか30センチほど。普通の体型の人がうつ伏せでギリギリセーフといったところなので、ふくよかな人は厳しいかもしれない。

ポンピング、蛇行、エンジンブレーキ。止める方法はいくつもある

運転中、車のブレーキが効かなくなった

車を運転中、突然ブレーキが効かなくなった――。絶体絶命の状況だが、以下の方法で最悪の事態を避けられるかもしれない。

真っ先に試したいのは、ブレーキペダルのポンピング。ペダルを踏み込んでは放し、踏み込んでは放しを繰り返すことでブレーキの油圧が上がれば少しは減速できるし、場合によっては完全に止まることもある。

道幅があれば目いっぱい両脇まで使って、車を大きく蛇行させるのも手だ。ハンドルを切る際に通常より強く切ることでスピードを殺すことが可能だ。

ギアを一番下まで落としてエンジンブレーキを使い、同時にサイドブレーキを引くのも効果的だ。サイドブレーキはフットブレーキと別系統になっていることが多いので、サイドが使えれば、安全に停止まで持っていくことができる。ただし、強く引きすぎてしまうと後輪にロックがかかり車がスピンする恐れがあるので、均等に力をかけながらゆっくり引っ張り、少しずつスピードを落としていこう。それ

待避所があれば迷わずここへ

でも止まらない場合は、広場や上り坂、空き地などを見つけて車を誘導。ガードレールや木、フェンスなどがあれば、それに車をこすりつけるのも一つの方法だ。

行き止まりが目前に迫っているケースなら、「ブートレッガー・リバース」を試みよう。サイドブレーキを思いっきり引きながらハンドルを90度一気に切る方法で、これを使えば車は横滑りしながら半回転し、スピードもかなり減速するだろう。

一番、危険な考えは、対向車にぶつけて止めようとすること。万が一、崖やガードレールに突っ込む以外手段がなくとも、できるだけ下に樹木のある場所を選べば、転落しても数メートル落ちるだけで済む可能性もある。いずれにせよ、冷静に車を走行させること。パニックに陥るのは一番危険だ。

最悪の状況を乗り切る100の解決策

レイプされそうになったら

身を守るために取るべき行動

強姦被害に遭わないためには、夜に出歩かない、戸締りをする、不用意に玄関のドアを開けないなどの防犯はもちろんだが、もし危険な状況になってしまったらどうすべきか。

万が一の際に取るべき行動を、状況別にいくつか紹介しておこう。

▼携帯で会話しているフリをする

人通りのない夜道などで危険を感じたら、携帯電話やスマホを取り出し、誰かと話している演技をしよう。相手は助けを呼ばれると感じ、躊躇したり、そのまま逃げ出すかもしれない。

▼防犯グッズを活用

いざというときは催涙スプレー、スタンガンなどで相手を撃退しよう。そのためには常に携帯しておくことが前提となるが、いつでも稼働できるよう、スプレーなどは発射ノズルの位置や使い方を確認しておくべし。ちなみに非常ベルなどは周囲に人がいないと役に立たない可能性もある。

▼股間を蹴る

写真はイメージ。本文とは直接関係ありません

撃退用のグッズがない場合でも、相手にダメージを与えることをあきらめてはいけない。最も効果的なのは、男性の股間を下から突き上げるように、思い切って蹴り上げる方法だ。失敗すれば余計に相手を逆上させる危険はあるが、試さない手はない。

▼受け入れるふりをする

どうしても抵抗する勇気が出ない場合は、応じる態度を見せよう。そして、相手が油断した瞬間に一目散に逃走。ホテルの部屋などで襲われそうになった際は、いったんトイレやシャワールームに入り、中から携帯などで助けを呼び時間を稼ぐのも良いだろう。

とにかく、あの手この手を使い、被害から免れるべし。ちなみに、ジャズピアニストの綾戸智絵さんがアメリカで襲われた際は、へらへら笑い、失禁してみせたところ男性グループは逃げて行ったそうだ。

それでも運悪く、被害に遭ってしまった場合は、72時間以内に産婦人科へ行こう。ケガがなくても、妊娠と性病の検査をし、自分の体を守ることが第一。妊娠を防ぐため、アフターピルなどで緊急避妊を行うことも可能だ。

また、被害に遭った後は心的ダメージも大きい。決して1人で悩むのではなく、全国各地にある「性暴力被害者支援ワンストップセンター」などに相談し、専門的なサポートを受けることをオススメする。

最悪、車外へダイブし、木の棒をイメージして転がれ

車に拉致されそうになった、連れ込まれた

最悪の状況を乗り切る100の解決策

「道を教えて」「地図を見てくれる?」などと車の中から声をかけ、子供や女性を誘拐して連れ回したり、強姦する事件が後を絶たない。中には、通りがかりに複数の男たちに力ずくで車内に押し込められてしまう強引な手口まで報告されている。嫌な話だが、近年、動画サイトなどでは「拉致レイプ」なる言葉がタイトルに付く作品が多い。文字どおり、車などで拉致した少女や女性を強姦するストーリーのAVで、これを真に受け、マネをする輩が少なくないのだ。

重要なのは「危機意識」を持つことだ。「自分は大丈夫」などという根拠のない自信は捨て、外を出歩く際は、怪しいワンボックスカーがないかなど警戒を怠らないこと。複数の男性に連れ込まれたら防ぎようがないが、とっさに叫んだり抵抗したりして男たちの手を振り切ったら車の向きと反対方向

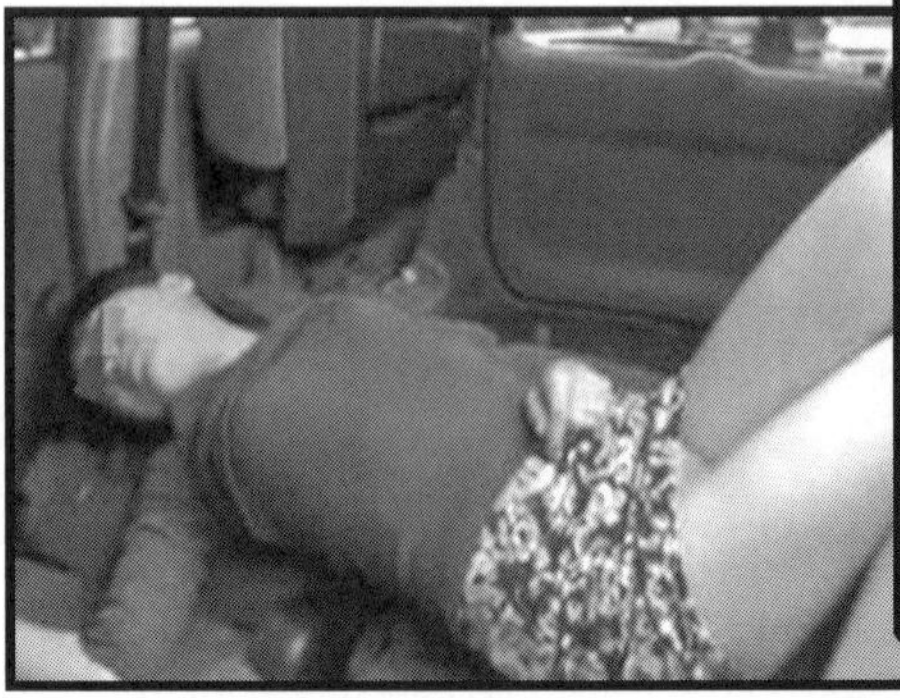

写真はイメージ。本文とは直接関係ありません

車から飛び降りるのは危険も伴うが…

に逃げる。車がUターンする間に時間を稼げるので、その間に近くのコンビニなり店などに逃げ込むのが最善だ。

　男の手がどうしても抜けない場合は、大声を出しながら地面に横になり暴れる。車内に連れ込むのに時間がかかれば、人目に付くのを恐れて相手があきらめる可能性もある。過去には、声を聞きつけたタクシー運転手が助けに入ったり、たまたま通りかかった人が車のナンバーを警察に通報して暴行未遂で捕まったケースもある。

　もしスマホでも見ながら歩いていれば、何が起こったのかわからないうちに車に閉じ込められてしまうだろう。が、車内に連れ込まれても、ドア側の位置なら最悪、車から飛び降りる方法はある。カーブなどで減速した際、首をすくめ、体を丸め、できれば進行方向の斜め後ろをめがけてダイブ。自分を木の棒だとイメージし、コロコロ転がりながら飛び降りれば衝撃は和らぐ。運良く脱出に成功したら、車種や車の色、ナンバーを警察へ通報しよう。

屋外で「通り魔」に遭遇した

優先順位は、逃げる＞隠れる＞防御する

写真はイメージ。本文とは直接関係ありません

２００８年６月８日の昼過ぎに起きた、秋葉原通り魔事件。犯人の男は、トラックで街中に突っ込み歩行者５人をはね飛ばした後、サバイバルナイフで通行人らを無差別に切りつけ７人を殺害、10人に重軽傷を負わせた。これほどの甚大な被害をもたらした例は稀としても、無差別に危害を加える凶悪な通り魔事件は最近も発生している。

２０１８年６月９日、新横浜－小田原間を走行中の東海道新幹線の車内で22歳の無職男性が乗客３人を鉈で切りつけ１人を殺害（２人は重症）。２０１９年５月８日には、神奈川県川崎市でスクールバスを待っていた小学生の児童や保護者らに51歳の男性が柳刃包丁２本で襲撃、児童と保護者の２人が死亡し18人が負傷する事件が起きた（犯人はその場で自殺）。通り魔事件は決して他人事ではないのだ。

もし付近で、爆発音、悲鳴、奇声などが聞こえても、好奇心から近づくのは厳禁だ。少しでも危険を感じたら慌てずその場所から逃げ出すことが最優先だ。通り魔が目前に迫っている状況でも、逃げるのが最善である。通り魔は、ほとんどの場合が攻撃の直前まで凶器を隠し持ち、短いストロークで襲ってくる。護身術に長けた人でも、勝てるとは限らない。よほどの緊急時以外は戦おうなどと考えてはいけない。体が思うように動かないなら、犯人の視界に入らないよう身を隠す。建物などの影で、携帯電話が鳴ったり音を立てないように潜んでおくべきだ。

万が一犯人と対面してしまった場合は、被害を最小限に収めることに集中する。日本で最も犯行に使われやすいのは包丁やナイフなどの刃物なので、カバンや雑誌などで防ぐのが有効だ。2018年の東海道新幹線車内殺傷事件では、車掌が外したシートの座面やキャリーバッグを盾のようにして構えながら、刃物を振り下ろす犯人に近づき説得している。

ナイフで刺されそうになっても、戦わずバッグなどで身を守ることに専念しよう
（エンリッチ編集部「身の回りの物も利用する最強護身術」より）

間合があれば、財布や携帯電話など持ち物を犯人目がけて投げつけ、怯んだ一瞬の隙に逃げ出すか、武器を持っている方の手を攻撃し武器を奪うことを心がけよう。まともに組み合うのではなく、足を思いっきり踏んだりするのが安全かつ効果的だ。

ただし、こうした対処法も相手が複数なら通用しないだろう。「攻撃は最大の防御」という言葉は基本的に1対1の場合にのみ有効。集団による通り魔事件に遭遇した際は、とにかく命がけで逃げるしかない。

海で「離岸流」に巻き込まれ沖に流されたら

岸と並行に泳ぎ、ゆっくり海岸を目指せ

海水浴場に行き、波打ち際で遊んでいたはずが、気づくと沖に流されていたという経験を持つ人は多いはず。何人ものライフセーバーたちが高所から見張っていても、毎年、海水浴場で溺死者が出る原因の多くが、「離岸流《りがんりゅう》」と呼ばれる沖へ向かう海流である。

一般的に、海岸に近い海域では海水は循環しており、海岸に向かって強風が吹くと、海水は波となって海岸へ打ち寄せられる。その波は海岸にぶつかると、いったんは海岸に沿って流れるが、別の流れとぶつかることで海岸から沖合に向かう流れが生じる。これが「離岸流」だ。規模は海岸の構造によって異なるが、通常は幅10メートル前後。局所的ながら、水泳男子10

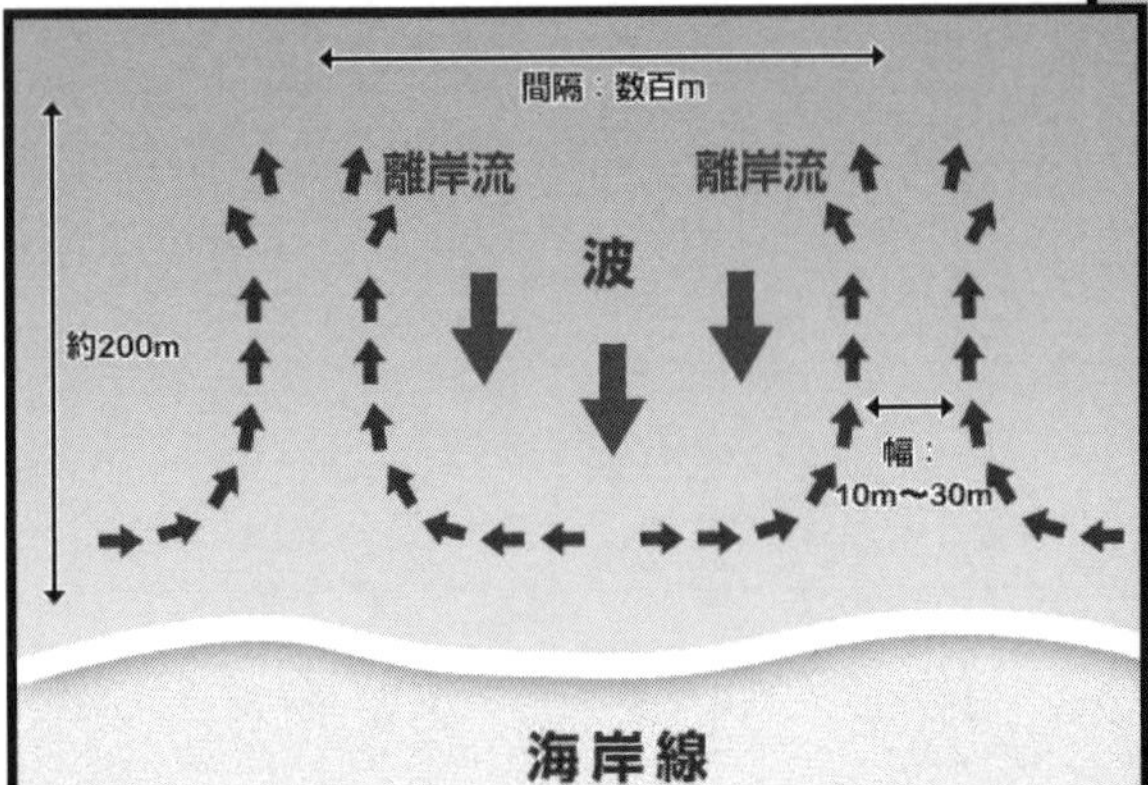

離岸流のシステム

0メートル自由形の世界記録（約47秒）と同等の速さで沖に流されてしまうという、強力な引き潮だ。

見分け方としては、白波が立っているのに一部ほとんど波が立っていない箇所がある、周囲よりも波の砕けかたが小さかったり海水が濁っている、サーファーが多い（サーファーは離岸流を利用して沖に向かうことがあるため）が挙げられ、防波堤や防潮堤、打ち寄せる波の力を弱めるために沖合に造られた「離岸堤」など人工構造物が近くにある海岸で発生しやすいとされる。

2012年8月、韓国・釜山海水浴場で、
およそ140人が離岸流に流された際の様子

万が一離岸流に巻き込まれてしまっても、決してパニックになる必要はない。無理して流れに逆らい岸を目指すのはもってのほか。とりあえず流れに身を任せて、流れが穏やかになったところで、ひとまず岸と並行か、岸に向かって斜め45度に泳ぐべし。離岸流の幅は10メートルからせいぜい30メートルほどなので、沖への流れが弱くなって離岸流から抜け出したところで、ゆっくり海岸に向かえばいいだろう。

泳ぎが得意でない人も、まずは離岸流から抜けることが先決だ。海水は真水より浮力が働くので、体に無駄な力を入れないよう心がけさえすれば、無理なく浮いていることができるはずだ。

間違っても下ってはいけない。あせらず救助を待つか、山頂を目指せ

登山中、道を見失った。遭難か!?

警察庁のまとめによると、２０１８年1年間の山岳遭難者数は2千９３７人（うち死者・行方不明者２９９人）。目的別にみると、登山（ハイキング、スキー登山、沢登り、岩登りなども含む）が75・７％と最も多く、態様別では38・９％の「道迷い」が一番だ。

登山の途中などで道を見失ってしまった場合は元いた場所まで戻るのが鉄則で、戻れない場合は無闇に動き回らず体力を温存して救助を待とう。決してやってはいけないのは、山を下ること。登山道ではないところを下っていけば、絶対に沢筋に入り込み、滝や崖など脱出不可能な場所に追いつめられてしまう。

体力があるなら、山頂を目指そう。登山道は山頂を中心に何本か整備されているため、歩いているうちに見つかる可能性も高い。もし、

**死亡事故につながる遭難は
沢筋で起きているケースが多い**

登山道が発見できなくとも、山頂に着けば下るルートは見つかるし、捜索隊が出ていた場合は確認してもらいやすい。
誤って転落し怪我を負ってしまった際は、真っ先に考えたいのが体力の温存だ。その場で動かず救助を待つのが基本。もし天候が悪化した際はハイマツの中など少しでも雨風をしのげる場所に移動して天候の回復を待とう。
また、複数でパーティを組んでいるときは、バラけないのが原則である。仮に中の誰かが行動不能になってしまったら、リーダーがその人に付き添い、サブリーダーが残ったメンバーをまとめる。あるいは、サブリーダー的なメンバー数人にルートを探させるなどし、経験の浅い人や体力的に弱い人を単独の状態にしてしまわないこと。それは、彼らに死ねと言っているようなものだ。

サメに襲われたら鼻の頭を叩け

神経が集まる敏感な部位を攻撃するのが効果的

遊泳中、サメに襲われたら、まず死を覚悟するだろう。実際、サメによる死亡事故は多発しており、2018年11月、オーストラリアのサンデー諸島で33歳の男性が両足と片腕を噛まれ死亡。2021年1月には、ニュージーランド最大都市オークランドに近いワイヒ・ビーチで若い女性がホホジロザメに襲われサメに襲われ命を落とした。

一方、こんなケースもある。20

凶暴なことで知られるホホジロザメ。近年、日本近海でも目撃されている

20年7月、オーストラリア・西オーストラリア州の沿岸の町ナチュラリストのバンカーベイという湾で、28歳の男性サーファーが体長5メートルのホホジロザメに襲われた。サメは男性の右脚に鋭い歯を立てたが、彼はサメが大きな口を開けると同時に、サーフボードをその口に押し込んで顎の動きを奪い、続いてサメの頭部を何度も拳で殴打し撃退に成功。病院では傷口を63針縫ったものの命に別状はなかったという。

報道では、この男性が殴ったサメの部位が「頭部」としかわかっていないが、もしかしたらそれは鼻先だったかもしれない。というのも、サメの鼻先はロレンチニ器官というセンサーを持った敏感な部位で、ここをしつこく叩けば、急に力が抜けたように大人しくなる場合もある。仮に硬い石や金属などで攻撃すれば、サメは食べられないと瞬時に判断し退散するだろう。

もっとも、サメと遭遇して戦いを挑むのはあまりにリスキー。サメを見かけたら、脅かさず静かに浮上するか、岩陰などに隠れるのが賢明だ。万が一の場合は、鼻か、目を攻撃すべし。これまたオーストラリアの例だが、頭から上半身を食われかけた男性が辛うじて伸ばした手の先に、テニスボールくらいのサメの目玉があったので、これを力一杯握り潰したところ、サメが思わずアゴを緩めて口を開け、その隙に逃れたことがあったという。

こうした事故は海外だけの話ではない。日本でも2017年10月に夫婦で石垣島にスキューバダイビングに訪れていた30代の妻が、翌11月には静岡県焼津市でカヌー中の男性がサメに襲われ死亡している。最も重要なのは、サメが出没しそうな場所には決して出向かないことだ。

山中でクマにバッタリ出くわしてしまった

慌てず騒がず静かに話しかけ「臨海」の外へ出ろ

環境省の調査によると、２０１９年度のクマによる人身被害は全国で１４０件、前年度の3倍近く増加したそうだ。直近では２０２１年4月10日、北海道厚岸町の山林で男性がヒグマに襲われ死亡している。男性は妻とともに山菜刈りをしていたが、妻がヒグマの影を見てその場を離れようとすると、夫の悲鳴が聞こえ振り返るとヒグマが夫を襲っていたという。約2時間40分後、頭から血を流して倒れている男性を厚岸署員や消防署員らが発見、死亡が確認されたそうだ。

基本的にクマは警戒心が強く、むやみに人間を攻撃しない。が、5～7月の繁殖期は気が荒くなる傾向にあり、被害もこの時期に集中している。これを念頭に、山中などでクマに遭遇したときの対処法を紹介しよう。

まず、注意すべきは自分とクマの距離だ。クマが危機感を覚え攻撃的になる「臨界」（12メートル以内、子連れなら20メートル以内）の外にいる場合は、人間の存在に気づいていない可能性があるので、走らず、慌てず、静かにクマから遠ざかること。臨界内にいる場合でも、クマが違う方向に向かって歩

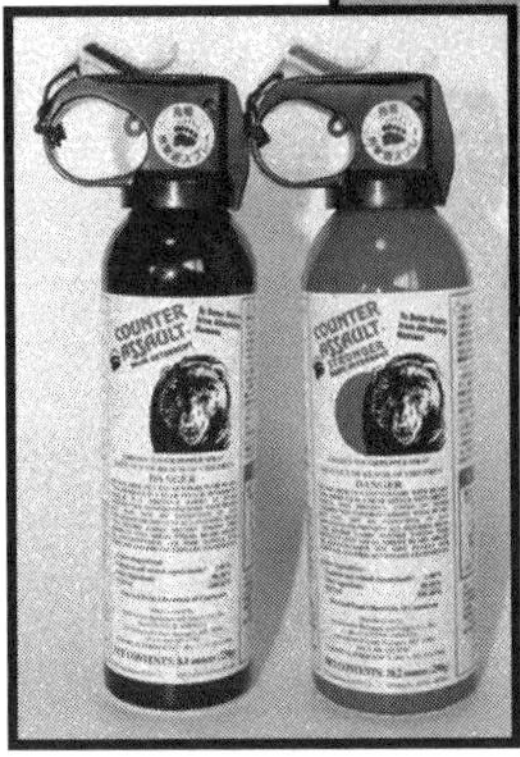

「クマ撃退スプレー」も効果あり。ただし、対人用スプレーは逆にクマを刺激してしまうので要注意

いているなど、こちらに気づいていなければ静かにその場を立ち去るのが一番だ。仮に明らかにこちらを認識しているようなら慌てずに話しかけよう。最初は穏やかに、クマから目を離さず普通の声で話しかける。通常なら人間とわかった時点で立ち止まり、離れて行くはずだ。

　クマが理由なく襲うことはないので、落ち着いて話しかけ、静かに後ずさりしながら臨界の外に出る。それでも近づいてくるようなら、覚悟を決め、目を睨み付け、唸り声を上げ、徐々に声の音量を上げていく。石の上に立って両手を挙げて自分を大きく見せるなどしてクマが怯むまで全力を尽くす。万が一、飛びかかってきたら、致命傷になるのは後頭部から頚部への打撃なので、体を団子虫のように丸め、両手を後ろに組んで後頭部から頚部、腹部を守る。クマの攻撃は1分以内と言われているので、この時間を耐え切ろう。

　ちなみに、死んだふりや木に登るなどの行為は全く効果がない。また、クマは最高時速60キロで走れるので、背中を見せて逃げるのも自殺行為でしかない。

山中で雪崩が発生、巻き込まれた

雪の流れに乗ってバタフライで泳ぎ、表面に浮上しろ

２０１７年３月、栃木県那須町で高校生ら８人が雪崩に巻き込まれ死亡する事故が発生した。スキー場の近くとはいえ、雪崩注意報発令中の惨事で、対策も杜撰だったなど人為的な面も指摘された。

たとえ整備の行き届いたスキー場でも、天気の状況によっては雪崩が起きる危険性もあれば、自分たちの行動次第で雪崩を誘発してしまうケースもありうるが、日本国内における過去30年の雪崩事故を分析した書籍『雪崩事故１９０』によれば、実際に雪崩事故に遭うケースで最も多いのは「登山者」で全体の約半数を占めるという。最近では、２０２１年３月14日、長野県松本市の乗鞍岳に登山中だった男性５人が雪崩に巻き込まれ、このうちの１人が死亡する事故が起きた。もし実際に、自分の周りで雪崩が発生したらどうすればいいのか。

今は、登山やスキーで雪山に入る際は、「雪崩ビーコン」なるトランシーバ

（無線機）を携帯し、雪崩発生多発帯などでは常時ビーコン信号を発信するのが常識だ。仲間が雪崩に巻き込まれた場合は、巻き込まれた地点と、姿が見えなくなった地点を確認。雪崩が収まった時点で、両地点にポールなどの目印を立て、ビーコンで位置を特定などして直ちに掘り起こす。

と、言うのは簡単だが、雪に埋もれてしまえば口や鼻が雪で塞がれ窒息の危険があり、35分後の生存率はたった30％との統計もある。また、低体温症に陥ってしまうと、埋まってから2時間後の生存率はほぼゼロ。自分が雪崩に巻き込まれた場合も同様に、一刻も早く発見・救助してもらわないと命はない。

もし雪崩が自分の所に来るまで猶予があるなら、横方向に逃げるのが基本。間に合わず、巻き込まれてしまったら、体から荷物を外して、立ち泳ぎやバタフライの要領で、雪の流れに乗って泳ぐように雪崩の表面に浮かび上がることを心がける。そして、雪の動きが止まりそうになったら窒息しないよう、ひじや手を三角形にして、口の周りに空間を作ろう。

身動きが取れずに自力脱出が不可能なら、耳を澄ませて救助者の声がしないか確かめ、聞こえたら大声を出す。後は、酸素消費を抑えるためにも、無駄に動かずじっとしているのが正解だ。

雪崩用ビーコン。雪山に入る際は必ず携帯すべし

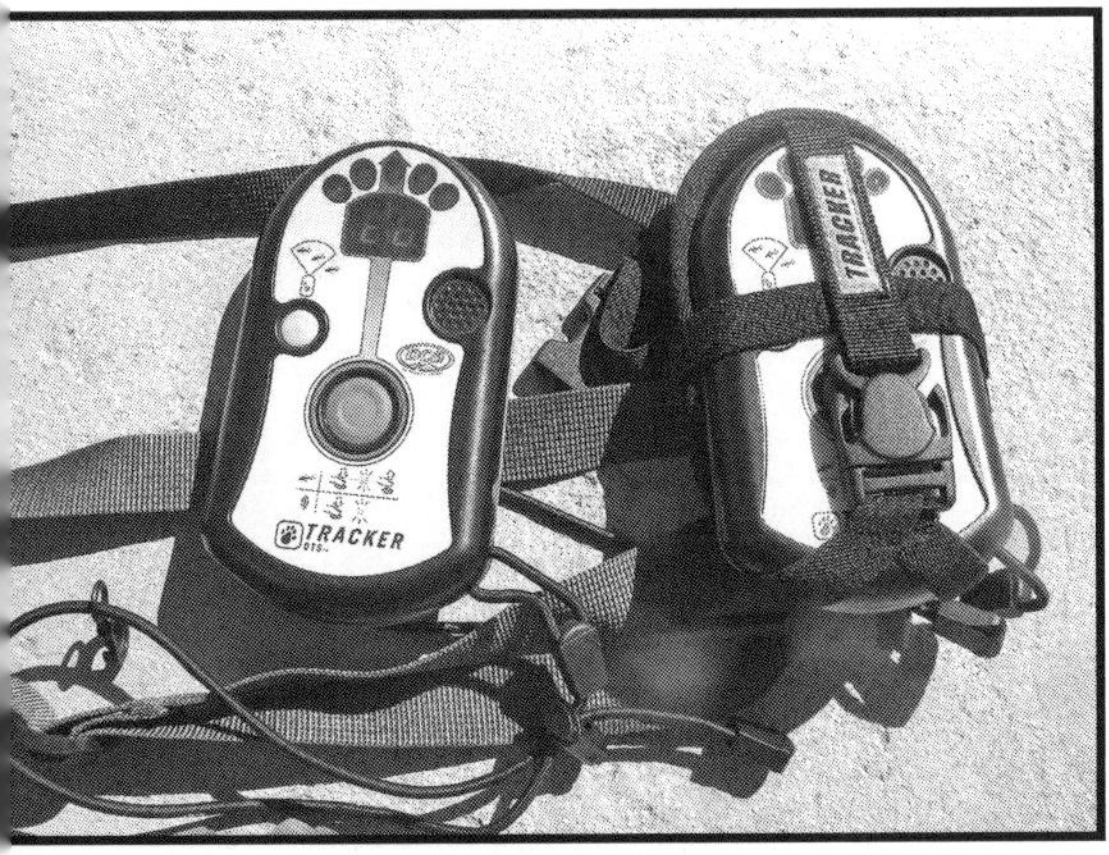

屋内なら窓のない部屋、屋外では頑丈な構造物の物陰に身を隠せ

巨大な竜巻に襲われた

最悪の状況を乗り切る100の解決策

竜巻＝トルネードは、アメリカなどの広大な大地を暴れまくるイメージだが、近年、異常気象に比例してか、日本各地での発生ニュースをよく耳にする。気象庁の発表によれば、２００７年から２０１７年を平均した１年当たりの竜巻発生確認数は、海上竜巻を含め約55件にのぼるという。

21世紀以降、国内で竜巻による甚大な被害をもたらした例は、２００６年９月の宮崎県延岡市（死者３名、負傷者１００名以上）、同年11月の北海道・新佐呂間トンネル工事現場付近（死者９名、負傷者23名）、２０１１年11月の鹿児島県大島郡徳之島町（死者３名）などが挙げられる。死に至った原因は突風で叩きつけられて頭を強打したことによる脳挫傷、首が風に持って行かれてガクガク激しく揺さぶられての頚椎損傷。さらに、２０１２年５月に茨城県で発生した竜巻では、14歳の男子中学生が全壊した自宅の下敷きになって亡くなり

（唯一の死亡者）、２０１９年10月には千葉県市原市で台風により竜巻が発生、走行中の軽トラックが横転・大破し、運転していた男性が死亡した。

時に命をも奪う竜巻。もし巻き込まれたらどう対応すべきか。まず、竜巻の前兆に注意。雲の底から地上に伸びるロート状の「漏斗雲」や、ゴーっという音、耳に違和感が出る気圧の変化などを感じたらすぐに身を守ろう。

屋内では、１階に移動して窓やカーテンを閉め、丈夫な机やテーブルの下に入るなど身を小さくして頭を守る。屋外にいるなら、電柱や樹木、物置、プレハブなどは倒壊の危険性があるので側を離れ、頑丈な構造物の物陰に入って身を小さくしているのが良いだろう。

竜巻が遠くに見えるレベルなら車で逃げるのもいいが、竜巻の移動スピードは場合によっては時速１００キロを超える。車ごと吹き飛ばされないよう、車外に出て避難場所を探す方が賢明だ。ただし、高架下は風速が増し、通過する際には逆風になることもある。実際、アメリカでは高架下に避難するとケガや死亡のリスクが増大するとの統計結果が出ているので要注意だ。ちなみに、竜巻は川を渡らない、建物の多い都市は直撃しないと言われているが、両方とも迷信にすぎない。

竜巻発生中に車で逃げるのは極めて危険

基本は「浮いて待つ」。濁流に飲み込まれたら大木や電柱にしがみつけ

台風や豪雨で大洪水に巻き込まれた

川には絶対に近づくな

２０１９年秋、千葉県が立て続けに風と雨の被害に遭った。まずは９月５日に発生した台風15号（令和元年房総半島台風）。同台風は９日、中心気圧９６０ヘクトパスカルという大きな勢力で千葉市に上陸し、千葉市中央区で観測史上第１位となる最大瞬間風速57・5メートル、最大風速35・9メートルを記録。倒れた木の下敷きになったり、海水浴中に流されるなどして県内だけで８人が死亡した。建物倒壊、停電の長期化、断水・通信障害など、市民生活や産業活動の多方面に生じた被害の復旧がまだ終わらない翌月10月12日、今度は台風19号による豪雨に襲われ１人が死亡（全国の死者・行方不明者は１０８人）。さらに同月25日には非常に強い台風21号が関東の東海上を北上し、この際も大雨に見舞われた。

日本は、毎年のように豪雨、巨大台風に襲われる。それに伴い洪水が発生したら、ニュースが伝えるように「川や用水路などには絶対に近づかない」で、家に居るのが鉄則だ。自動車なら大丈夫だろうと

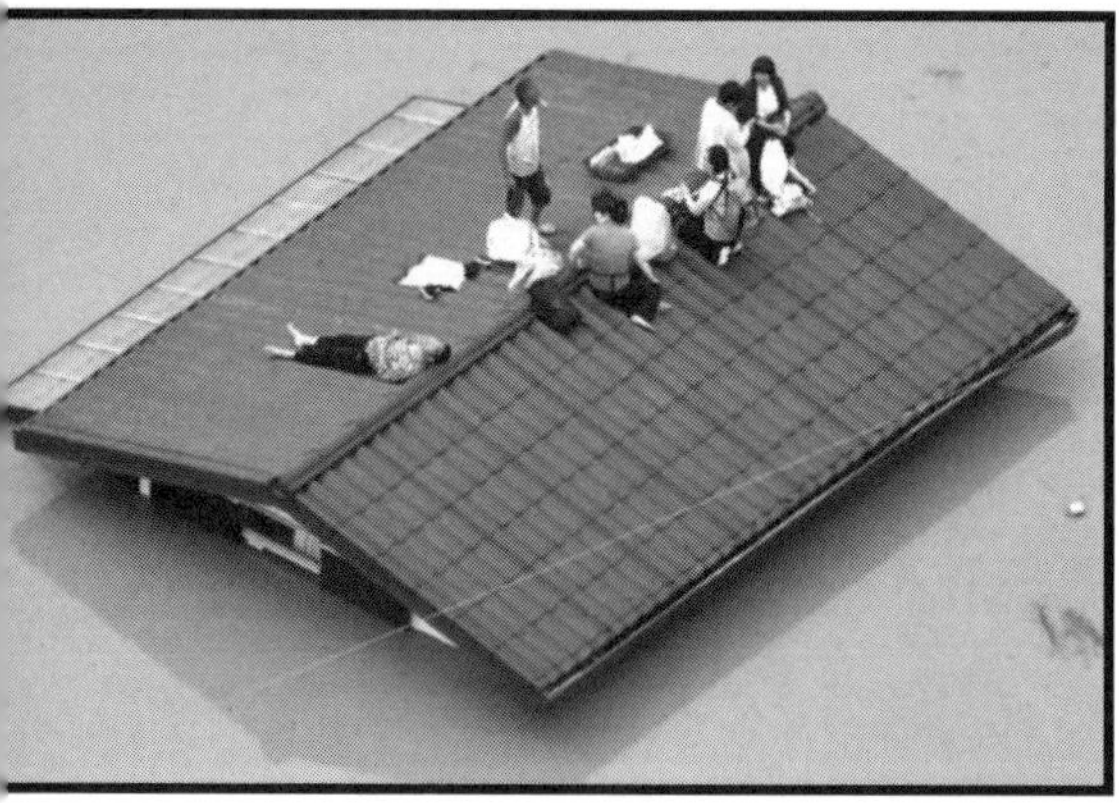

2018年7月の西日本豪雨で、屋根の上に避難する人々（岡山県倉敷市）

迂闊に外出すると、風雨でワイパーが利かなくなったり、高架橋などの下では水没の恐れもある。

家屋への洪水が予測される場合は（余裕があれば重要な家財道具を2階3階の高所に保管してから）必要最低限の物だけを持参して行政の定める避難所へ待避。出先なら、地下室や地下駐車場などを避け、なるべく高いところへ逃げよう。

それでも、洪水に巻き込まれたらどうするか。足が着くならまだしも、頭の上まで浸水したらパニックになってもおかしくない。

こうした場合、基本は「浮いて待つ」ことだ。靴やクロックス、サンダルの素材には空気が含まれているため、履いたまま水に浮き、体を水平に保っておこう。水面に顔を出そうとしたり、手を上げて助けを呼ぼうとしたら、体が垂直になることで沈みやすくなり、溺れる可能性が高まる。

これが濁流となれば話は別だ。土砂による窒息の危険に加え、押し流される樹木や瓦礫に激突して致命傷を受けかねない。この場合は、流れに身を任せながらも、大木や電柱などを探して体を固定、確保するのが最善だ。

ちなみに、車に乗っていた場合の対応はケースバイケース。救助がすぐ来るようなら車に乗ったままの方が安全だが、そうでなければ車内に閉じ込められ、確実に水没する。流されたとわかったらすぐに車外に出た方が生存率は高い。

登山中に火山が噴火した

落下物、熱風があなたの命を奪う

2014年9月に噴火した御嶽山は「噴火警戒レベル1」だった

２０１４年9月27日、長野県と岐阜県の県境に位置する御嶽山《おんたけさん》が噴火し、火口付近に居合わせた登山者ら58名が死亡した（他に行方不明者が５名）。これほどの死者が出たのは噴火警戒レベルが最も低い「１」だったからだ。専門家はもちろん、登山者全員が安全と信じ、噴火を予想した者は１人もいなかった。

日本は、世界的にも珍しい火山大国だ。現在、国内には１１１ヶ所ある活火山のうち、20ヶ所が活発化。気象庁が24時間体勢で観測・監視している火山は47もあるという。いつ何時、どの火山が噴火してもおかしくない状態なのだ。

事前に警戒レベルを確認し、噴火の危険性が高い場合は近づかないことは言うまでもない。が、御嶽

御嶽山の噴火は誰も予想できなかっただけに、登山者の大半が軽装だった

山のように、予期せぬ噴火に直面した場合、生き残る方法はあるのだろうか。

御嶽山の噴火に関して、警察は死亡が確認された人々の死因を公表していないが、多くの負傷者の応急処置に当たった病院関係者によれば、死因の多くは噴石の直撃や、熱風を吸い込んだことによる気道熱傷との見方を示している。つまり、落下物の当たり方や打ち所や、吸い込んだ熱風の程度が生死を分けたのである。

万が一、火山が噴火したら、火山灰を吸い込まないよう防塵マスクなどを着用するのが鉄則。コンタクトレンズを使用している場合はメガネに切り替える。火山灰が中に入り込むと、最悪、失明につながりかねないからだ。火山灰が皮膚に付くと炎症を起こす可能性もあるので帽子を被り、長袖・長ズボンで身を守りたい。落下物の直撃によるダメージを少しでも和らげるため、ヘルメットやゴーグルも必ず着用しよう（それもグッズがあればの話だが）。

むろん、一刻も早い避難が最優先である。火山灰に覆われたら脱出は極めて困難だ。ここで注意したいのは、移動手段だ。早めの避難には自動車が有効だが、火山灰が多くなるにつれ見通しが悪くなるうえ、道路がすべりやすくなるため、ブレーキも利きにくくなる。近ければ、徒歩での避難も考えておこう。

火より怖いのは一酸化炭素混じりの「煙」

ビルで火災に遭遇した

2017年6月14日、イングランド・ロンドン西部に建つ24階建ての高層住宅棟「グレンフェル・タワー」で火災が発生、79人（推定数含む）が死亡した。出火元は米家電大手ワールプールの冷凍冷蔵庫で、築43年24階建てのこの住宅は、建物の外装材と断熱材の安全性試験で合格基準値に達していなかったという。

こうしたビル火災で最も恐いのは、炎より煙である。出火により発生した煙は最初は白く、徐々に黄色くなり、最後には真っ黒になって視界を遮る。よって、煙の色が白いうちに屋外に脱出することが重要だ。

火災で発生する煙には無色無臭の一酸化炭素が混じり、吸い込めば酸欠状態になったり、一酸化炭素中毒を発症。めまいや頭痛、

天井付近の煙は突然下降し始める（2014年7月「照明工業会報」より）

痙攣などの症状が現れ、時には意識を失ったり体が動かなくなったり、濃度が高ければ数分で死亡してしまうこともある。

煙を吸い込まないためには、マスクやタオル、衣服などで鼻と口を塞ぎながら、慌てず避難するのが鉄則だ。ハンカチなどは濡らした方が良いが、逆に目詰まりして呼吸ができなくなる場合もあるので要注意。走るのも危険で、呼吸量が増えて煙を吸い込みやすくなる。また、室内では煙は高い所から充満していくため、姿勢を低くして脱出しよう。床を這うようにすれば、まだ空気が残っている可能性もある。特に、床と壁のL字の部分や、階段の角などには空気が残りやすいため、こうした場所で息継ぎをするのも良い。手近にゴミ袋などがあれば、それで口と鼻を覆って、袋の中の空気を吸うのも有効だ。

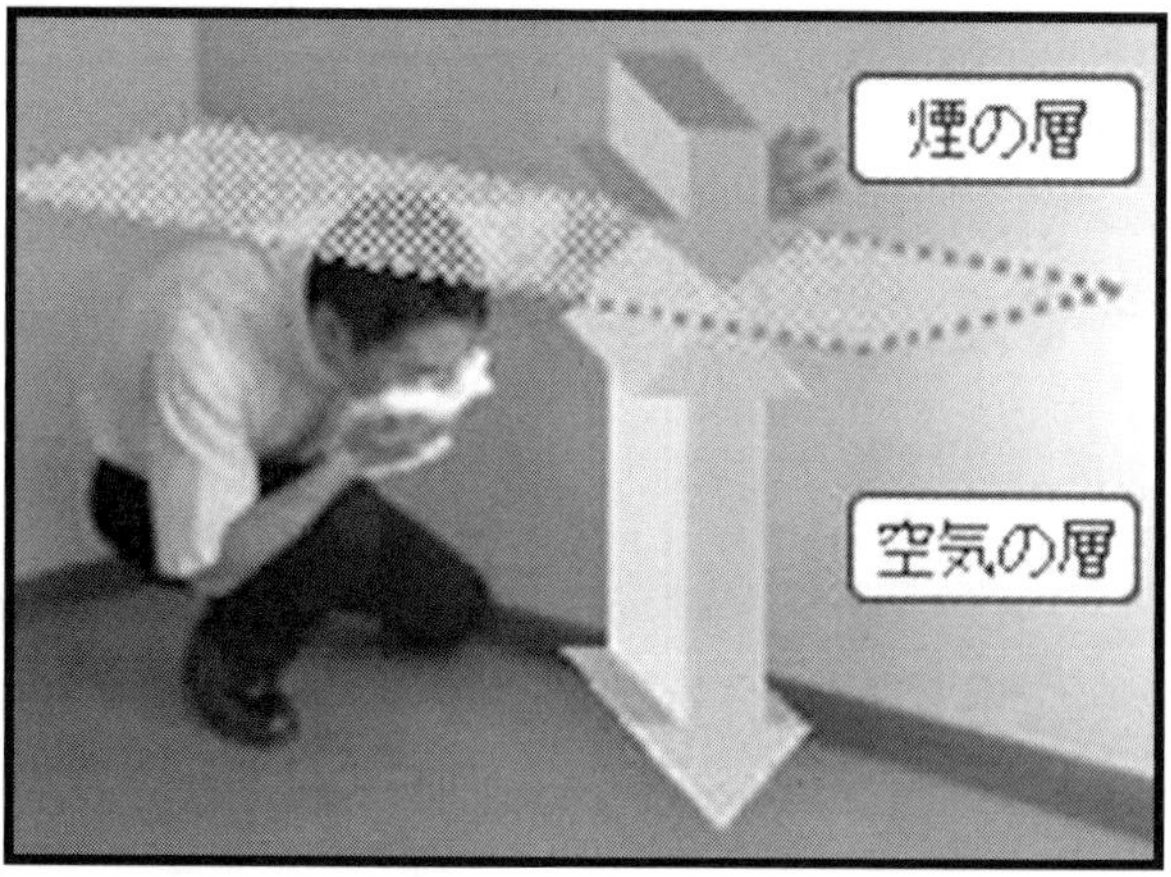

煙は天井から溜まっていき、煙の層と空気の層に分かれていく。床近くは空気が残っているので、なるべく姿勢を低くし、口を押さえながら避難すべし（横浜市消防局のHPより）

エレベータは、いつ止まってしまうかわからないので使用は厳禁。万が一、閉じ込められたら逃げられず問答無用で煙に巻かれてしまう。焦る気持ちを抑えながら非常階段などで下に逃げよう。ただし、自分がいるより下の階で火災が発生し、脱出が困難な場合は、上に登り屋上などで救援を待つのが賢明だろう。

スカイダイビングの最中、パラシュートが開かなくなった

死亡事故は5万回に1件程度らしいが…

スカイダイビングにパラグライダー、ベースジャンピング、スカイサーフィンなど、パラシュートを使ったスポーツは多い。最近では、飛行機の代わりにドローンで人間を上空に運ぶ「ドローン・ダイビング」まで行われ、ますますパラシュートを使うチャンスが増えている。

が、いざ空中にダイブしたはいいが、パラシュートが開かず落下してしまうのではないかという恐怖はぬぐえない。最近では、2018年10月、米カリフォルニアの「ローダイ・パラシュート・センター」で、スカイダイビングをしていた女性がパラシュートが開かずに地上に墜落、死亡するという痛ましい事故が起きている。

ちなみに、パラシュートの事故率は総ジャンプ数の把握が困難なため正確な統計がないが、一説には重傷を負う事故が1千回に1件、死亡事故は5万回に1件程度といわれている（日本国内の死亡事故は2007年から2017年の間に5件発生）。

もし、自分のパラシュートが開かないことに気づいたら、すぐに一緒に降下中の仲間に合図を送り、

2015年、イギリスの空挺部隊が実施したスカイダイビグンショーでの出来事。パラシュートが開かなくなった隊員（下）を別の隊員が支え、2人して着水に成功

緊急事態を伝達。仲間のパラシュートで支えてもらうことで生還への道が開ける。

2015年、イギリスで行われたスカイダイビングショーで、まるでお手本のような出来事があった。上空から飛び出た空挺部隊員のうちの1人のパラシュートがうまく開かなかったのである。その隊員が助けを求めると、近くを飛んでいた仲間の1人が少しずつ近づいてきて、件の隊員のパラシュートをつかむことに成功。そのまま2人で降下したのである。

ただ、1人分の重量で考えられているパラシュートに2人がぶらさがれば、重みで落下速度は増し、着地の瞬間の衝撃は計り知れない。芝生や地面に降り立てば、足が折れるぐらいは当たり前。場合によっては大怪我を覚悟しなければならないところだ。が、さすが精鋭のイギリス軍空挺部隊の隊員は、巧みにパラシュートを操作。近くの港に着水して2人とも無事に生還したという。

言うまでもないが、一般人が単独でパラシュートを利用する機会はまず無い。有資格者と一緒に飛び、万が一の場合はプロに救助を求めよう。

窓を割って脱出するか、水圧差の減少でドアが開くのを待て

車ごと海に転落してしまった

最悪の状況を乗り切る
100の解決策

２０２１年１月20日午前8時50分ごろ、徳島県鳴門市鳴門町土佐泊浦の亀浦港の防潮堤から、44歳男性運転の乗用車が海に転落した。男性は「運転中に海に落ち、足元まで水が入ってきている」と自ら１１０番し助けを求めたが、消防が到着した頃は時すでに遅し。約１時間後、搬送先の病院で死亡が確認された。死因は溺死だったそうだ。

アクセルとブレーキの踏み違えなどが原因で、車が海に転落する事故が時々起きる。もし自分がそんな危機一髪の状況に遭遇したら、どんな行動を取ればいいのか。まず覚えておきたいのは（車種によっても異なるが）車は水中に転落しても数分間は浮いていること。その間に窓から脱出するのが一番だ（ドアは水圧で開かない）。パワーウィンドウなら、電気系統がショートするまでの猶予はほんの１～２分。一刻も速い行動が肝心である。

窓ガラスが開かなければ叩き割るしかない。とはいえ、素手では不可能なので、何かしらの固い道具が必要。ＪＡＦ（日本自動車連盟）が女性を被験者に行った実験によれば、ヘッドレスト、小銭を入れ

緊急脱出用ンマーは2〜3千円で購入可能。ぜひ装備しておきたい

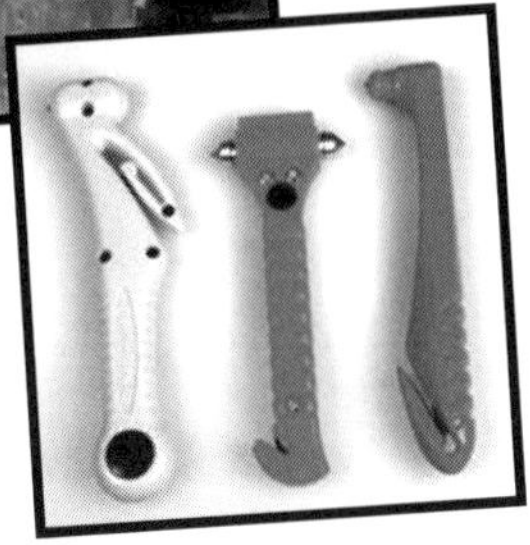

JAFの実験の様子。小銭を入れたビニール袋ではびくともしないが（上）、脱出用ハンマーを使うと窓ガラスは粉々に

たビニール袋、スマートフォン、ビニール傘、車のキーなど、車内にありそうなモノでは、いくら強く叩きつけてもガラスは割れなかったが、緊急脱出用ハンマーを使えば、いとも簡単に粉々になったそうだ。

　この結果から、万が一に備え、ホームセンターやカーショップなどで適当な脱出用ハンマーを購入し、ダッシュボードなど、すぐ手の届く場所に常備しておく必要があるといえそうだ。ちなみに、割るのはサイドガラスの中央部。フロントガラスは頑丈なので、破壊するのはまず不可能だ。

　ハンマーがなく、ガラスが割れない場合は、いったん車内に水が溜まっていくのを待つべし。水面は首を超えるくらいになるとドアの内外で水圧差が減少、ドアが開く場合もある。決してあきらめてはいけない。

もし、突然エレベータが落下したら

中央部でうつ伏せになり、天命を待て

最悪の状況を乗り切る100の解決策

２０１８年11月16日、アメリカ・シカゴの１００階建てビル「ジョン・ハンコック・センター」で信じられない事故が起きた。６人の客が95階のエレベータに乗り込んだ瞬間、支えていたケーブルが切れ、急降下したのだ。後の証言によれば、エレベータは飛行機のフライト時のように揺れ始め、「カラッカラッカラッ…」という異音とともに粉塵が中に入り込んできたという。果たして、エレベータは急速な落下の後、11階と12階の間で止まり全員が助かった。他のケーブルがかろうじて付いていたことで奇跡的に床に落ちずに済んだそうだが、乗客の１人は「落下中、死を覚悟した」と語ったそうだ。

現在、一般のマンションやオフィスビルで使われているロープ式のエレベータには、定員重量の10倍以上にあたる強度が義務づけられており、３本以上あるワイヤーロープが全て切れ下まで落ちる危険性は極めて低い。それでも思わぬ欠陥があり、

落下する可能性もゼロではない。どうすればいいか。まず頭に浮かぶのは「ジャンプ」でなかろうか。箱が地上に着く瞬間、タイミングよくジャンプできれば墜落の衝撃を免れるのではないか、と。

これは机上の空論だ。エレベータが凄い速度で落下すると軽い無重力状態になるため、床を蹴って飛び上がるのは不可能。床に叩き付けられてビルから飛び降りたときと同様の衝撃を受けることになる。

有効なのは、エレベータの中央部に腹ばいになり、できるだけ全身を平らに伸ばすことだ。これで衝撃の負荷が体全体に分散する。後は、落下の衝撃で天井から物が落ちてくるかも知れないので、顔や頭を手や荷物で覆って落下物が直接当たらないよう注意するくらいしか、乗客にできることはない。

ちなみに、現在の大半のエレベータには、万が一の落下に備え、衝撃を吸収するスプリングが設置されている。その効力を信じて、天命を待つしかないだろう。

中央部で床に体を平らにして衝撃負荷を分散させるのが有効

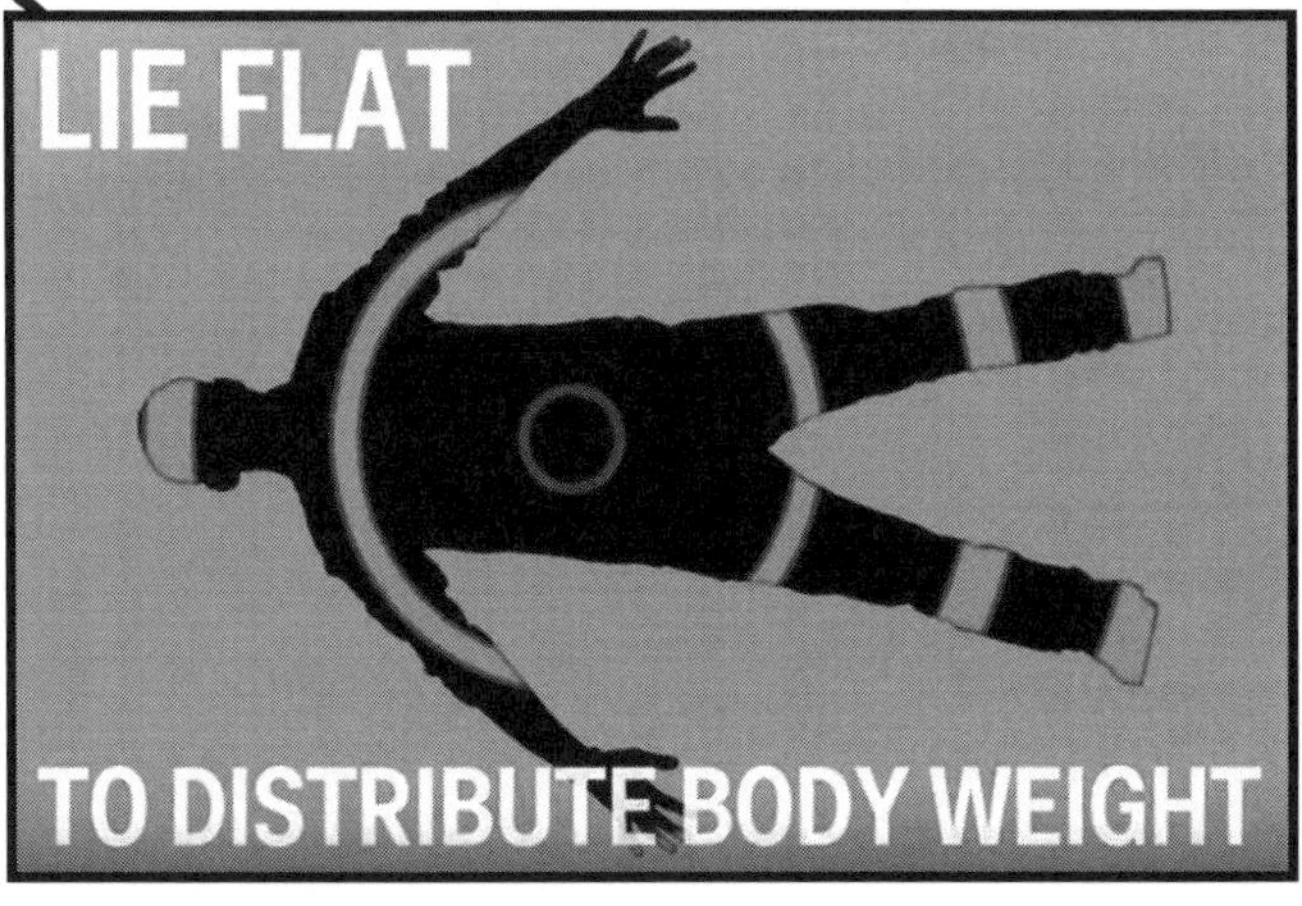
LIE FLAT
TO DISTRIBUTE BODY WEIGHT

大型旅客船が沈没しそうだ

クルーの指示に従うのが鉄則。逃げ遅れたら「空気だまり」を探せ

2014年4月に起きた、韓国籍フェリー「セウォル号」の転覆事故はまだ記憶に新しい。300人以上の死者・行方不明者の多くが高校生で、船長らが「船室で待機せよ」と間違った誘導をしたことなどが被害を甚大にしたようだ。

万が一、自分が乗った大型船が沈没しそうになったらどう対処すべきだろう。技術や安全性の進歩により、大型客船が沈没する確率は非常に低いと言われるが、安全基準が厳しく適用されていない国もある。生き延びるためには、まずどのような船に乗っても個人用の救命具や、救命ボートの置き場所、装着法や使用法を確認しておきたい。1912年に氷山に接触して沈没したタイタニック号の場合は、1千500人以上の犠牲者を出したものの、多くの女性や子

2014年4月に起きた「セウォル号」転覆事故

「空気だまり」が命を救う

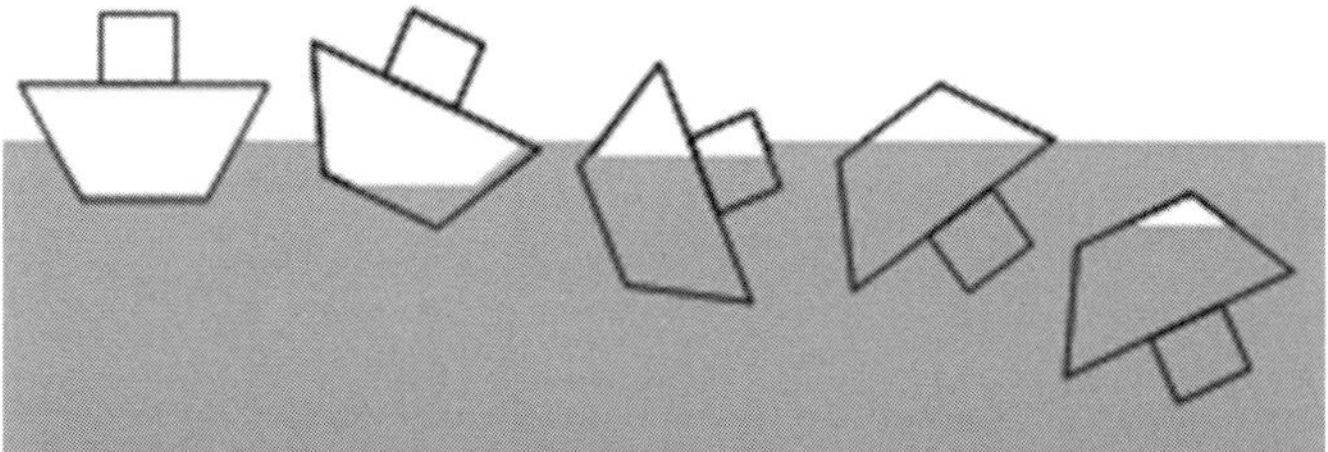

船が傾き沈没する過程では、一般的に図のような順で「空気だまり」ができるので、可能ならここに避難することも覚えておこう

供が救命ボートで脱出、逃げ延びている。もし自分の母国語と違う言葉を話すクルーが働く船なら、緊急時に、直接自分に指示を出してくれる人を見つけておくのも重要だ。

訓練されたクルーのいる大型客船では、彼らの避難指示に従うのが鉄則。指示が聞こえなかったり理解できなかった場合は、船が傾きだしたら手すりや、パイプ、フック、ライトなどに摑まりながら、船の上やデッキを目指すべし（最短距離ではなく最速ルートでの脱出を心がける）。船の中央や内部にいるとパニックに陥ってしまう。ある統計によれば、こうした緊急事態でパニックにならないでいられるのは全体の15％で、70％が論理的に物を考えられなくなり、残り15％が理性を失うという。冷静さを失えば、脱出前にケガをしたり、逃げる時間も無駄にしかねない。とにかく、無理矢理でも自分を落ち着かせよう。

万が一、逃げ遅れて船内に取り残された場合、助かる可能性は、「空気だまり」と呼ばれる空間を探せるかどうかにかかってくる。水没していない部屋をあきらめずにチェックしよう。ちなみに、2013年5月、ナイジェリアで沈没した船の料理人だった男性は、水面下の船の中、「空気だまり」を見つけ3日近く生存、無事に救助されている。

乗った飛行機が今にも墜落しそうだ

シートベルトを骨盤に固定し、低い姿勢で体を丸めろ

最悪の状況を
乗り切る
100の解決策

アメリカの国家運輸安全委員会の調査によれば、航空機に乗って死亡事故に遭う確率は１００万分の９しかないらしい。が、いざ墜落事故が起きれば生存は絶望的。もし自分が乗った航空機が落ちそうになった場合、助かる道はあるのだろうか。

本章で繰り返して指摘しているとおり、この手の緊急事態に遭遇した際に最も重要なのはパニックにならないことだ。間違っても乗務員に食ってかかったり騒いだりせず、指示を守ること。彼らはたとえ自分たちの命を投げ打っても、乗客の生存可能性が少しでも高くなるよう最大限の努力を行う覚悟で搭乗している。実際、１９８２年８月、成田発ハワイ行きのボーイング７４７－１００型機で起きた事故では、機内でテロリストが爆弾を爆破。死亡被害者を出し、客室が急減圧し、キャビンの床に穴が開くなどの損傷を受けながらも、乗務員の努力によって奇跡の生還を果たした。

乗務員の指示に従うことは前提にして、もはや墜落は避けられないとなった場合、乗客ができるのは墜落の瞬間の衝撃を和らげるよう工夫することだ。中でも肝心なのは、体を支えるシートベルトで、お

墜落の危険がある際取るべき体勢

衝撃に備え、前席で上体を支える

上体を前に倒し、姿勢を低く保つのも一つの手

腹ではなく骨盤の位置にしっかり固定、ベルトと体の間に機内備え付けの雑誌や毛布、バスタオルなどを挟み込もう。というのも、実際の事故現場ではベルトが糸ノコのような凶器となり、体が真っ二つに切断された遺体が数多く発見されているのだ。

この他できる対応は、椅子の下敷きや前の座席に挟まれないよう、あぐらや正座、膝を抱える姿勢を取ることだ。毛布や衣服などを巻き付けて頭を守りながら座席にスッポリ収まるよう体を丸める。ポイントは両足をしっかりと床に着け、足の位置を膝よりも後ろにすること。こうすることで、衝撃の瞬間に下半身へのダメージを軽減できる。また、脛を骨折する危険もあるため、前席の下部分からできる限り脚を離しておこう。

1985年8月に発生、520名の死者を出した「日本航空123便墜落事故」でも、こうした対応策を取っていれば、より多くの乗客が助かったのではないかと言われている。

渡航先でテロ・銃撃戦に巻き込まれたら

伏せろ、避けろ、目立つな

最悪の状況を乗り切る100の解決策

世界中でテロが多発している。公安調査庁の発表によれば、２０２１年1月～5月までの5ヶ月間に絞っても、1月3日にパキスタン州南西部・バルチスタン州ボラン地区で、武装集団がシーア派ハザラ人の炭鉱労働者11人を誘拐して殺害。2月7日にはソマリア中部・ガルムドゥグ州で同国の治安機関幹部を乗せた車両を標的とした爆弾が爆発し同幹部及び護衛の兵士11人の計12人が死亡。5月8日にはアフガニスタン首都カブールのシーア派が多数居住する地区の女子校前で爆発が起こり、少なくとも85人が死亡した。いずれも過激派集団による犯行である。

こうした凶悪なテロ事件に巻き込まれないためには、海外旅行に出かける前に、外務省のホームページなどで最新の治安情報を把握し、危険なエリアを避けることが必須だ。が、それでも渡航先で予期せぬテロに遭遇しないともいえない。

万が一、爆弾テロや銃撃戦に巻き込まれたら、まず「伏せる」ことだ。コンクリートの壁や柱、大樹、車のフロントエンジン、タイヤなどは銃弾を遮るので、そこに素早く身を隠す。木製ドアやガラスドア、

劇場の座席、車のドアなどは銃弾が貫通してしまうので要注意だ。
　護身のために取るべき行動は「避ける」「拒む」「防ぐ」の3つだ。人々が殺到する出口や場所を避け、犯人たちがやって来そうな経路に、何でもいいから障害物を置いて接近を拒み対決する事態を防ぐ。
　不幸にも拉致・監禁されてしまったら、静かに礼儀正しく振る舞うことが最も無事生還する可能性を高める。人質ビジネスでの生存率は約90％だが、制圧・殺傷を目的としているテロでは30～40％。好戦的な態度は取らず、できるだけ目立たないことくらいしか、対応の術はない。
　また、ハイジャックに遭った場合も非協力的な態度を取らず、いざとなったら椅子に身を隠そう。飛行機の椅子は非常に丈夫で、ピストルや手榴弾の破片を遮るので、椅子と椅子の間に身を隠すのが賢明だろう。

北朝鮮が日本に向けミサイルを発射したら

警報から3分以内に地下街や地下鉄に逃げろ

北朝鮮が公開した、2021年3月25日に発射したとされる弾道ミサイルの画像

２０２１年３月25日、北朝鮮が日本海側に向けて弾道ミサイル２発を発射した。報道によれば、発射されたのは「新しく開発した新型戦術誘導弾」で、軍事力向上のアピールが目的と見られる。

北朝鮮は過去に例を見ない頻度で弾道ミサイルを発射し、２０１８年８月29日と９月15日には、予告することなく発射した弾道ミサイルが日本の上空を通過。２０１９年には４月から11月まで計13回、短距離弾道ミサイル及び大型ロケット弾を発射している。

北朝鮮が日本の本土をターゲットにミサイルを発射すれば、ほんの３分で到達すると言われている。国民には発射と同時に各市町村の屋外スピーカーから「全国瞬間警報システム＝Ｊアラート」や、携帯電話のエリアメール、緊急速報メールで情報が知らされることになっているが、時間的余裕はほとんどないと考えて良いだろう。
　すでに北朝鮮はＶＸガスやサリンなどの化学兵器、広島や長崎に投下された原爆の数倍の威力を持った格弾頭を保有していると言われる。もし、それらが日本国内に被弾したら、とてつもない数の死者、負傷者が出ることは確実だろう。万が一の場合、どうすればいいのか。

　屋外にいる場合は、近くの建物（コンクリート造りなど頑丈な建物が望ましい）の中、または地下（地下街や地下駅舎などの地下施設）へ。屋内にいる場合も頑丈な建物や地下に避難するのが望ましいが、それができなければ可能な限り窓から離れ、できるなら窓のない部屋へ移動しよう。

　建物に避難した場合は中央部で身を低く保ち、屋外であれば物陰に身を隠したり地面に伏せて、持ち物や両手で頭部を守る。もし仮に、近くにミサイルが被弾した際は、口と鼻をタオルや衣服で覆い直ちに風上に逃げるべし。重要なのは、決してパニックにならないことだ。

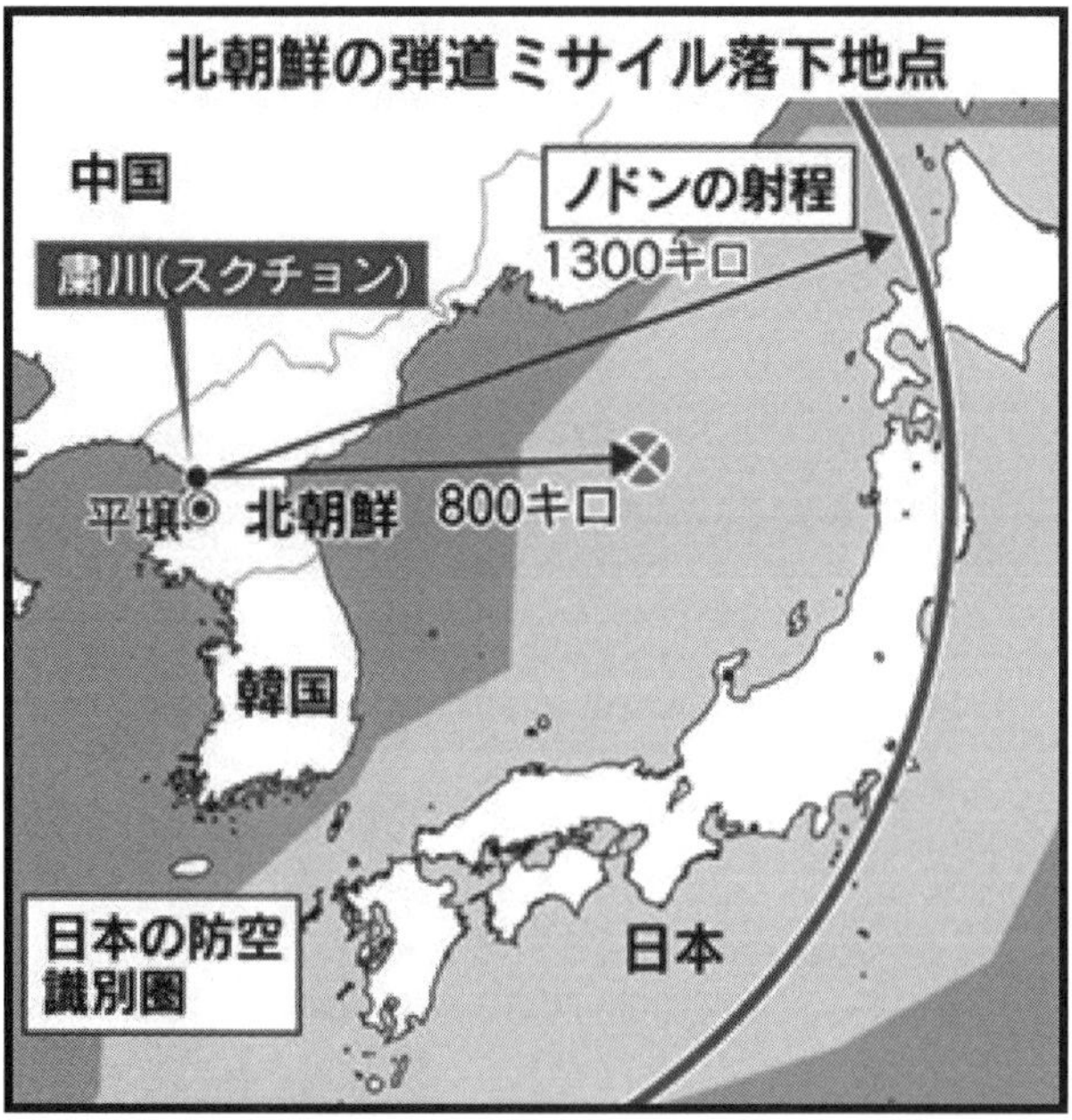

北朝鮮の弾道ミサイルは日本の国土ほぼ全てが射程内に

巨大地震に襲われたら

首都圏直下型や南海トラフ地震など巨大地震がいつ起きてもおかしくない日本。もし震度6以上の地震に襲われたら、我々はどう身を守ればいいのか。正しい対処法と知識を頭に叩き込んでおこう。

生き延びるためのAtoZ

屋内編

▼まず頭を守れ

一番恐いのは落下物で頭を負傷すること。倒れやすい家具や窓ガラスから離れ、這ってでも近くの机やテーブルに潜り込みたい。適当な逃げ場所が無ければ座布団や雑誌、最悪、手のひらで頭を覆おう。手のひらを上に向けていると落下物で手首の動脈を切ってしまう恐れがあるので、必ず下に向けること

▼寝ていたら枕や布団で

「阪神淡路大震災」は、午前5時46分という早朝に発生、まだ寝ている人も多かったため、為す術も無く圧死したケースも少なくなかった。睡眠中に大きな揺れを感じたら枕や布団で頭をカバー、ベッドに寝ているなら転がり落ちてベッドの横で身を伏せよう。タンスや天井が落ちてきても「三角スポット」（238ページ参照）で安全が確保できるはずだ。

▼風呂やトイレはドアを開けろ

風呂場やトイレは狭く、四方を柱に囲まれているため一見、安全な場所に思える。ただしそれは震度5ぐらいまでの倒壊の恐れのない場合だ。それ以上の揺れなら閉じ込められないよう扉を開け、風呂場では鏡やガラスでの怪我、タンクが頭上にあるトイレでは落下に注意。風呂の湯水は消火用水や生活用水に利用できるので、そのままにしておこう。

▼オフィスでは机の下に

言ってでも机の下に身を潜める。机がそばになければ頭を守りながらロッカーや書棚、窓際から離れよう。

大地震では家具が凶器になる。転倒防止具を施しても大地震では転倒を免れないが、倒れるまでに時間が稼げる

職場では頑丈な机の下に隠れるのが一番

▼火の元の確認を欠かさずに

最近のガスメーターやＩＨコンロなどは、震度５以上の地震を感知すると安全装置が作動し、自動的にガスが止まったり電源が切れる仕組みになっているが必ず確認を。また、石油ストーブには耐震自動消火装置、電気ストーブにも転倒自動消火装置が付いている商品も多いが、周囲に散乱した物品によって働かない場合もあるので、こちらのチェックも怠らないように。

オフィスの場合、一般家屋に比べ、比較的倒壊率が低いといわれるが、怖いのは火事である。いったん揺れが収まったら給湯室の元栓を必ず閉めること。なお、こうした火の元の確認は、ある程度揺れが収まってから行うべし（２４０ページ参照）。

▼出口を確保せよ

身の安全の次に考えたいのが、安全な脱出ルートだ。大きな地震では、建物自体がゆがんでしまい、出入り口が開かなくなってしまうことが少なくない。特に、マンションやオフィスビルなどは一戸建て住宅に比べ出入り口の数が限られているため、早めに扉や窓を開けておこう。その際は、周りに危険な物がないかの確認も重要だ。

揺れが収まった際に避難ができるよう
出口を確保しよう（東京消防庁HPより）

▼常備すべき防災グッズ

持ち出しに最低限必要なもの

普段から防災グッズを常備しておくのも重要。持ち出しに最低限必要なものは、印かん、現金、救急箱、貯金通帳、懐中電灯、ライター、缶切り、ロウソク、ナイフ、衣類、手袋、ほ乳びん、インスタントラーメン、毛布、ラジオ、食品、ヘルメット、防災ずきん、電池、水など

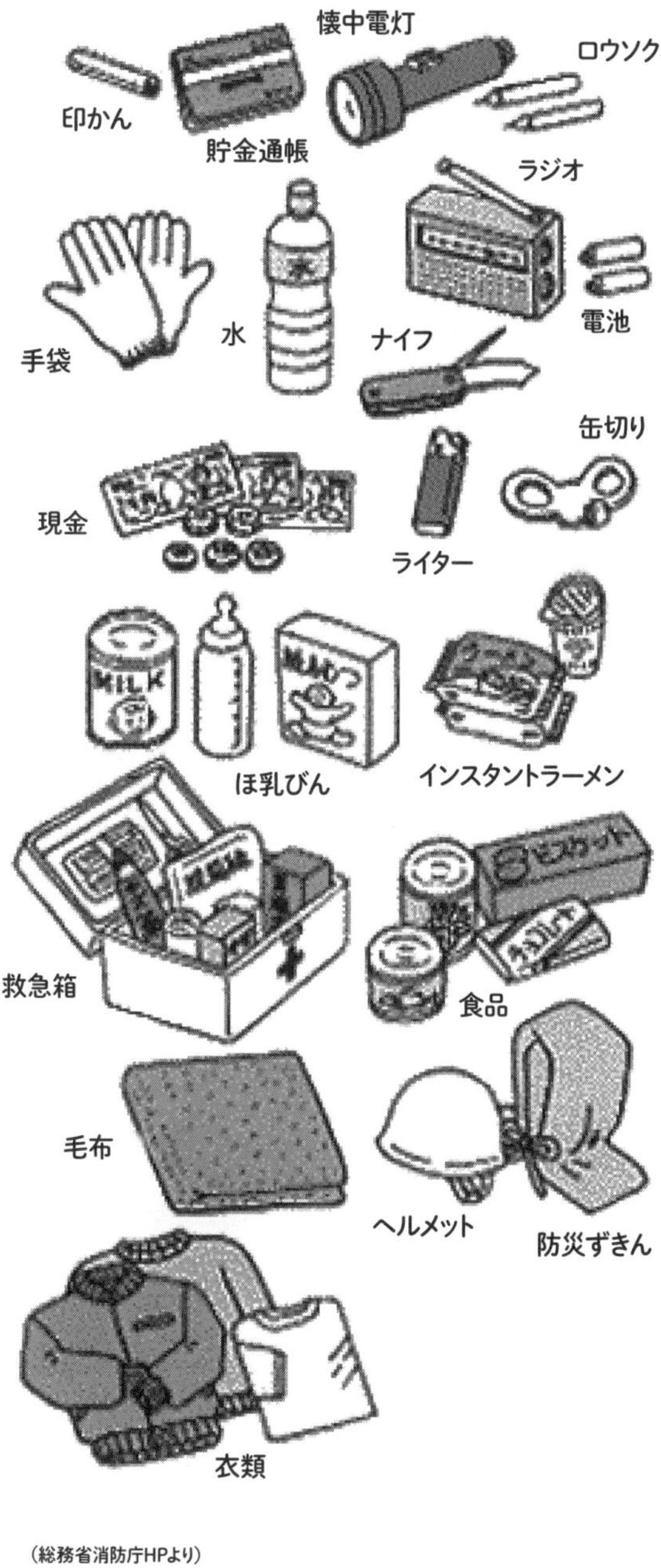

（総務省消防庁HPより）

屋外編

▼市街地の倒壊物に厳重注意

自動販売機やブロック塀、電柱など倒れやすい物に要注意。ビルの窓ガラスが割れて落下すると、40〜60キロもの時速で広範囲に飛散し、致命傷となる可能性が高く、他にも看板、ネオン、エアコンの室外機など様々な落下物が想定される。垂れ下がった電線やガス漏れ、また道路が液状化や陥没している場所には絶対に近づかない。

▼大型商業施設では誘導に従え

大勢が集まっている場所で怖いのはパニックである。慌てて非常口や非常階段に殺到して身動きできなくなることが危険だ。デパートなどは防災意識が高く避難経路もしっかりしているので、ショーウィンドウや商品棚から離れ、カバンや買い物カゴなどで頭を守りながら従業員や警備員、館内放送に従う。

▼映画館、ホールでは座席の間に身を伏せろ

慌てずカバンなどで頭を保護しながら座席と座席の間に身を伏せ、係員の誘導を待つ。出入り口が少ないため、皆が殺到すると二次災害を引き起こしかねないので冷静になることが肝心だ。

2018年6月、近畿地方で起きた震度6弱の地震では、高槻市のプールの壁が崩壊、9歳の女の子が死亡した

ガソリンスタンドは安全性が高い。写真は「東日本大震災」に遭いながら営業を続けていた店舗の一つ

▼地下街では壁や大きな柱に体を寄せろ

日本の地下街や地下道は比較的地震に強い。ただ、停電になっても慌てないことが肝心。すぐに非常灯が点くので、商品の陳列棚や照明器具から離れ、頭を守りながら壁や大きな柱に身体を寄せて様子を見る。

▼ホテル・旅館では布団で防御

揺れを感じたら部屋にある机の下に入るか、押し入れの布団を出して体を守る。観光地の宿は川縁や山裾に建てられていることが多いため、地滑りなどの災害に巻き込まれやすい。揺れが収まったらいったんは建物の外に避難するのが賢明だ。

▼ガソリンスタンドに留まれ

大量のガソリン→大爆発、などを連想するが、意外やガソリンスタンドは危険な場所ではない。引火しやすい製品を扱う設備ゆえ、構造が非常に頑強なことに加え、様々な工具や消火器具を備えてあるので、その場に留まった方が安全だ。

地下街は地上に比べ揺れが小さく倒壊による被害も少ないため、避難場所としても適している

▼車を停めて待機せよ

揺れを感じたら周囲の状況を確認しながら道路の左側に停車。車が動くようなら横道に逸れて駐車場や広場に停め、ハイウェイラジオなどで被害情報を収集する。

自動車で逃げた方が早いと思うかもしれないが、「阪神淡路大震災」では人や自動車で道が大渋滞。緊急車両が通れず救命・消火作業が難航した。くれぐれも自分勝手な行動は慎み、連絡先メモを残し、車検証を持って徒歩で避難。路駐せざるを得ないなら緊急車両などの通行の妨げになった場合に移動しやすいようキーをつけたままにする。

高速道路を走行中の場合も事情は同じ。地震発生後は安全が確認されるまで原則、通行禁止になるので路肩か、パーキングエリアが近ければそこまで移動して待機。避難する必要があれば、連絡先メモを残し、窓を閉め、キーをつけたまま、車検証を持って「非常階段」から徒歩で避難する。

車で走行中の場合は即座に左に停めるべし

▼地下鉄は比較的安全。乗務員の指示に

「阪神淡路大震災」以来、耐震補強工事が実施されており、火災やガス漏れ、水の流入がない限り地下鉄構内は比較的安全だ。が、怖いのはパニックである。一般人よりはるかに多く、定期的に防災訓練を行っている乗務員の指示に従おう。

▼電車で遭遇しても無闇に外へ出るな

大きな地震が発生したら電車は停止し、一時的に停電することもある。が、立ってる人は手すりなどにつかまり、座ってる人は前屈みで頭をカバンなどで保護。非常灯が点くので慌てず乗務員の指示に従う。線路内は感電したり他の電車にひかれる恐れがあるので乗務員の指示があるまでは絶対に車外に出ないこと。

▼大型バスは揺れを吸収しやすい

大型バスはクッション性能のいいサスペンション（衝撃吸収スプリング）が付いているので、地震の揺れもある程度は吸収し、電車よりも地震に強いと言われている。が、バスから避難する際には他車の暴走、落下物や倒壊物に注意し、高速道路や橋梁の場合は直ちにそこから離れること。

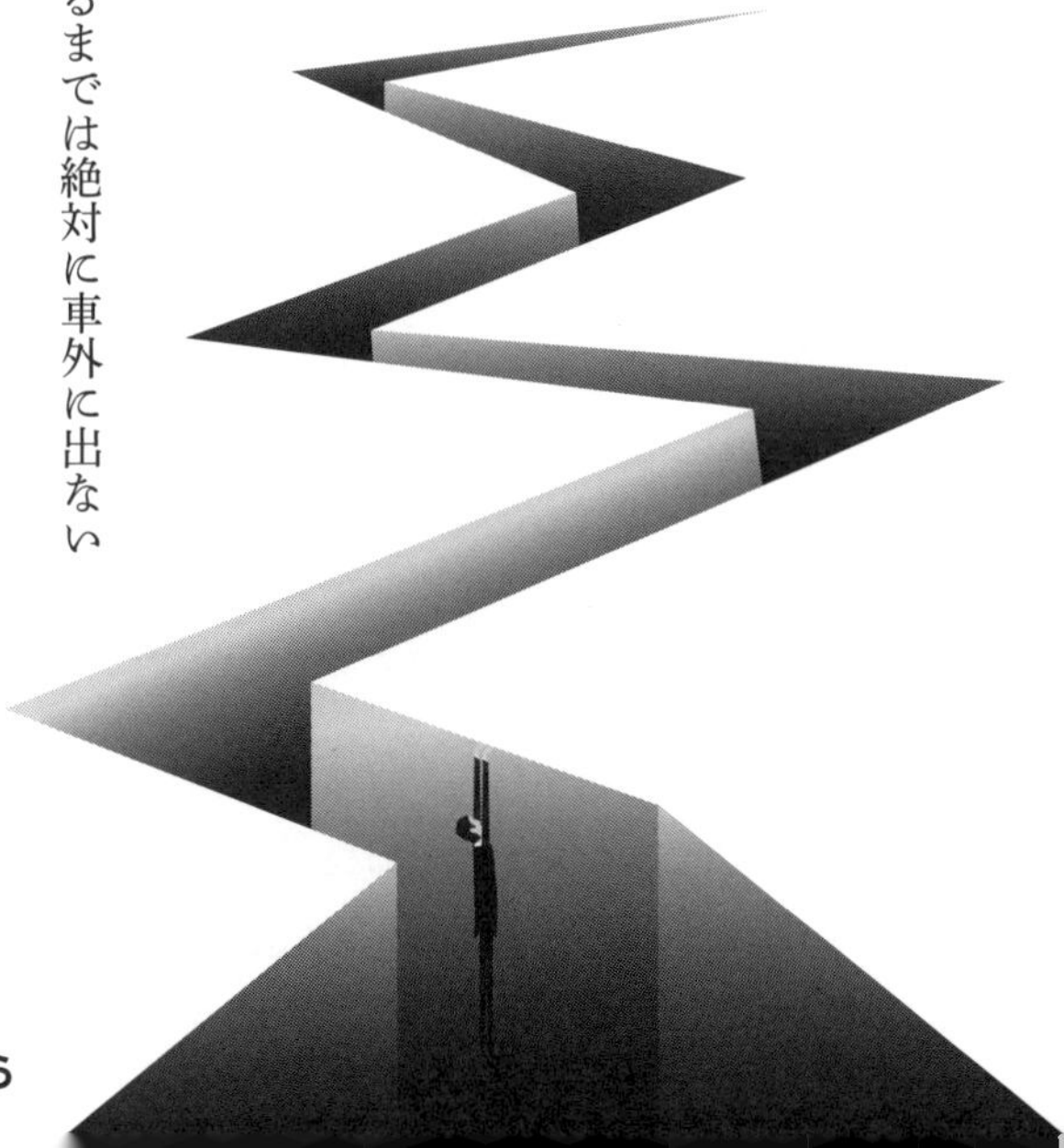

▼土砂崩れの前兆が出たら垂直90度に逃げよ

ハイキングや登山中の地震で怖いのは、土石流や雪崩だ。大規模になると土石流の速度は50キロ以上にもなり、巻き込まれたらひとたまりもない。

しかし、土砂が崩れる前には前徴がある。地震を感じ、山奥で雷のような音が響いたら岩場や渓谷にいた場合は速やかに待避。重要なのは、下流ではなく、垂直横90度に逃げることだ。避難の際は、落石が発生しやすいので、傾斜地にいるときは山に背中を見せない

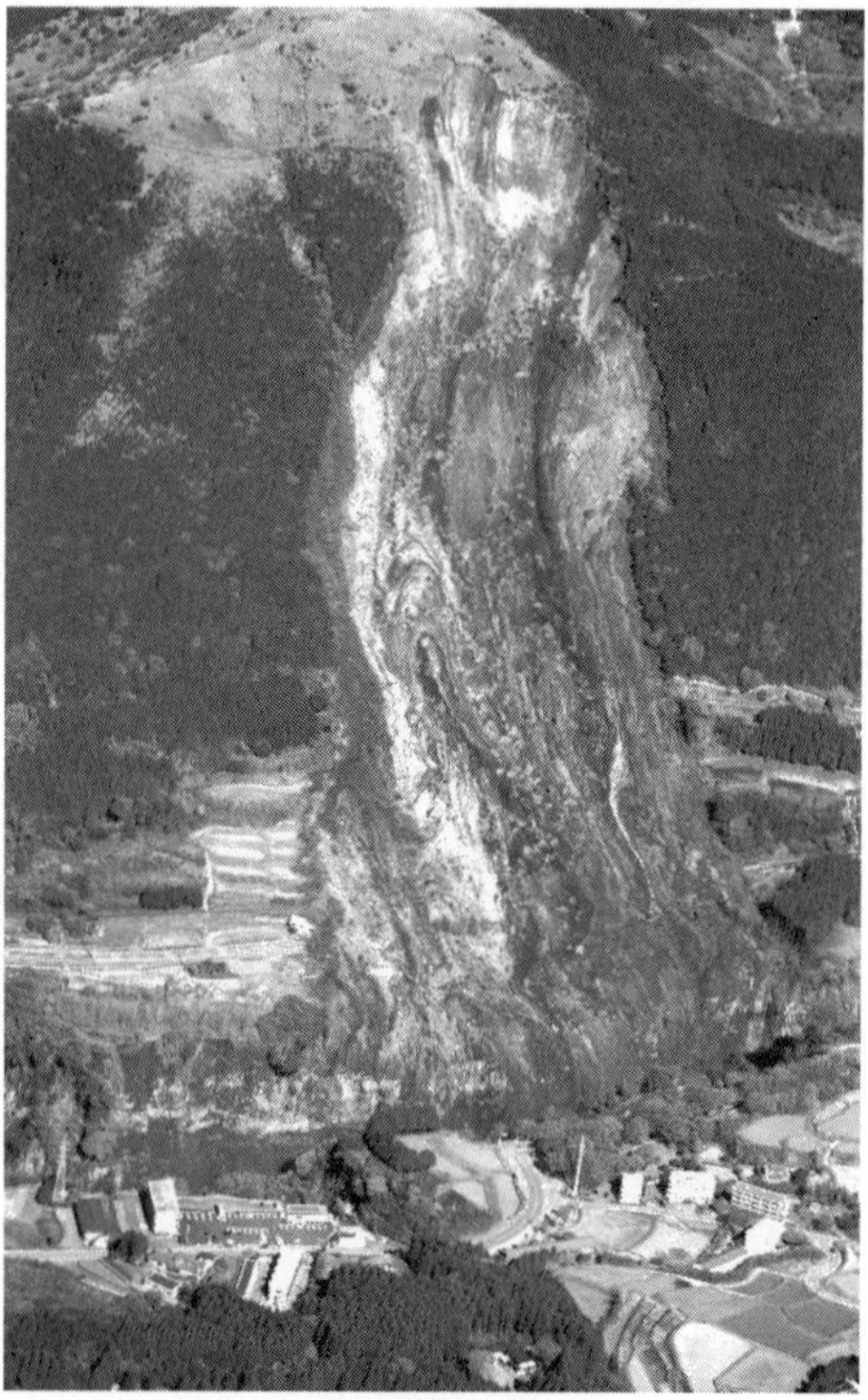

2016年4月、熊本を襲った震度6強の地震で起きた大規模な土石流

態勢を取る。1980年に富士山頂付近で岩が崩れたとき、生還したのは縦一列になって落ちてくる岩に相対した姿勢を取った一家だったという。

▼津波の警告が出しだい高台へ

地震後にやってくる津波の怖さは、「東日本大震災」で嫌と言うほど身に染みたはず。地震が発生したときに海の近くにいたら、とにかく津波に要注意。「東日本大震災」以来、気象庁をはじめ危険性のある市町村では防災意識を高く持って整備に努めている。津波情報を注意深く聞き、注意報や警報が出たら一刻も早く高台に逃げよう。

▼海外で被災したら屋内は危険

地震が多発しているのは日本だけではない。太平洋沿岸、インドネシア西部からインド北部を横切ってイラン、トルコ、イタリアに至るベルト地帯は比較的地震が多い。せっかくの海外旅行で運悪く地震に遭遇してしまったら、日本とは勝手が違う。建築基準が日本に比べて厳密ではないうえ、レンガや石積みの家が多いので、屋内に逃げるのは賢明ではない。言葉がわからなければ情報入手もままならずパニックに陥りかねないが、冷静な判断が身を助ける。自身の安全を確保したら、現地の日本大使館・領事館、主要航空会社、保険会社などに連絡して自分の安否を伝えるとともに、情報をもらおう。

生き延びるためのAtoZ

巨大地震に襲われたら

覆された常識 1

安全なのは「机の下」か「三角スポット」か

“命の三角形”とも呼ばれる「三角スポット」

我々日本人は、物心がついたときから「地震が起きたら机の下に隠れろ」と教えられてきた。が、最近、防災関係の書籍やネットの情報では、地震の際に最も安全なのは「三角スポット」だという記事をよく目にする。

この説を提唱しているのが、約60ヶ国で1千軒近い倒壊した建物での救命活動に携わってきた「アメリカン・レスキュー・チーム・インターナショナル」である。机の下に逃げた場合はほとんど潰れて死亡していたのに対し、ベッドやソファ等の横に身を潜めていて助かった人の方が多いのだという。

例えば、ベッドの上に天井が落ちてきた場合、平らな「床」「天井」「ベッド」の間に三角形の隙間ができる。この三角スポットの方が、落下物によって押し潰されやすい机の下よりずっと安全性が高いというのが彼らの主張である。実際、アメリカのレスキュー隊員たちが救命活動を行う際には、真っ先にこの「三角スポット」を捜索するそうだ。

しかし、アメリカ赤十字などは、地震が起きれば家具自体も動いてしまうため、重い物の横にうずくまるのは逆に非常に危険だと指摘。日本と同様、「伏せて、机の下に潜って、しっかり摑まる」のが正しいとしている。

結論としては、ケースバイケースとしか言いようがない。天井が落ちてきてもビクともしなそうな机なら潜って摑まっていた方が安全だし、床にガッチリ固定したベッドがあれば、その横に伏せていた方がベターだろう。肝心なのは、自分がいつもいる場所の安全性を確認し、いざ地震がきたときの避難場所を覚えておくことだ。

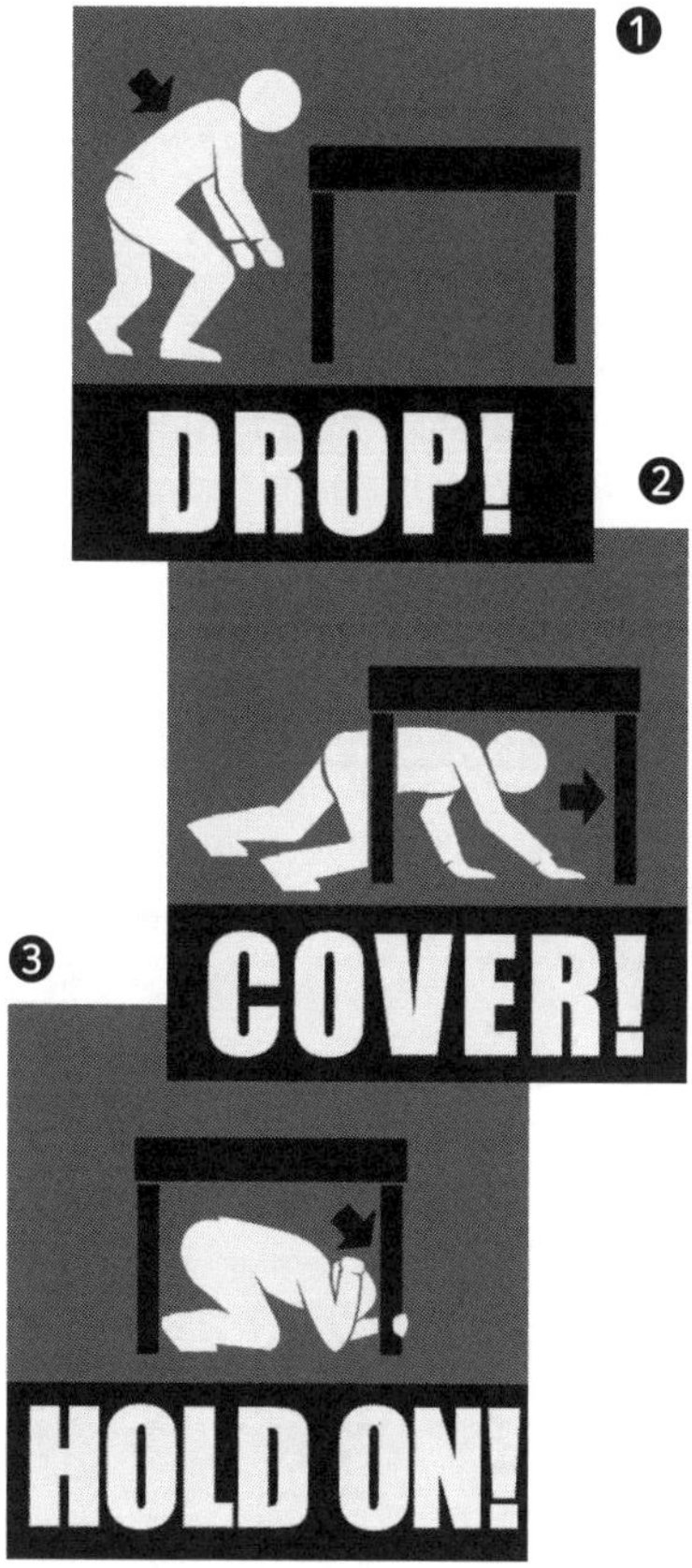

アメリカ赤十字が提唱する身の守り方
「伏せて、机の下に潜って、しっかり摑まる」

生き延びるためのAtoZ

巨大地震に襲われたら

2 覆された常識

火を消すのは原則、揺れが収まってから

「グラッと来たら火の始末」

「地震だ！ 火を消せ」

大きな揺れを感じたときには真っ先に台所のガス台などの火を消さなくてはと思っている人は多いだろう。１９２３年の関東大震災が正午近くに起きたため各所で火災が発生。10万人以上といわれる犠牲者の多くが地震より火が原因で亡くなった。そのため、90年以上にわたって防災標語が語り継がれてきた。しかし、阪神淡路大震災や東日本大震災を経験した我々は、震度5以上の揺れが、とても火を消しに行ける状況ではないことを知っている。

実際、過去のデータを見ると、火を消しに行こうとして怪我を負った例は多い。夕食時や炊事の時間帯に起きた１９９３年の釧路沖地震や２００４年の新潟県中越地震では、慌ててガスコンロやストーブの火を消そうとして鍋やヤカンを倒して熱湯がかかったり、中には天ぷら鍋の油を浴びて大ヤケドを負った人までいたという。

街のあちこちで見かけた防災標語だが…

現在は「過熱防止装置」と
「立ち消え安全装置」が
法制化され、震度5の揺れで
自動消火するガスコンロも

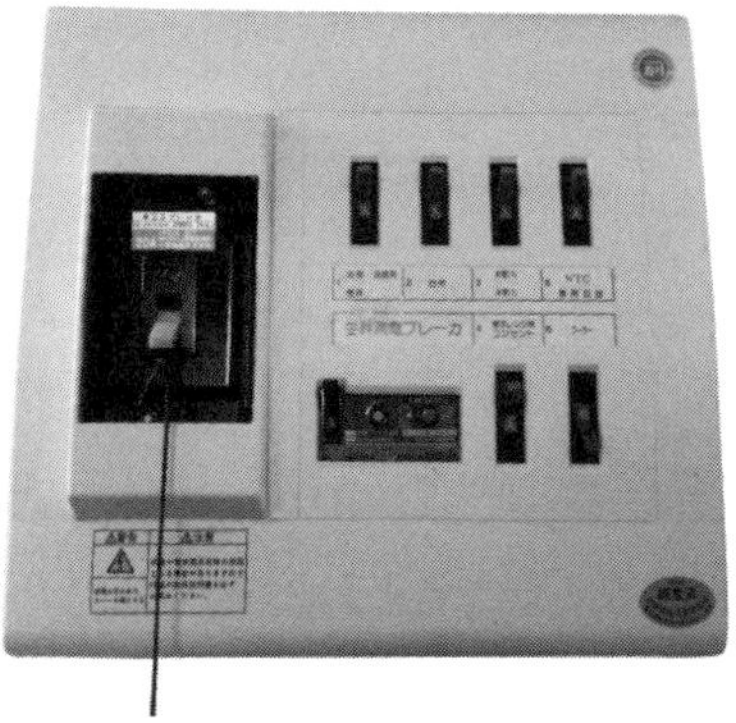

一定の震度の揺れを受けると
電気の流れを自動的にストップする
「感震ブレーカー」。電気工事不要だ

そのため、テレビの防災番組などでは「地震だ、火を消せ」は間違いと解説していることがある。しかし「間違い」ではない。揺れている最中にわざわざ火を消しに行く必要はないが、火のそばにいたなら、すぐに消すのは当然。さらに揺れが収まったら注意しながら火を消しに行くことも重要なポイントだ。

そしてもうひとつ、避難の前には電気ブレーカーを切るのを忘れないこと。地震後に停電していた電気が復旧した際、スイッチが入ったままの電化製品や剥き出しになった電気コードなどに通電すると、無人の家から出火する「通電火災」が起きることがある。電気のブレーカーを切って、ガスの元栓もしっかり締めてから避難することが大切だ。

生き延びるためのAtoZ

巨大地震に襲われたら

3 覆された常識

被災直後は誰も助けてくれない

「地震直後に避難して、誰かが助けに来てくれるのを待っていたが、誰も来ない。みんなで話し合って休耕田にテントを張って避難所にしたけど、初めて配給が来たのは３日後だった。意外と国って助けてくれないんだなって思った」

これは２００４年に起きた新潟県中越地震の被災者の証言だ。この言葉が表すように、ひとたび地震が起きても、すぐに救助はやって来ない。新潟県中越地震では、道路が寸断されて孤立状態になったいくつもの被

新潟県中越地震、熊本地震の際のSOS

災地の道路に大きく「ＳＯＳ」「たべもの　ミルク」などの文字が書かれ、２０１６年４月の熊本地震でも、飲み水やトイレットペーパーを求める数多くの声があがった。

　１９９５年の阪神淡路大震災における救助活動は、自助が70％、共助が20％、公助が10％だったとの統計がある。もちろん、地元で働く公務員も被災者。地震に見舞われた地域の自治体も被災しているわけで、被災直後の救援活動はもともとないものねだりと言わざるを得ない。さらには自衛隊やボランティアが救助に向かったところで、被害が大きく、かつ被災エリアが広ければ、隅々まで救助の手が届くことはありえないのが現実だ。

　地震が起きたら、どう生き延びるか。日頃から真剣に考え、最低でも３日間くらいは自分で自分の世話ができる準備が必要だろう。

自衛隊などの救助に頼るより、自力でのサバイバルが重要

生き延びるためのAtoZ

覆された常識 4

巨大地震に襲われたら

生死を分けると言われる「72時間の壁」を信じるな

「72時間」。それが災害が発生したとき、被災者の生死を分けるターニングポイントと言われている。被災者救出時の生存率は、24時間以内が約90％で、48時間以内が約50％、72時間以内が20〜30％、それを過ぎると……。

しかし、72時間を過ぎても決してあきらめてはいけない。1995年の阪神淡路大震災では105時間ぶりに当時79歳の男性が助けられ、2011年の東日本大震災では、倒壊した家屋の中で動けなかった80歳の祖母と中学生の孫を、震災後9日目に救出。海外でも、死者が5千500人を超えた2015年のネパール大地震で、ガレキに閉じ込められた男性が自分の尿を飲み、救助されるまでの82時間、命をつないだ。

もし、地震で押しつぶされてしまった家屋の中に閉じ込められても、生き延びる方法はある。まずは、顔の周りにわずかでもいいから空間を作って、空気を取り込むのが第一だ。落ち着いたら、唾を垂らすなどして、どちらの方向が上か見極める。もし、自分の上に乗っているガレキがかき分けられそうなら、顔や手だけでも外に出す。しかし、天井や大きな家具がのしかかってとても動かせない場合は、無理をして体力を消耗するより、持久戦を覚悟で助けを待とう。

2015年のネパール地震でホテルのガレキの中に閉じ込められ、自分の尿を飲み3日以上生き延びた男性。尿の摂取による水分補給は延命に極めて有効

とはいっても、無闇矢鱈に大声を張り上げても救助の人たちに聞こえなければ意味がない。災害現場は騒音だらけだし、阪神淡路大震災の際は上空を飛び交う何機もの報道ヘリで、ガレキの中の声が消されたと言われた。効率よく声をあげないことには、助かるものも助からなくなってしまう。

ガレキの中で一番役立つのは、笛だ。都合よく首にかかっていればいいが、なければ音の出る物を探す。音の出る家電があればそれでも良し、調理道具を叩いてもいいだろう。とにかく、「絶対に助かってみせる」という気力が72時間の壁を突き破るのだ。

料金不要!

もしものときの相談先リスト

突然、身に降りかかったトラブル。自分一人で収束できれば良いが、事が深刻な場合は周囲の助けを借りざるをえない。ここで紹介するのは、無料（初回のみ無料を含む）で悩みや心配事の相談に応じてくれる公的機関、社団法人、ボランティア団体などの連絡先、受け付け内容の一覧だ。専門家のアドバイスを仰ぎ、一刻も早い解決を目指そう。

法律全般

東京法務局

TEL03-5213-1234（代表）

平日8:30〜17:00

法人・不動産・動産譲渡・成年後見などの登記、戸籍・国籍取得などの手続き、裁判費用がないときの法的扶助などに関する相談。

法テラス

TEL0570-078-374　03-6745-5600

平日9:00〜21:00、土9:00〜17:00

家庭問題、金銭トラブル、労働問題など民事・行政事件全般に関する解決に役立つ機関や法制度の紹介、弁護士、司法書士の紹介や費用の立て替えなどの代理援助・書類作成援助。

東京弁護士会　電話無料相談

TEL0570-200-050（都内からのみ）平日10:00〜16:00

弁護士が電話で法律に関する質問に答えてくれる。時間は15分程度。電話相談で対応した弁護士に、必要に応じてさらに面接相談の予約や事件の依頼を行うことも可能だが、これらの場合、費用が発生する。

司法書士ホットライン

TEL03-3353-2700　03-3353-2703

（東京都の連絡先。他道府県は該当HP参照）平日10:00〜15:45

クレジット、サラ金、成年後見、遺言、相続、民事法律扶助制度などの法律知識の提供や問題解決のための法的なアドバイスを行う。無料の相談時間はおおむね15分程度。

商品・サービス

消費者ホットライン（国民生活センター）

TEL188（局番なし）10:00〜16:00（土日祝日含む）

商品やサービスなど消費生活全般に関する苦情や問い合わせ、商品購入に関するトラブル、製品の苦情、通販、訪販、電話勧誘、催眠商法などの悪質商法、契約などに関する相談。

日本消費者協会 消費者相談室

TEL03-5282-5319　火〜金曜10:00〜12:00、13:00〜15:30

消費生活に関する苦情、問い合わせ。相談員が情報提供、トラブル解決のための助言やあっせんをケースに応じて行っている。

消費者相談ウィークエンド・テレホン

TEL03-6450-6631（東京）日11:00〜16:00

TEL06-4790-8110（大阪）土10:00〜16:00

日本消費生活アドバイザーコンサルタント相談員協会（NACS）が土日に東京と大阪で実施している、商品やサービス、契約などのトラブルや疑問に対する電話相談。

商品・サービス

訪問販売ホットライン

TEL0120-513-506　平日10:00～12:00、13:00～16:30

公益社団法人・日本訪問販売協会の消費生活アドバイザー（内閣総理大臣及び経済産業大臣事業認定資格者）が訪問販売に関するトラブル、相談全般を受け付けている。

消費者相談窓口

TEL03-5651-1122　平日10:00～12:00、13:00～16:00

代金を振り込んだのに商品が届かない、返品に応じてもらえない、詐欺的サイトで被害に遭ったなど、通販全般に関する相談を、消費生活アドバイザーの資格を有する相談員が受け付け。

食の安全ダイヤル

TEL03-6234-1177　平日10:00～12:00、13:30～17:00

公益社団法人日本食品衛生協会が食中毒や食が健康に与える影響など、食品衛生全般に関する疑問や相談を受け付けている。

自動車製造物責任相談センター

TEL0120-028-222　平日10:30～12:00、13:00～16:00

自動車・バイク、その部品や用品の品質に関する相談並びに紛争解決のアドバイス。当相談センター付き弁護士による和解の斡旋、審査委員会による裁定など。

日本旅行業協会 消費者相談室

TEL03-3592-1266　平日10:00～17:00

旅行会社との取引に関する苦情解決の手伝いやアドバイスなど。問題が解決しない場合、客と旅行会社と間に入り、双方の話し合いを促進する活動も行っている。

事件・犯罪

警察相談専用電話

TEL#9110　平日8:30～17:15（各都道府県警察本部で異なる）

事件の発生に至っていないが、ストーカーやDV・悪質商法など警察に相談したいことがあるときに利用。全国どこからでも、電話をかけた地域を管轄する警察本部などの相談窓口につながる。

犯罪被害者支援ダイヤル

TEL0570-079-714　03-6745-5601　平日9:00～21:00 土曜9:00～17:00

犯罪被害者支援を行なっている機関・団体との連携のもと、各地の相談窓口を案内。また、被害に関わる刑事手続に適切に関与したり、受けた損害・苦痛の回復・軽減を図るための法制度の情報を提供する。

全国被害者支援ネットワーク

TEL0570-783-554（東京都の連絡先。他道府県は該当HP参照） 7:30～22:00（年末年始以外無休）。様々な困難や悩みに直面する犯罪被害者に対して、全国48の加盟団体（支援センター）が電話での相談、裁判所・警察などへの付き添いや日常生活を支援している。

検察庁被害者ホットライン

TEL03-3592-7611（東京地方検察庁。他道府県は該当HP参照）平日9:00～17:15

全国の検察庁が、犯罪被害に遭った人やその親族からのあらゆる相談、問い合わせに答えてくれる。要望に応じた情報の提供や助言、必要な問合せ先の紹介なども。

性犯罪被害相談電話

#8103　9:00～21:30（土日祝日含む）

性犯罪の被害に遭った人が相談しやすい環境を整備するため、各都道府県警察の性犯罪被害相談電話窓口につながる全国共通の短縮ダイヤル。通称「ハートさん」。

事件・犯罪

性犯罪・性暴力被害者のためのワンストップ支援センター
#8891　20道府県は24時間365日受け付け

レイプ、わいせつ行為、盗撮、アダルトビデオ出演強要、リベンジポルノなどの性暴力・性犯罪の被害者に対し、相談・カウンセリングなどの心理的支援、医師による心身の治療などを行う。

NPO法人性暴力救援センター・SARC東京
TEL03-5607-0799　24時間365日

性暴力や性犯罪の相談を受け付け、産婦人科医療の提供、警察への通報、弁護士による法的支援などの情報を提供。東京都以外からの相談も可。

更生保護における犯罪被害者等の相談窓口
TEL048-601-2132（関東地区。他都府県は該当HP参照）平日8:30～18:15

犯罪被害者等施策の詳しい内容を説明、また犯罪被害を受けたことによる悩みや不安を聞き、相談に応じる。他の行政機関や民間団体が行う犯罪被害者支援も紹介してくれる。

日弁連刑事弁護センター（当番弁護士連絡先）
TEL03-3580-0082（東京都。他道府県は該当HP参照）
10:00～17:00（土日祝日含む）

各地の弁護士会が運営主体となり、毎日担当の当番を決定。逮捕された人からの依頼で、留置・勾留されている場所に弁護士が出向き、1回無料で相談に応じてくれる。

警察庁「匿名通報ダイヤル」
TEL0120-924-839　平日9:30～18:15

暴力団が関与する犯罪、犯罪インフラ事犯、薬物事犯、少年福祉犯罪など潜在化しやすい犯罪の検挙、また被害を受けている子供や女性の早期保護等を図るための通報を受け付け。

行方不明者電話相談室
TEL03-5281-0123（警視庁＝東京都。他道府県は該当HP参照）平日8:30～17:15

家族の行方不明、震災時の行方不明者などの届け出に関する相談に対応。届け出の際は、行方不明者の写真、印鑑、関係資料（行方不明者の残したメモ、手紙など）を持参し最寄りの警察署へ。

インターネット関連

警視庁サイバー犯罪相談窓口
TEL03-3431-8109（警視庁＝東京都。他道府県は該当HP参照）平日8:30～17:15

Twitter、FacebookなどSNS上の誹謗中傷、個人情報漏洩、架空請求など、ハイテク犯罪全般の被害相談や情報提供を受け付けている。

電気通信消費者相談センター
TEL03-5253-5900（関東エリア。他は該当HP参照）
平日9:30～12:00、13:00～17:00

総務省総合通信局が全国11ヶ所（北海道、東北、関東、信越、北陸、東海、近畿、中国、四国、九州、沖縄）に設置している、電話や電子メールなど電気通信サービスについての苦情や相談の窓口。

迷惑メール相談センター
TEL03-5974-0068　平日10:00～12:00、13:00～17:00

広告または宣伝目的の「特定電子メール」に関するトラブル、SNSでのトラブル、ウィルス、不正アクセス、料金請求トラブルなどの相談を受け付けている。

セーフライン
TEL03-6380-9223（電話での相談は不可。依頼はHPより）

一般社団法人セーファーインターネット協会がリベンジポルノ、SNSでの誹謗中傷、個人情

インターネット関連

報の無断公開など違法なウェブコンテンを被害者に代わって無料で国内外のプロバイダに削除依頼申請を行う。

ほっとネットライン
TEL0952-36-5900　平日9:00〜18:00

小中高校生、保護者や教育関係者、子どもたちを取り巻くネットトラブルに関する相談を受け付けている。匿名可。メール help@it-saga.net　ライン @hotnetline でも対応可

相談してねっと（京都府限定）
TEL075-605-7830　平日11:00〜19:00

個人情報の流出、迷惑メール、高額請求など、ネット被害にかかわる中高生や保護者からの相談に電話とメールで対応している。メール seisho.net@pref.kyoto.lg.jp

金融トラブル

銀行とりひき相談所
TEL06-6942-1612（大阪府。他都道府県は該当HP参照）平日9:00〜17:00

各地の銀行協会が国内50ヶ所に設置する、銀行に関する様々な相談、苦情・要望などを受け付ける機関。相談所への直接訪問も可（新型コロナウィルス感染の影響で訪問不可の場合も）

貸金業相談・紛争解決センター
TEL0570-051-051　03-5739-3861　平日9:00〜17:30

多重債務の相談、悪質業者への苦情などを受け付ける。相談者の状況に応じ、債務整理の方法などについての助言や情報の提供、再発防止を目的としたカウンセリングなども。

多重債務ほっとライン
TEL0570-031-640　平日10:00〜12:40、14:00〜16:40

日本クレジットカウンセリング協会が運営する、借金に関する相談機関。内容に応じて、カウンセリング（面接相談）の受け付け、より適切な相談機関を案内・紹介してくれる。

証券・金融商品あっせん相談センター
TEL0120-64-5005　平日9:00〜17:00

「必ず儲かると言われたのに大損をくらった」「解約に応じてくれない」など、株や投資信託、FXなどの金融商品取引に関するトラブルについての相談受け付け。

交通事故・医療

交通事故被害者ホットライン
TEL0570-000-738　03-6853-8002　平日10:00〜12:00、13:00〜16:00

独立行政法人・自動車事故対策機構が、示談がうまく進まない、弁護士に相談したいが無料の相談窓口が不明、ひき逃げに遭ったなど、交通事故被害に関する悩みを受け付け、解決に最適な相談機関を紹介。

日弁連交通事故相談センター
TEL0570-078-325　平日10:00〜16:30

自動車事故に関する損害賠償問題（責任義務の有無、損害賠償額の算定、過失割合、損害請求法など）について、全国各地の弁護士が相談に応じてくれる（10分程度は無料）。面接相談も可能。

交通事故紛争処理センター
TEL03-3346-1756（東京本部。他10支部はHP参照）平日9:00〜17:00

自動車事故の被害者と、加害者が契約する保険会社との示談をめぐる紛争を解決するため、弁護士が当事者の間に立って法律相談、和解あっせん及び審査手続きを行う。

交通事故・医療

薬物乱用防止相談窓口
TEL03-5320-4505（東京都福祉保健局薬務課。他道府県は該当HP参照）
平日9:00〜16:00
厚生労働省の管轄による、自分や家族が覚醒剤など薬物乱用の問題を抱えている際の相談機関。北海道から沖縄まで全国119ヶ所に設置されている。

精神保健福祉センター（こころの電話相談）
TEL03-3844-2212（東京都福祉保険局。他道府県は該当HP参照）
平日9:00〜17:00
心の悩み、精神疾患や障害、アルコール・薬物・ギャンブル依存、思春期・青年期の様々な問題を抱えて困っている本人、家族、関係機関の方からの相談に応じている。

医療安全支援センター
TEL03-5320-4435（東京都。他道府県は該当HP参照）
平日9:00〜12:00、13:00〜17:00
医療に関する苦情・心配や相談に対応。また、医療機関、患者に対して、医療安全に関する助言及び情報提供などを行う。相談時間は原則30分以内。

中毒110番
TEL072-727-2499（大阪）24時間365日受け付け
TEL029-852-9999（つくば）9:00〜21:00（土日祝含む）
急性中毒を起こした際に、受診の必要性、家庭で可能な応急手当などの情報を提供する。その他、タバコ誤飲事故専用電話（TEL072-726-9922／365日24時間対応、自動音声応答による情報提供）もあり。

救急相談センター
TEL #7119（東京消防庁。他道府県は該当HP参照）24時間365日受け付け
急な病気やケガをした場合に、救急車要請や医療機関受診の必要性、近くの救急病院、応急手当の方法などを教えてくれる。夜間、休日の診療案内も。

エイズ予防財団　電話相談室
TEL0120-177-812　03-5259-1815　平日10:00〜13:00、14:00〜17:00
感染の不安、検査についてなど、エイズに関する種々様々な悩み・相談に応じてくれる。1回の相談時間は30分が目安。匿名可。

新型コロナコールセンター
TEL0570-550-571（東京都。他道府県は該当HP参照）
9:00〜22:00（土日祝日含む）
感染の予防に関することや、心配な症状が出た際の対応など、新型コロナウイルス感染症全般に関する相談を受け付ける。高熱が出た場合は発熱相談センターへ（東京は03-5320-4592）。

労働・職場トラブル

総合労働相談コーナー（厚生労働省）
TEL0120-601-556　03-3512-1608
（東京労働局。他道府県は該当HP参照）平日9:00〜17:00
不当解雇、雇い止め、配置転換、賃金の引き下げ、募集・採用、いじめ・嫌がらせ、各種ハラスメントなどあらゆる分野の労働問題への助言。専門の相談員が面談もしくは電話で対応。

過労死110番
TEL03-3813-6999　平日10:00〜12:00、13:00〜17:00
業務上の過労やストレスが原因で発病、死亡したり、重度の障害を負った場合などの相談、

労働・職場トラブル

労災補償の相談や申請、過労死の予防などへのアドバイス。弁護士、医師など専門のスタッフが対応してくれる。

日本労働弁護団ホットライン

TEL03-3251-5363 平日15:00〜17:00、土13:00〜15:00

不当解雇、残業代不払い、嫌がらせ、仕事による健康被害などの問題についての相談を弁護士がアドバイス。毎月第2・4水曜日（15:00〜17:00）は女性限定で、セクハラ、マタハラなどの問題を女性相談員が受け付けてる。

首都圏青年ユニオン

TEL03-5395-5359 平日10:00〜18:00

賃金が低すぎる、仕事がつらすぎる、いじめやセクハラに遭った、解雇されそう、こんな生活では将来が不安、社会保険に入ってなくて心配など、労働全般に関する悩み、相談を受け付ける。

NPO法人POSEE（ポッセ）

TEL03-6699-9359 平日17:00〜21:00（水曜定休） 日祝13:00〜17:00

東京アンブレラ基金の協働団体。長時間労働、賃金未払い、産休・育休の取得、ハラスメントなど、さまざまな労働相談を受け付け。メール soudan@npoposse.jp での問い合わせも可。

女性ユニオン東京

TEL03-6907-2030

（電話相談は月・水12:00〜14:00、16:00〜19:00）

セクハラ、マタハラ、解雇、賃金不払い、いやがらせ、人間関係など、働く女性に関するトラブル相談を受け付ける。面接相談の場合は完全予約制。

なんでも労働相談ダイヤル

TEL0120-154-052 平日9:00〜17:00

日本労働組合総連合会（連合）の相談機関。労働条件の改善、問題解決に向けアドバイザーが対応。フリーダイヤルにかければ、自動的に地域の連合につながる。

労働条件相談ほっとライン

TEL0120-811-610 平日17:00〜22:00、土日祝9:00〜21:00

違法な時間外労働や過重労働による健康障害、賃金不払残業など、労働条件に関することなら就労者でも雇用主でも相談可能。専門知識のある相談員が応対。

人権・男女間トラブル・生活問題

みんなの人権110番

TEL0570-003-110 平日8:30〜17:15

差別や虐待、パワハラ、プライバシー侵害など様々な人権問題についての相談を受け付ける。電話は自動的に最寄りの務局につながり、法務局職員や人権擁護委員が相談に応じてくれる。

女性の人権ホットライン

TEL 0570-070-810 平日8:30〜17:15

パートナーからの暴力，職場等におけるセクハラ、ストーカー行為などの相談を受け付け。電話は、最寄りの法務局につながり女性の人権問題に詳しい法務局職員又は人権擁護委員が対応。

セクシュアル・マイノリティ電話法律相談

TEL03-3581-5515 毎月第2·4木17:00〜19:00（木が祝日の場合は金）

東京弁護士会が実施する、レズビアン・ゲイ・バイセクシュアル・トランスジェンダーなど性的少数者が法律問題について電話で相談できる窓口。必要に応じて面接相談も実施。

人権・男女間トラブル・生活問題

DV相談プラス
TEL0120-279-889　24時間365日受け付け
新型コロナウイルス感染症に伴う生活不安・ストレスなどから、DVの増加・深刻化が懸念されるなか、内閣府男女共同参画局が新たに設置した相談機関。従来のDV相談ナビ（#8008）も運用している。

女性の家 HELP
TEL03-3368-8855　平日10:00〜17:00
公益財団法人・日本キリスト教婦人矯風会の運営。夫やパートナーの暴力などに悩む女性の相談受付。緊急避難所（シェルター）として宿泊施設の用意も。英語、タガログ語、インドネシア語での対応も可。

NPO法人人身取引被害者サポートセンター ライトハウス
TEL0120-879-871　平日の日中
アダルトビデオへの出演強要、JKビジネス・援助交際、自画撮り、性産業での従事の強要、売春強要といった人身取引被害者の相談を受け付けている。男性からの相談も可。

東京ウィメンズプラザ　相談室
TEL 03-5467-2455　9:00〜21:00（土日祝含む）
東京都に在住・在勤・在学の女性を対象にDV、セクハラ、夫婦や親子の問題、生き方や職場の人間関係などの相談を受け付ける。男性のための悩み相談は03-3400-5313へ（月・水17:00〜21:00　土17:00〜21:00）

いのちの電話
TEL0570-783-556　10:00〜22:00（土日祝含む）
孤独と不安に苦しみ、ひとりで悩み、 生きる力を失いかけている人の命の悩みを受け付ける。電話をかけると、全国53ヶ所にある電話センターにつながり相談員が対応してくれる。

TOKYOチャレンジネット
TEL0120-874-225　月・水・金・土10:00〜17:00、火・木10:00〜20:00
仕事はしているが住まいがない人に3ヶ月間住まいを提供して、安定した住居や仕事を探すサポートをしてくれる。直近半年以上、東京都内に継続して生活していることなどの条件あり。

東京都ひきこもりサポートネット
TEL0120-529-528　平日10:00〜17:00
就労や就学ができない、ひきこもりに悩む本人や家族などからの相談を電話またはメールで受け付けている。 相談員が自宅にうかがう訪問相談も実施。

東京都ひとり親家庭支援センター　はあと
TEL03-5261-8687 月〜金 9:00〜19:30（土日祝 9:00〜16:30）
ひとり親家庭（母子家庭・父子家庭）及びその関係者に対し、生活相談、養育費相談、離婚前後の法律相談、面会交流支援、就労支援、パソコン講習会などを実施。

子供

ヤング・テレホン・コーナー（警視庁）
TEL03-3580-4970　平日8:30〜17:15
いじめに遭っている、親子間の関係が悪化している、学校や家庭内における暴力、いわゆるJKビジネスで働いてるなどの悩みを専門の担当者が対応。親でも子供からでも相談可。

24時間子供SOSダイヤル
TEL0120-078-310　24時間365日受け付け
文部科学省が管轄する、いじめ問題などに悩む子供自身や親の相談窓口。フリーダイヤルにかければ、原則として電話をかけた所在地の教育委員会の相談機関に接続される。

児童相談所虐待対応ダイヤル

TEL189　24時間365日受け付け

近隣の子供が虐待を受けている可能性がある、子育てが辛くつい子供に当たってしまうなどの相談wp受け付け。電話をかけると最寄りの児童相談所へつながり専門家が対応してくれる。

子どもの虐待防止センター

TEL03-6909-0999　平日10:00〜17:00、土10:00〜15:00

虐待されている子供、虐待を止められない親からの相談の受け付け。虐待が危惧される家族について見聞きした地域住民からの相談にも応じている。

東京臨床心理士会「こども相談室」

TEL03-3868-3626　火·水·金〜日10:00〜12:00、13:00〜16:00

子供のしつけ、発達の遅れ、夜泣き、不登校、多動、発達障害、友達関係、いじめなど、子供に関する心配事全般の相談を受け付けている。

東京弁護士会·子どもの人権110番

TEL03-3503-0110　平日13:30〜16:30、17:00〜19:45　土13:00〜15:45

いじめ、仲間はずれ、不登校、退学強要、体罰、ひいき、セクハラ、虐待、過干渉、ネグレクト、両親の離婚、自分自身の将来など子供の悩み全般に対応。水·土は面接相談も実施。

こたエール

TEL0120-178-302　月〜土15:00〜21:00

ネットやスマートフォンなどに関する悩み·トラブルの相談窓口。原則として、東京都内に在住、在学、在勤している少年本人、保護者、学校関係者からの相談を受け付けている。

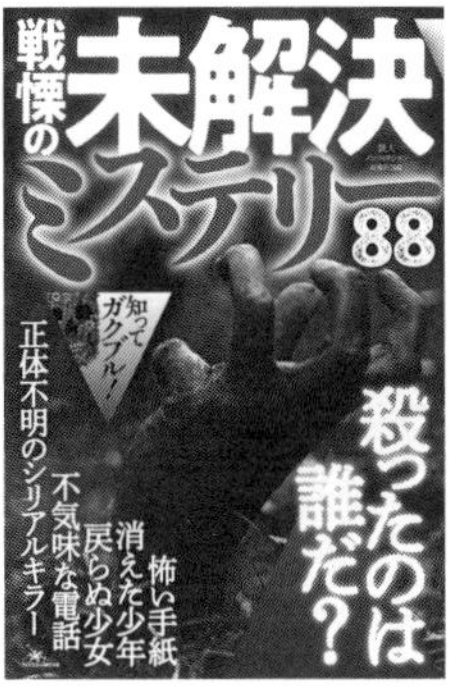

戦慄の未解決ミステリー88

住民を恐怖のドン底に陥れた正体不明のシリアルキラー、物証のない重要容疑者、神隠しに遭ったように消えた少年少女、突如レーダーから消えた飛行機、海に漂う無人の幽霊船、被害者が残した謎のメッセージ、陰謀が囁かれる重大事件、真相が闇に葬られた世界の未解決事件88本!!

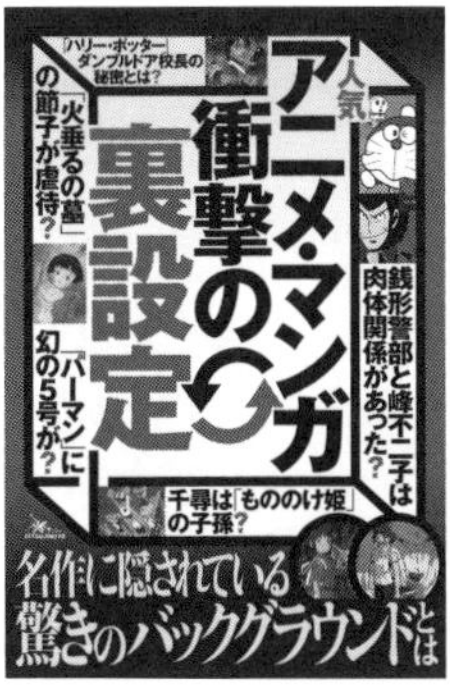

人気アニメ・マンガ衝撃の裏設定

名の知れた名作・傑作には、必ずや隠されたバックグラウンドや知られざるエピソードが存在しています。本書は、そんな有名作品の裏設定をまとめたものです。あの名作、人気作の衝撃の事実をお楽しみください。

定価 各990円（本体900円）

全国書店、コンビニエンスストア、ネット書店にて絶賛発売中

株式会社 鉄人社　TEL 03-3528-9801　http://tetsujinsya.co.jp/

サメに襲われたら鼻の頭を叩け
最悪の状況を乗り切る100の解決策

改訂版

2021年8月17日　第1刷発行

編　者　　鉄人社編集部
発行人　　稲村　貴
編集人　　尾形誠規
発行所　　株式会社　鉄人社
〒162-0801 東京都新宿区山吹町332 オフィス87ビル3F
TEL 03-3528-9801　FAX 03-3528-9802
http://tetsujinsya.co.jp

デザイン　　鈴木　恵（細工場）
印刷・製本　　新灯印刷株式会社

▶主要参考サイト
朝日新聞デジタル　日本経済新聞　読売オンライン　政府広報オンライン　厚生労働省　消防庁
内閣府　産経新聞　生活トラブルの相談先ガイド　Coyapuyo Re:Works　教えて!goo
弁護士ドットコム　防災navi　日常で役立つ救急サイト　gooヘルスケア　アクサダイレクト
ヘルスケア大学　ホームメイト　消防組合　マイナビウーマン　ウィキペディア
路上脱出・生活SOSガイド　enjin
その他、多くのサイト、資料を参考にさせていただきました。

ISBN978-4-86537-219-9　C0076　